KB076587

레비아탄(Leviathan) I

레비아탄 I

발 행 | 2024년 02월 14일
저 자 | 정승렬
펴낸이 | 한건희
펴낸곳 | 주식회사 부크크
출판사등록 | 2014.07.15.(제2014-16호)
주 소 | 서울특별시 금천구 가산디지털1로 119 SK트윈타워 A동 305호
전 화 | 1670-8316
이메일 | info@bookk.co.kr

ISBN | 979-11-410-7105-9

www.bookk.co.kr

레비아탄 I

정승렬 지음

차례

-프롤로그-

소녀는 누군가가 자신을 깨우는 소리에 놀라 잠에서 깼다. 곧 눈을 떴으나 주위에는 아무도 없었다. 혹시나 하고 눈을 비비며 방문을 열고 내다보니, 차가운 겨울바람이 옷깃으로 스며들었다. 어둠이 짙게 깔린 마당에는 인적을 찾아볼 수 없었다. 잠결에 잘못 들었다고 생각하며 방문을 닫으려는 순간, 또 다시 자신을 부르는 소리에 휙 고개를 돌렸다.

신을 신고 집 밖으로 나간 소녀는 소리가 들리는 곳으로 발걸음을 옮겼다. 굵은 눈이 앞을 가릴 만큼 내리고, 차가운 밤바람이 살갗을 아리게 했다. 무엇한테 홀린 것 같이 이끌려가고 있는 소녀는 눈이 쌓인 산속에서 발이 자꾸만 파묻혀갔다.

어둠이 짙게 깔린 험준한 산속은 불빛 하나 보이지 않았다. 정신없이 걷다보니 여기가 어디인지 잠시 어리둥절하였다.

혹한의 칼바람에 언 손과, 눈에 파묻힌 발을 움직이려하자, 저절로 경련이 일어나기 시작했다. 무작정 집을 나선 것이, 얼마나 경솔한 짓이었는지 후회가 밀려들었다. 소녀는 불안한 표정으로 주변을 둘러보았다. 무덤 외에는 아무것도 찾아 볼 수 없는 곳이었다.

그때 갑자기 세찬 눈바람이 뺨을 때리고 지나가자 소녀는 문득 여기가 어디인지 생각이 났다. 여덟 살을 채 넘기지 못하고 지독한 역병으로 죽은 아이들이 묻힌 묘지였다. 순간 소녀에게 두려움이 몰려왔다.

소녀는 겁에 질려 즉시 왔던 길로 되돌아가기 위해 눈 속에 파묻힌 발을 빼내려 했지만 쉽게 빠지지 않았다. 힘을 줄수록 눈 속으로 발이 팍팍 빠져 들어갔다. 이런 곳에서 계속 있다가는 곧 얼어 죽을 것만 같았다. 하지만 얼어붙은 몸은 움직이지 않았고, 말소리도 나오지 않았다.

그 순간 소녀의 생각과 마음속에 죽음의 공포가 엄습해 왔다. 곧 죽을 것만 같은 상황에 처한 소녀는 분노와 원망이 일어나기 시작했다. 또다시 자신이 홀로 버려졌다는 생각이 들어서였다.

그런데 그때였다. 조금 전 들리던 소리가 다시 들려오기 시작했다.

"아이야, 여기서 죽을까 봐 무섭지?"

"누구……세요? 누구신데 저를 이곳까지 오게 했나요?"

"나는 아이들을 너무 좋아하는 몰렉이란다."

"몰렉? 이리 얼어 죽게 생겼는데……아이들을 좋아한다고요? 당신은 거짓말쟁이에요!"

"이거 섭섭하군. 거짓말을 한건 너를 버리고 떠난 부모지 내가 아냐."

"어, 그걸……당신이…… 어떻게 알아요? 저를 아세요?"

"물론이지. 너를 잘 알고 있단다. 난 단지 너에게 좋은 기회를 주려는 것뿐이란다."

"좋은 기회라고요? 그게……뭔데요?"

"난 널 새로운 세상의 영웅으로 만들어 줄 거란다."

"새로운 세상의 영웅이라고요?"

"그래, 널 차별하고 억압하던 사람들이 두 번 다시 그런 일을 못 하도록 버릇을 고쳐주는 일을 하게 될 거란 말이다. 그들 모두가 너에게 무릎을 꿇고, 네 이름을 잊지 않고 똑똑히 기억하게 될 거야."

"정말, 제가……그렇게 될 수 있단 말이에요?"

"당연하지. 내가 그렇게 만들어 줄 테니까. 그뿐만이 아니란다. 넌 영원히 죽지 않게 될 거야."

"진짜……죽지 않아요?"

"그렇고말고. 지금처럼 무서워서 벌벌 떨 필요가 없게 되는 거지. 어때, 그렇게 되고 싶지 않니?"

"좋아요! 꼭 그렇게 되고 싶어요."

"내 제안을 받아들이는 대신 조건이 있다."

"조건이요? 그게 뭐예요?"

"여기에 죽은 아이들이 보이지?"

"네, 보여요. 근데…… 죽은 아이들은 왜요?"

"너에게 말했다시피 난 아이들을 좋아한단다. 네가 아이들을 내게로 데리고 와주면 좋겠구나. 어떻게 하겠니? 너를 그 누구도 함부로 넘보지 못할 존재로 만들어주는 대신 내 조건을 받아들일 수 있겠니?"

"음…… 좋아요! 아이들을 데려오는 일만 하면 되는 거죠? 저랑 약속했어요!"

"약속이라, 듣던 중 너무 반가운 소리구나. 대신 오늘 너와 내가 한 약속은 절대 비밀이야. 그 누구에게도 말을 해서는 안 된다. 알겠니?"

"알았어요! 전 약속하나 만큼은 정말 잘 지키거든요. 대신 당신도 저에게 한 말을 꼭 지켜줘야 해요! 알겠죠?"

"물론이지. 나도 약속을 좋아한단다. 그럼 우리의 약속은 지금부터 시작이라는 사실을 명심하거라."

"알겠어요. 그 대신 먼저 이곳에서 절 보내주세요. 그게 약속의 첫 번째 징표로 생각할게요."

"흐흐흐. 역시 머리가 아주 영특하구나. 셈이 빠른 게 아주 마음에 들어. 좋다. 하지만 내 말을 잊어버리거나 어길 시에는 가차 없이 너도 이곳에 묻히게 될 거라는 것을 명심하거라."

"으윽……얼어 죽겠네. 제발……알겠다고요."

추위에 몸을 떨던 소녀는 말이 끝나기도 전에 어느샌가 방안에 누워 잠들어 있었다.

문밖에는 시커먼 먹구름이 온 하늘을 뒤덮고, 갑자기 눈이 강풍과 함께 성난 맹수처럼 휘몰아쳤다. 그런데도 소녀는 아무 것도 모른 채 너무나 깊은 잠에 빠져서 일어날 줄을 몰랐다. 마치 달콤한 유혹에 빠져 그 속에서 영영 헤어 나오고 싶지 않은 것처럼.

제1장 비밀통로

30분 전 불타는 금부옥에서 급히 빠져나온 여자는 추적을 따돌리기 위해 인적이 끊어진 폐가로 숨었다. 지붕의 한쪽은 허물어졌고 무너진 벽이 커다랗게 떡 벌어져 입을 벌리고 있는 집이었다. 방안은 구들까지 내려앉아 오래전에 버려진 것처럼 보였다. 그녀의 등과 어깨의 큰 상처에서는 피가 지혈되지 않고 배어 나오고 있었다. 그녀는 거친 숨을 발딱발딱하면서 이를 악물었다. 아뜩히 아파오는 고통을 견디며 손수 상처에 엉겨 붙은 피 묻은 헝겊을 떼어내었다. 그런 다음 가지고 온 짐 보따리에서 꺼낸 깨끗한 천으로 갈아 주었다.

고통스러운 비명을 지르고 싶었지만 그럴 수도 없는 노릇이었다. 의금부 군사들이 곧 자신을 잡으러 올 것이 분명하기에 폐가에 더는 머무를 수도 없었다. 피를 많이 흘린 탓인지 자꾸만 정신이 혼미해져 갔다. 그런데다가 지금의 몸 상태로는 끝까지나마 걸을 수 있을지도 자신이 없었다. 그럼에도 해 볼 만한 가치가 있다는 것을 잘 알고 있었기에 사력을 다해 정신을 잃지 않으려고 노력했다. 그녀는 쓰러져가는 벽을 짚고서야 겨우 몸을 지탱하였다. 곧이어 짐 보따리에서 꺼낸 사내의 옷으로 변복 차림을 하기 시작했다. 만삭이 된 배가 불룩이 나왔지만 그녀가 가리개가 넓은 흑립을 머리에 쓰고 기다란 푸른 도포를 걸치니 영락없는 사내의 모습이었다.

한양 도성 문을 닫는 시간이 다되어 가자 그녀의 걸음걸이가 운정가의 길목인 혜정교에서부터 빨라지기 시작했다. 어둠이 짙게 깔린 시장은 여전히 물건을 사고파는 사람들로 북적이고 있었다. 그녀는 인파 속으로 숨어들어 가쁜 숨을 몰아쉬며 걸었다. 바로 그때 뒤에서 쫓아오는 말발굽 소리와 말의 울음소리가 요란하게 들려왔다. 조금 전 그녀가 건너온 중학천을 지나서 이곳까지 쫓아 온 것이 분명했다.

그녀는 지금의 걸음 속도로 도망간다면 곧바로 군사들에게 붙잡힐 것이라 확신했다. 무엇보다 만삭의 몸이라 마음과는 달리 빨리 걸을 수도 없는 상황이었다. 뱃속의 아기가 발길질이라도 하는지 그녀는 배를 연신 쓰다듬었다. 그나마 다행인지 모르겠으나 양반 차림의 사내 행색을 한 그녀를 이상하게 보는 사람들이 없었다는 것이다. 점점 가까워지고 있는 말 울음소리가 으르렁으르렁 울부짖는 굶주린 맹수의 울음소리처럼 들려왔다. 이대로 붙잡힌다면 그녀는 뱃속의 소중한 아기와 함께 소리 소문도 없이 이 세상에서 연기처럼 사라질 것이 분명했다. 그녀는 그런 생각을 하자 어느새 이마에 땀이 송골송골하게 맺혔고 숨이 턱턱 막힐 지경이었다.

"이보시오…. 여기 서책을 파는 곳이 어디요?"

흑립을 이마 밑으로 살짝 눌러 내린 그녀는 가는 목소리를 가다듬고는 낮고 굵은 목소리로 길가는 사람을 붙잡고 물었다.

"아니, 이렇게 큰 도성의 시장에서 책 파는 곳이 어디 한 둘입니까. 저기 보이는 골목으로 들어가면 서책들을 파는 책방부터 빌려주는 세책점까지 쭉 있으니 가보십시오. 이거야 원……저 같은 까막눈도 책방을 아는데 지체 높은 양반 나리께서 어찌 그런 곳을 모르십니까?"

부피도 적지 않은 봇짐을 등에 짊어 멘 사내가 고개를 연신 갸우뚱거렸다. 사내는 그녀를 힐끗 쳐다보다가 한 번 굽실하고는 가던 길을 갔다.

조금 전 그 사내의 말대로 그녀가 발길을 돌리자 골목 안쪽에 책을 파는 책방들이 여럿 모여 있는 곳이 보였다. 그녀는 종종걸음으로 골목들을 돌며 누군가를 찾는 듯 책방가게들 구석구석을 두리번두리번 둘러보고 있었다.

그때였다. 네굽을 놓아 땅을 박차는 말의 소리가 지축을 흔들며 시장 안으로 들이닥쳤다. 뇌성벽력이 치듯 하나같이 말을 탄 수십여 명의 의금부 군사들의 모습이 보였다. 갑작스러운 군사들의 난입으로 시장 안은 금세 아수라장이 되었다. 그들의 기세에 놀란 상인들과 물건을 사려는 사람들이 혼비백산이 되어 사방으로 흩어지기 시작했다.

자신을 잡으려고 쫓아 온 의금부 군사들이 코앞까지 다가왔음을 직감한 그녀는 슬그머니 책방들 가운데 있는 종이를 파는 한 지전 가게에 몸을 숨겼다. 그녀를 손님으로 생각한 가게주인이 먼저 말을 건넸다.

"혹 찾으시는 물건이라도 있으십니까요?"

"아, 그게 아니라 사람을 찾고 있는데…… 이곳에 혹시 공가라는 사람의 책방을 아시오?"

그녀는 상대에게 얼굴을 보이지 않게 하기 위해 최대한 고개를 숙이면서 말했다.

"가만있자…공가라면……. 아, 누군지 알 것 같네요. 나가서 좀 더 왼쪽 길로 가시면 여기보다 더 작은 골목길이 나옵니다요. 그곳에 큰 면포전이 나오는데 바로 옆 가게가 공가네 책방일겁니다. 워낙 자리도 구석진데다가 볼품없고 작은 가게라서 아마, 시장상인들도 모르는 사람들이 태반일겁니다요."

주인은 마치 자신 만이 찾을 수 있다는 일인 양 생색을 냈다.

"정말, 고맙소."

그녀는 짧게 인사를 건넨 후 지전가게에서 나와 조심스럽게 주변을 살피며 움직였다. 어느새 시장 안은 난장판이 되어 버렸다. 말에서 내린 의금부 군사들이 횃불을 들고 시장 안팎을 돌아다니면서 무언가를 샅샅이 뒤지고 있었다. 가게주인과 지나가는 행인들을 세워 놓고 도망자를 보았는지 몹시 위압적인 태도로 닦달하며 추궁을 하고 있었다.

그녀는 한 손은 배를 부여잡고 흑립을 손으로 누르며 걷자니 숨한 번 들이쉬고 내어 쉬는 것도 무척 힘이 들었다. 곧장 새로운 골목길로 들어서자 면포전 바로 옆으로 자그마한 책방이 시야에 들어왔다. 허름한 것이 조금 전 폐가와 마찬가지로 무너지기 일보 직전의 책방이었다. 만일 지전가게 주인이 아니었다면 이곳을 찾는 일은 쉬운 일이 아니었을 것이란 생각이 들었다.

"계시오. 주인장. 이보시오……."

그녀가 시야가 흐려지는 눈을 한사코 위로 뜨며 가늘게 떨리는 듯한 목소리를 내뱉었다.

책방은 밖에서 본 그대로 안도 역시 비좁고 허름했다. 그녀는 더 이상 서 있을 기력도 남아 있지 않았다. 잠시 뒤에 책방 위쪽 다락에서 고개를 쓰윽 내밀며 한 사내가 모습을 드러냈다. 나이는 먹을 만큼 먹어 보이는 모습이었는데 왠지 모르게 어수룩해 보였다. 낡은 사닥다리를 타고 천천히 내려온 사내는 그녀를 멀뚱히 쳐다보며 입을 열었다.

"아니, 누구신데 이런 늦은 시간에 찾아오신 겁니까?"

"그쪽이… 공가라는 사람이 맞소?"

그녀는 차분한 목소리와 달리 전신이 와들와들 떨리고 정신이 아찔해졌다.

"네, 그렇습니다만 나리는 저를 어떻게 아십니까?"

공가는 눈을 가늘게 뜨며 초점을 모으고는 그녀를 바라보았다.

"혹 나를 알아보시겠소?"

그녀는 머리에 쓴 흑립을 벗어 내리며 힘겹게 고개를 들었다.

"아니……세자빈마마! 마마께서 이곳까지 어인 일이십니까? 그

옷차림은 무엇이며……아니, 손에 흐르는 피는……도대체 이게 어찌 된 영문입니까?”

공가는 눈앞에 서있는 선비가 세자빈임을 단번에 알 수 있었다. 그는 망설임 없이 넙죽 엎드려 절을 하려다가 손에서 떨어지는 피를 보고 놀라 몸을 일으켜 세웠다. 공가는 눈앞의 그녀를 보며 적잖이 충격을 받은 듯했다. 그런 이유 때문인지 지난 기억들이 주마등과 같이 눈앞을 지나갔다.

세자는 어려서부터 공가와 인연이 깊었다. 가끔 궁을 몰래 빠져나와 육의전이 있는 운종가에서 시간을 보내는 것을 좋아했던 세자였다. 세자는 자신의 공부를 담당했던 관리인 서연관들을 맞상대로 사리를 따질 만큼 영민함과 대담함이 있었다. 궁궐의 잘못된 관습인 허례허식과 조정 신료들의 부조리들을 보면서 마음 아파했다. 시장에서 갑질 하는 양반, 힘없는 아녀자들을 괴롭히는 무뢰배들을 보면 그냥 지나치지 않고 옳고 그름을 가리며 야단을 쳤다. 그러다 보니 나이가 어린 세자는 자신의 신분을 모르는 자들로부터 곤경에 처할 때가 한 두 번이 아니었다. 그럴 때마다 그림자처럼 세자를 호위하는 익위사들 덕분에 가까스로 위기를 모면했다. 우연히 들른 허름한 책방에서 만난 공가는 세자와 죽이 잘 맞았다. 세자에게 필요한 책이 있으면 오래 된 고서든 타국에서 건너 온 희귀한 책들도 구해주는 것은 모두 공가의 몫이었다.

시름에 젖은 세자의 고충을 들어주고 상담해주는 것은 물론 도성 안팎에 사는 백성들의 있는 그대로의 모습을 보여주던 사람도 공가였다. 그리고 도성 밖으로 나가는 비밀 통로를 세자에게 알려

주었던 자도 바로 그였다.

세자는 공가 덕분에 도성 밖으로 나가 좀 더 넓은 세상과 다양한 백성들을 접하고 볼 수 있었다. 그렇게 세자와 공가와의 우정은 깊었다. 평소 세자는 자신과 가까운 공가를 궁의 동궁전으로 자주 불러들여 세자빈과 함께 다과를 들며 세상 돌아가는 이야기를 오붓이 나누기도 하였다. 그랬던 공가였기에 세상에 다시없을 뛰어난 미모와 조금도 사그라지지 않은 고귀한 기품 등을 동시에 지니고 있는 세자빈을 한 눈에 알아볼 수 있었다.

"이보게 공가. 지금 시장에 들이닥친 의금부군사들이 나와 뱃속의 아이를 죽이려고 하네. 나를 좀 도와줄 수 있겠는가?"

그녀는 할 말이 많으나 할 수 없는 것을 안타까워하는 표정이었다.

"세자빈마마! 소인 어찌된 일인지는 전혀 모르겠으나 제 목숨을 걸고서라도 마마와 뱃속의 용종을 반드시 지키겠나이다."

조금 전의 어리숙한 모습은 간데없고 공가는 제법 결연한 어조로 말했다.

"세자저하께서 여러 번 이곳 책방을 통해 도성 밖으로 순행을 나가신 걸로 알고 있는데…… 그게 사실인가?"

그녀는 저도 모르게 상처가 건드려진 통증으로 고통스러운 신음소리를 토하며 물었다.

"그렇습니다. 마마. 이 책방 땅 밑에는 도성 밖으로 연결되어 있는 배수로가 있습니다. 넓이와 높이도 커서 훌쭉훌쭉 키가 큰 장정들이 여럿 다니기에도 부족함이 없습니다. 세자저하께서도 고책을 사신다는 핑계로 저희 가게를 통해 도성 밖으로 자주 나가셨던 것입니다. 그런데 오늘 궁 안에서 무슨 일이라도 벌어진 것입니까? 어찌 세자저하와 함께 오시지 않고 세자빈마마님 홀로 이런 처참한 모습으로 오신 겁니까?"

공가는 눈앞에서 일어난 상황이 너무나 궁금하여 실눈 뜨고 바라보았다.

"이보게 공가. 세자저하께서는…… 이미 오늘 승하하셨네."

그녀는 더 이상 슬픔과 고통을 이기지 못하고 흐느끼기 시작하였다.

"네? 세자…저하께서 승하를 하셨다고요? 아니, 어찌 그런 일이……."

공가는 너무 놀라 떡 벌어진 입을 다물 줄 몰랐다.

"세자저하께서는 만일 지금과 같은 상황이 벌어지게 될 때를 대비해 미리 말씀해주셨네. 나와 뱃속의 아이를 살리려면 자네의 가게를 통해 도성 밖으로 빠져 나가는 것이 유일하다고 말일세."

그녀는 고통과 슬픔을 억누르며 강한 어조로 말했다.

"세자빈마마. 혹 도성 밖으로 몸을 피하실 거처라도 있으십니까?"

공가는 세자와의 지난날이 생각나는지 눈시울이 붉어졌다.

"남도에 있는 세자저하의 어머님이신 육영왕후님의 생가로 갈 걸세."

그녀는 혹시 누가 엿듣기라도 할까 싶은 얼굴로 문 쪽으로 신경을 곤추세웠다.

“지금 마마님의 몸 상태로는 수백 걸음도 채 못가시고 말겁니다. 그리고 지금 밤늦은 시간이라 삼개나루터의 뱃사공도 구하는 게 쉽지 않을 겁니다. 그나마 다행히 도성 밖 조금 멀리에 있는 볏골 마을에 소인의 식솔들이 살고 있는 집이 있는데 그곳이라면 잠시라도 몸을 숨기실 수 있으실 겁니다.”

공가가 걱정스러운 눈으로 바라보며 말했다.

“그건 아니 되네! 도성 주변에서는 잠시도 머뭇거릴 여유가 없네. 곧 의금부 군사들이 도성 밖 근처에도 이를 것일세. 그건 결국 자네와 식솔들에게도 큰 화를 입히게 될 것이네. 혹 내가 만일 가다가 기력이 다해 죽더라도 그건 내 운명이라 겸허히 받아들이겠네.”

그녀의 목소리는 혹시 거절당할지 모른다는 우려와 거절당하면 안 된다는 간절함으로 떨렸다.

“알겠습니다. 세자빈마마님. 우선 여기부터 나가시지요. 자, 이쪽입니다.”

공가는 연방 코를 훌쩍이며 책방 안쪽으로. 그녀를 정중히 인도했다.

그러는 사이에 책방이 몰려 있는 시장 골목 안으로 백여 명이 넘는 의금부 군사들이 곧장 들이 닥쳤다. 그 가운데 횃불을 든 군사 다섯이 무리들 앞에 나와 앞장섰다. 뒤이어 지휘관으로 보이는 덩치가 큰 사내 하나가 훌쩍 갈색 말에서 내린 다음 말고삐를 부하에게 건네주었다. 사내는 광대뼈가 튀어나온 데다 눈이 옴팡져서 더 매섭게 보이는 눈빛으로 지나가는 사람들과 책방 주변 길을 두루 살펴보았다.

"금부도사 나리, 시장 위쪽 거리부터 모든 점포들을 뒤져봤지만 개미 새끼 한 마리도 찾을 수 없었습니다. 이곳 책방들도 들여다볼까요?"

횃불을 들고 다가온 금부서리 하나가 상관의 눈치를 살피며 물었다.

"도망친 대역죄인 계집은 심한 고신을 당했고 만삭의 몸으로 아직 멀리는 못 갔을 게다. 너희는 이곳 시장 점포들을 빼놓지 말고 샅샅이 뒤져라."

예민한 성격을 보여주듯 금부도사의 목소리가 점점 높아지고 조급해 있었다.

"네, 나리!"

칼과 삼지창을 꼿꼿이 세운 군사들이 일제히 입을 모아 대답했다.

군사들이 흩어지는 것을 지켜본 금부도사가 갑자기 뭔가 될성부른 꼬투리라도 발견한 것처럼 천천히 발걸음을 옮기기 시작했다. 그가 본 곳은 책방들 사이에 있는 한 지전 가게였다. 그가 아무 말 없이 곧장 자리를 이동하자 칼을 든 나장 서너 명이 뒤를 쫓았다.

"어서 오십시오. 나리. 무슨 일이라도 생겼습니까요?"

지전 가게 주인이 갑자기 들이닥친 군사들의 기세에 토끼같이 놀란 표정을 지었다.

"조금 전 이곳에서 수상한 계집을 보지 못하였는가?"

금부도사는 여러 종이가 층층이 쌓여 있는 가게 안을 둘러보다 시선을 고정시키며 물었다.

"글쎄요. 저희 가게는 워낙 오다가다 하는 손님들이 많긴 하지만 특별히 수상쩍은 아녀자는 못 보았습니다요."

지전 가게 주인은 더 이상 할 말이 없는 듯 금부도사의 얼굴을 뻔히 쳐다보았다.

금부도사는 가겟집 주인의 말에 대하여 긍정도 부정도 하지 않는 표정으로 가게 안을 주욱 훑어보았다.

"됐다. 그만 나가자!"

금부도사는 가게가 쩡하도록 울리는 목소리를 냈다.

"네, 나리!"

나장들이 함성을 지르듯 우렁차게 화답했다.

모두가 밖으로 나가려는 찰나 금부도사가 문 입구에 가지런히 정리되어 놓여있는 적,청,황,녹,백의 다섯 가지 색지에서 뭔가를 발견하고는 갑자기 걸음을 멈추었다.

"잠깐, 여기에 묻은 이것은 무엇이냐?"

금부도사가 손으로 가리킨 것은 흰 무명천처럼 고운 백면지였다.

"나리, 이건 핏자국입니다. 아직 검붉은 색깔로 종이에 스며들지 않은 것으로 봤을 때 시간이 그리 오래 되지 않은 것 같사옵니다.

나장 하나가 백면지를 살펴보고는 확신에 찬 표정을 가지고 말했다.

"잠깐만 기다려보십시오. 아니 이게 뭐야? 이렇게 비싼 종이에 누가 그런 거지?"

영문을 몰라 당황한 가게 주인은 얼굴이 확확 달아올랐다.

"네 이놈! 감히 누구 안전이라고 속이는 게냐?"

주먹을 볼끈대고 눈을 부라리며 가게 주인을 쳐다보던 금부도사가 버럭 고함을 질렀다.

"아이고, 아닙니다요! 저도 어찌 된 일인지 잘 모르겠습니다. 저 비싼 백면지에 저게 묻어 있으리라고는 소인 상상도 못했습니다. 제발 믿어주십시오! 나리!"

슬그머니 겁이 난 가게 주인은 손이 닳도록 빌었다.

"네가 조금 전 수상한 계집을 보지 못했다고 네 입으로 분명히 말하지 않았느냐? 피가 묻은 이 부분이 아직 갈색 얼룩으로 변하지 않았다는 것은 필시 시간이 얼마 되지 않았다는 뜻이다. 이러한 확실한 증좌가 있는데도 수상한 사람을 못 봤다는 것이 말이 되느냐!"

금부도사는 시장통이 떠나가라 할 정도로 호통을 쳤다.

"아이고, 나리. 정말입니다요. 오늘 가게에 다녀간 손님 중에 여자는 한 명도 없었습니다요. 조금 전 이곳에 온 마지막 손님도 사람을 찾는 양반 나리가 전부였습니다. 나리! 제발 소인의 목숨만은 살려 주십시오!"

상황이 심상치 않게 돌아가자 가게 주인은 땅에 엎드려 울고불고 애원을 하였다.

"뭐라? 방금 뭐라 했느냐? 조금 전에 찾아 온 양반이 사람을 찾았다고?"

금부도사는 그제야 뭔가 좀 수상쩍은 낌새가 느껴져 오는 모양이었다.

"그렇습니다요. 처음엔 저도 종이를 사러 들어 온 손님인 줄 알았습니다. 그런데 종이에는 관심이 없고 급히 사람을 찾는 다면서 도움을 청했습니다요."

가게 주인은 생각이 난 듯 무릎을 탁 쳤다.

"그게 정확히 언제쯤이냐?"

금부도사가 몸을 기울이면서 그의 말에 귀를 쟀다.

"15분이 조금 넘었습니다요."

가게 주인은 긴장한 나머지 침이 꼴깍 목구멍을 타고 넘어갔다.

"자네가 본 자가 분명 사내의 행색이었다는 게지."

금부도사는 어이없다는 표정으로 살짝 헛웃음을 쳤다.

"제 이 두 눈으로 똑똑히 보았습니다요. 틀림없이 도포에 흑립까지 쓴 양반 나리셨습니다요."

그는 눈을 깜빡거리는 것이 무엇인가를 생각하고 있는 눈치였다.

"변복을 하다니 제법이구나…… 그자가 자네에게서 누구를 찾던가?"

금부도사는 뒤통수를 한 대 호되게 얻어맞은 느낌으로 한동안 멍하다가 다시 되물었다.

"저쪽 작은 골목에서 구본서책들을 팔고 있는 공가였습니다요."

가게 주인은 손으로 공가의 책방이 있는 위치를 가리킨 후 머리를 조아렸다.

"지금 너희 둘은 흩어진 군사들을 모아서 이 주변에 모든 길목들을 차단하거라. 그리고 너는 나를 따르라!"

금부도사는 나장들에게 명령을 하달한 뒤 서둘러 공가의 책방으로 향했다.

"네, 나리!"

나장들은 말이 끝나기 무섭게 황급히 자리를 떴다.

책방 뒤편 창고에 들어 선 그녀는 이곳에 도성 밖으로 나가는 통로가 있다는 것이 믿기지가 않았다. 그도 그럴 것이 창고를 에워싸고 있는 선반에는 서책들 외에도 온갖 물건이 잡다하게 쌓여 있었기에 밖으로 나갈 수 있는 구멍 하나 없었다. 혹시 일이 잘못되지나 않을까 하는 그녀의 표정과 달리 공가는 서둘러 초롱을 준비해 불을 밝힌 뒤 서책들이 꽂혀 있는 한쪽 책장을 살짝 옆으로 밀어 냈다. 그러자 탁한 적갈색을 띠는 벽돌로 되어 있는 벽면이 나타났다.

그녀가 고개를 들어 올려보자 썩어 있는 서까래가 보이는 천장에는 까맣게 그은 거미줄이 얼키설키 뒤엉켜 달려 있었고 구텁지근한 냄새가 풍겼다. 나머지 물건들을 치운 공가가 동그랗게 홈이 파여 있는 벽돌부분을 양손으로 힘껏 밀었다. 잠시 뒤 돌들이 부딪히는 요란한 소리와 함께 사람 키만 한 높이의 벽이 갑자기 뒤로 밀리며 통로가 나타났다. 곧 그녀의 눈에 지하로 내려가는 돌계단이 보였다.

"세자빈마마. 이쪽이옵니다."

공가는 한쪽 손에 어둠을 밝히고 있는 초롱을 들고는 그녀에게 따라오라는 손짓을 했다.

"알겠네."

짧게 대답한 그녀가 공가를 따라 지하로 내려갔다. 곧 벽돌로 둥글게 쌓아 축조하고 아래 절반은 석회반죽으로 마감해 방수처리를 한 배수로가 나타났다. 문득 그녀는 이 통로가 세자가 도성 밖으로 몰래 출입을 할 때마다 다녔던 곳이라 생각하니 그리움에 복받치는 감정을 이기지 못하고 눈시울이 뜨거워졌다.

"이곳은 우기철만 아니면 물이 거의 흐르지 않아 안전하게 왕래할 수 있습니다. 세자 저하께서도 그 점을 아시고 비가 오는 날을 피해서 도성 밖으로 행차를 다니셨던 것입니다. 무엇보다 중요한 것은 책방과 이곳이 연결되어 있다는 것을 아는 사람들이 없다는 것입니다. 그러니 걱정하지 마시고 천천히 따라 오십시오."

공가는 낯설고 어두컴컴한 배수로를 지나면서 혹시라도 불안해할 세자빈을 안심시키려는 듯 조잘조잘 떠들어댔다.

"저하께서는 자넨 정말 좋은 사람이라고 입버릇처럼 말씀하시곤 하셨네."

그녀는 공가의 뒤를 바짝 따라서더니 고마움을 표시했다.

"아이참, 과찬의 말씀을 들으니 소인 몸 둘 바를 모르겠습니다."

공가는 얼굴이 부끄러운 듯 어느새 붉게 물들어 있었다.

정말 공가의 말대로 배수로는 물기 하나 찾아 볼 수 없을 정도로 물이 완전히 말라 바닥이 훤히 드러났다. 칠흑 같은 어둠 속에서는 손에 들린 불빛만큼 든든한 것도 없었다. 그녀는 공가가 손에 든 초롱에서 발산하는 불빛을 보면서 달도 기운 으슥한 밤길을 헤매다 한줄기 불빛을 만났을 때의 안도감을 떠올렸다. 지금 걷고 있는 배수로 속 어두움이 캄캄한 현실의 고난이라면 발부리에 비추이는 초롱불은 실낱같은 희망의 끈이었다.

"세자빈마마. 여기서 조금만 더 가시면 도성 밖으로 나가게 됩니다. 힘드시더라도 조금만 힘을 내십시오."

그녀의 몸 상태가 걱정이 된 공가는 어찌할 바를 몰라 쩔쩔매는 목소리였다.

"난 괜찮으니. 아무 신경 쓰지 말게."

의금부 추국 때 받은 모진 고문에 그녀의 몸과 마음은 이미 만신창이가 되어 있었다. 지금 당장 쓰러지지 않고 이렇게 버티고 있는 것 자체가 그녀 자신조차 신기했다. 하지만 자신과 뱃속의 아기를 위해 고통 속에서 죽어간 세자에 비하면 자신의 괴로움 따위는 아무것도 아니라는 생각이 들었다. 그럴수록 그녀는 자꾸만 세자의 얼굴이 떠올랐다.

같은 시각 공가의 책방에 들어 선 금부도사의 두 눈에는 시뻘건 핏발이 서 있었다. 이미 불 꺼진 책방 안에는 사람의 인기척이라고는 전혀 찾아보기 어려웠다. 급히 뒤쫓아 들어 온 나장 하나가 좁디좁은 책방 안에서 횃불을 비추자 금부도사가 급히 뒤돌아서며 목줄에 힘을 주며 말했다.

"지금 뭐 하는 짓이냐! 죄인이 왜 이리로 왔는지 증좌를 찾기도 전에 여길 다 태워버릴 셈이냐?"

"죄송합니다. 나리. 당장 치우겠습니다."

엉겁결에 횃불을 들고 들어 온 나장은 얼굴이 사색이 되어 뒤로 물러섰다.

책방 안을 샅샅이 뒤진 나장들이 뒤쪽 구석에 있는 나무로 짠

문을 밀고 들어가자 창고가 나왔다. 안에는 먼지 쌓인 고서들과 잡다한 물건들이 어지럽게 널려 있었고 쾨쾨한 냄새로 가득했다. 책방 주인인 공가는 어디론가 자취를 감춰 버리고 없었다.

"나리. 이것 좀 보십시오!"

창고 안을 수색하던 나장 하나가 목청을 높였다.

"무엇이냐?"

금부도사가 사나워진 눈알을 굴려 소리가 난 방향으로 고개를 돌렸다.

"핏자국입니다."

나장이 등불을 가까이 가져다 비추고는 바닥을 손으로 가리켰다.

"여기에 머무른 시간은 얼마나 되었느냐?"

금부도사가 흥분을 가라앉히지 못해 어깨를 들썩거리며 다급하게 물었다.

"피가 마르지 않은 걸로 봐서는 30분이 채 안되었습니다."

창고 바닥에 묻은 피를 손으로 찍어 혀로 핥은 나장이 눈을 번뜩였다.

"놈들은 이곳에 있은 지 얼마 되지 않아 자리를 옮겼다. 분명 이곳 어딘가에 빠져나갈 수 있는 출구가 있을 것이다. 샅샅이 찾아보거라!"

금부도사가 부하들에게 호통을 치자마자 눈을 부라려 밝히며 창고의 한쪽 벽면을 노려보았다. 어디선가 바람이 들어옴을 느끼고 동물적인 본능으로 쳐다 본 것이었다. 금부도사는 나장들이 소란을 떨며 책방 안팎을 이 잡듯이 뒤지는 상황에서 홀로 벽을 향해 천천히 발걸음을 떼기 시작했다. 육척이 훨씬 넘는 큰 키에 기골이 장대한 금부도사였지만 뭔가 수상한 느낌이 들자 침이 꼴깍 목구멍을 타고 넘어갔다. 도대체 쫓기고 있는 세자빈은 어디로 사라졌는지 이 작은 책방에 어떠한 비밀이 있는 건지 궁금해지기 시작했다.

금부도사가 조금의 망설임도 없이 손으로 벽을 두드려 보니 그곳은 확실히 다른 벽들과는 소리가 달랐다. 그가 의심의 눈초리를 하고는 귀를 쫑긋하고 벽 가까이 다가갔다. 다시 한 번 손으로 벽을 툭툭 두드려 보니 안이 비어 있었다. 금부도사는 한 발짝 뒤로 물러서더니 벽 전체를 한눈에 바라보면서 조금 이상한 것을 발견했다. 벽돌을 쌓고 난 뒤 미장이가 흙손으로 공들여 바르고 다듬어서 마무리 한 보통의 벽과는 확연히 구별되었다.

다섯 자 높이의 벽 부분으로 맥질한 흙이 떨어져 틈이 벌어진 것이 금부도사의 예리한 시야에 들어왔다. 그가 서둘러 바짝 다가서더니 육중한 체중을 실어 벽을 힘껏 밀었다. 하지만 벽은 꿈쩍도 하지 않았다.

"이보게 공가. 만일 의금부 군사들이 자네의 책방에 들어 와 이 길을 찾게 되면 자넨 어찌 되는 것인가? 괜히 나 때문에 자네마저 위험에 빠지게 한 건 아닌지 큰 걱정일세."

미안한 마음에 그녀도 모르게 눈물이 글썽였다.

"세자빈마마. 설령 놈들이 낌새를 알아차리고 책방에 들이닥쳤어도 할 수 있는 건 아무 것도 없을 겁니다. 이곳으로 연결되는 그 벽은 세상에 비길 데 없이 힘센 장사가 온다 해도 결코 열 수가 없을 테니까요. 아마 성문을 뚫는 파성추로 부수려 해도 소용이 없을 겁니다."

공가는 입가에 엷은 미소를 머금고 있었다.

"자네…… 그게 무슨 소리인가? 다 쓰러져 가는 책방이 마치 버틸 재간이라도 있다는 뜻으로 들리네."

그녀는 그의 말이 전혀 수긍이 안 된다는 표정을 지었다.

"그 벽에는 강력한 힘으로 방어 결계가 쳐져 있습니다. 혹여나 그 벽을 발견하여 손을 갖다 댄 자는 모든 기억을 잊고 말겁니다. 그러니 마마님 제 걱정은 전혀 하실 필요가 없으십니다."

공가의 목소리에서는 자신감이 묻어났다.

"지금 방어 결계라고 했나? 그러면 자네가 술법이라도 한다는 겐가?"

그녀는 몹시 놀란 기색으로 앞서가던 공가를 향해 시선을 옮겨가며 주시하였다.

"그저 어려서부터 저의 스승님에게 배운 작은 재주일 뿐입니다. 이러한 사실을 세자 저하께서는 이미 알고 계셨습니다. 특별히 저하께서는 아무에게도 말씀하시지 않겠다는 약조까지 하셨죠."

눈앞에 배수구 출구가 보이자 공가는 별일 아니라는 듯 웃고 말았다.

"자네의 비상한 능력을 세자 저하께서도 알고 계셨다는 말인가?"

핏기 없는 입술을 약간 벌리고 힘든 숨을 쉬고 있는 그녀의 모습이 한눈에 보아도 병기가 완연했다.

"세자빈마마도 아시다시피 저하와 전 그간 비밀이 없는 사이였습니다. 저하의 고충을 제가 들어드리고 나면 반대로 저하께서는 저에 대한 이야기를 다 들어주시곤 했습니다."

초롱을 들고 성큼성큼 앞서가던 공가는 배수로 터널이 세 갈림길로 나뉘는 곳에서 멈춰 섰다.

"다 왔는가?"

그녀가 숨을 가쁘게 쉬면서 말을 이어 나갔다.

"네, 세자빈마마님. 바로 이 위가 도성 밖으로 연결 된 출구입니다. 이 사다리를 타고 올라가기만 하면 곧바로 숲길이 나옵니다. 소인이 먼저 올라가 덮개 문을 열겠습니다."

공가가 배수구 모퉁이를 돌아가 초롱으로 위를 비추자 출구로 나가는 구멍이 보였다.

그 시각 공가의 책방 창고 벽 앞에 서있던 금부도사 기동명은 멍하니 있기만 했다. 도망간 출구를 찾기 위해 분주하게 움직이고 있는 나장들과 달리 이곳에 오게 된 동기 같은 건 까맣게 잊어버린 듯했다.

그때 금부서리가 책방 창고에 들어서며 칼을 땅바닥에 내려놓고 우두커니 서 있는 금부도사 기동명을 발견했다.

"나리, 무슨 생각을 하고 계십니까?"

금부서리는 왠지 이상한 느낌이 들었다.

"……."

기동명은 아무 대꾸를 하지 않고 벽만 말똥말똥 쳐다보았다.

"나리! 왜 그러십니까? 무슨 증좌라도 찾으신 겁니까?"

금부서리가 목소리를 높이며 물었다.

"지금 여기가 어디냐? 내가 왜 이곳에 서있는 거지?"

기동명이 풀린 눈으로 금부서리를 쳐다보았다.

"나리! 지금 대역죄인을 쫓고 있지 않습니까? 그새 무슨 일이 있으셨습니까?"

금부서리는 기가 막힌 표정으로 기동명을 살펴보았다.

"대역죄인을 쫓고 있었다고? 아무 것도 기억나지 않는구나. 아무 것도……."

그는 조금 전까지의 일이 기억나지 않는 듯, 떠름한 표정을 짓고 두 손으로 머리를 감쌌다.

"나리, 괜찮으신 겁니까? 나리! 나리!"

순간 금부도사 기동명이 의식을 잃고 그대로 쓰러지자 금부서리가 놀란 눈으로 다급하게 깨우려 했다.

죄인을 추포하려고 동원됐던 백여 명이 넘는 의금부 군사들은 자신들의 지휘관인 금부도사가 의식을 잃고 쓰러지자 술렁술렁 동요하기 시작했다. 밤은 자꾸만 깊어 가고 도성 안은 점점 터질 듯한 긴박감으로 팽만해졌다.

배수구를 빠져나와 깊은 산속으로 들어간 그녀와 공가는 말없이 한참을 걸었다. 경사가 급해서 오르기가 힘들었지만 곧 완만한 내리막길로 접어들었다. 산 밑에는 강이 단숨에 가 닿을 듯이 가까워 보였다. 그때 강물 위를 스쳐오는 바람 속에는 어느새 가을 냄새가 묻어났다.

"마마님, 저기 눈앞에 보이는 데가 나루터입니다. 이제 거의 다

왔습니다."
공가는 그녀의 몸 상태를 걱정하며 노심초사하는 기색이었다.
"이보게, 자네 말대로 이 늦은 밤중에 배를 태워 줄 사공이 있겠는가?"
그녀는 만삭에 가까운 배를 받쳐 안고 힘겹게 느릿느릿 뒤에서 걸어왔다.
"소인이 이미 손을 써 놓았습니다. 지금쯤이면 나루터에 사공이 나와 있을 겁니다."
공가는 짐짓 태연한 표정으로 그녀에게 말을 했다.
"아니, 자네가 어떻게 손을 썼다는 겐가? 자넨 지금까지 나와 한시도 떨어지지 않고 있었네. 진짜 자네 말대로 술법을 사용할 줄 안다는 말인가?"
세자빈은 영문을 몰라 어리둥절하기만 했다.
"조금 전 말씀드린 대로 소인은 작은 재주만 지니고 있을 뿐입니다. 세자빈마마님을 놀라게 해드렸다면 송구하옵니다."
공가는 전혀 농담하는 기색이 없이 진지한 얼굴로 말했다.
잠시 뒤 나루터에 도착하자 공가의 말대로 사공이 배를 띄울 준비를 하며 두 사람에게 인사를 건넸다. 사공은 그녀의 신분이 누구인지 이미 알고 있는 것처럼 예를 갖추며 맞이했다.
"자네도 나와 함께 가세. 어차피 지금 도성 안으로 들어가면 세자 저하와 가까웠던 자네도 위험해 질 수 있네."
배에 먼저 오른 그녀가 공가에게 타라고 손짓을 보냈다.
"소인은 아직 도성에서 처리해야 할 일이 남아 있습니다. 마마님, 부디 옥체를 보존하시고 강녕하소서!"

공가는 뭍에서 예를 갖춰 인사를 올렸다. 그러고는 사공에게 어서 서둘러 떠나라는 손짓을 하자 배가 나루터에서 멀어져 가기 시작했다. 사공은 그녀의 목적지가 어디인지를 이미 알고 있는 것처럼 배를 저어갔다.

"이보게 공가. 자네의 은혜는 평생 잊지 않겠네. 고맙네."

배에 자리를 잡고 앉은 그녀가 이내 눈시울을 붉히고 말았다.

강 가운데로 배가 들어갈수록 서늘한 바람이 불어오며 물 위로 비치는 달빛은 마치 대낮과 같이 눈이 부시고 있었다.

제2장 고백

비가 그치며 구름 사이로 햇살이 고개를 내밀자 도성으로부터 멀리 떨어진 채석장에는 손에 쐐기와 정을 든 사람들이 다시 일하기 시작했다. 산 중턱에는 암벽에 구멍을 뚫어서 암석을 채굴하는 두 사람이 작업을 진행하고 있었다. 한 사내가 돌을 떠낼 위치에 정을 세워 위치를 잡고는 파편이 눈에 튈까 봐 얼굴을 찡그리고 재빨리 고개를 돌렸다.

"아니, 그렇게 돌이 튀는 게 무서 우면 나라님에게 가서 이 짓을 못하겠다고 말하던지. 에잇."

맞은편에 있던 사내가 이를 보고는 쯧쯧 혀를 차며 쇠망치로 힘껏 내리쳤다.

이곳저곳에서 사람들이 일사분란하게 일을 하자 채석장에서는 돌이 깨질 때마다 돌가루가 연기처럼 피어올랐다.

두 시간이 지나자 언제 비가 왔나 싶게 하늘이 쾌청해졌다. 채석장 곳곳에서는 남녀노소 할 것 없이 땀을 뻘뻘 흘리며 돌덩이와 씨름을 하였다.

"엄니, 오늘만 봐주면 안되나유?"

일이 하기 싫어 꾀가 난 꼬맹이는 몽그작거리며 투덜거렸다.

"저기 초입에 서있는 포졸들이 두 눈이 시퍼렇게 살아 있는데 큰 일 나고 싶어서 그래?"

여자는 어쩔 줄을 몰라 하면서 아이를 달랬다.

여성들과 어린 아이들이 하는 일은 먼저 암석을 덮은 흙을 괭이와 삽, 가래 등으로 걷어낸 뒤, 돌을 떠낼 위치를 먹줄로 선을 그어 표시하는 것이었다. 그러고 나면 장정들이 정으로 암석에 구멍을 뚫고, 정보다 굵은 쐐기를 그 구멍에 끼워 쇠로 만든 큰 망치로 내리쳐 돌을 떠내는 방식이었다.

채석된 돌은 전문적인 석공으로 하여금 일정한 형태의 크기로 다듬는 초련, 정교한 형태의 부재로 다듬어 모양을 내는 재련과정을 거쳤다. 그런 다음 최대한 무게를 줄여 강을 통해 배로 실어 날랐다.

이곳 채석장 초입의 그늘진 곳에 있는 바위에는 부석금표란 글자가 새겨져 있었다. 왕실의 채석장인 만큼 일반 백성들의 석재 채취를 금지한다는 표식이었다.

수년간 산의 능선이 하나씩 경계를 흩뜨리고 뒤엉클어지면서 볏골마을 뒷산 본래의 아름다운 모습은 잃어버린 지 오래였다.

그토록 수려한 경관이 아름다울 뿐만 아니라 각종 새와 짐승과 산나물이 지천이었던 볏골마을이 하루아침에 삭막한 분위기로 바뀐 건 십오 년 전 임금의 계비로 들어 온 왕후 추씨 때문이었다. 그녀는 궁궐 안에 또 하나의 호화로운 신전을 짓기 위해 박석이 매장 된 볏골마을의 산허리와 골짜기를 마구 파헤쳐 채석을 벌이고 있는 중이었다.

애당초 볏골마을 사람들은 돌에 대한 아무런 관심도 없었다. 이곳은 배산임수의 땅으로 경치도 좋고 살기에도 편리했던 마을이었다. 그동안 평범하게 산나물을 캐고 농사를 짓고 살아온 마을 사람들에게 채석장에서의 노역은 그야말로 생각하기조차 싫으리만치 고통스러운 나날들이었다.

사술을 행하는 사교집단의 교주이기도 한 왕후가 백성을 사랑하고 안위를 걱정하던 어진 임금의 마음을 빼앗은 것은 그리 어려운 일도 아니었다. 더군다나 조정을 좌지우지 하는 조정대신들도 이미 왕후의 수족이 된지는 오래였다.

그 날 이후로 왕후 추씨의 무지막지스러운 철권통치와 농권이 노골적으로 심해지면서 나라 재정은 갈수록 줄어들었고 백성들의 고통도 이루 형언할 수 없었다. 그동안 태평성대를 누려왔던 조선이라는 나라는 온데간데없이 절망뿐인 암흑의 시대가 도래 하였다.

오후가 되자 햇살이 산자락에까지 뻗쳤다. 그때 열일곱 살 먹은 소년 한 명이 채석장 내에서 궂은일을 도맡아 치다꺼리하며 분주히 돌아다녔다. 소년은 또래보다 키가 크고 덩치가 커서 다른 친구들을 압기하였고 힘든 일을 혼자의 힘으로 해내고 있었다.

한편 채석장 밑에서는 얼굴이 붉어지고 땀으로 흠뻑 젖은 서너 명의 장정들이 지렛대를 바위 밑에 넣고 한참동안 씨름을 하고 있었다. 잠시 뒤 빠지직 소리를 내며 지렛대가 두 동강으로 부러져 나갔다. 워낙 큰 바위라 장정들의 힘으로도 옴짝달싹도 하지 않았다.

때마침 장정 하나가 햇빛을 받으며 언덕을 내려오는 소년의 모습을 발견하고는 반가운 마음에 소리쳐 불렀다.

"어이, 삼손아! 우리 좀 도와주게."

"뭣 땜에 그러세요?"

언덕의 비탈길을 뚜벅뚜벅 내려오던 삼손은 자신을 부르는 소리에 휙 고개를 돌렸다.

"응, 이 큼직한 바윗돌이 또 말썽을 부리네."

땀인지 눈물인지 연신 얼굴을 손으로 훔치는 사내가 부러진 지렛대를 손으로 가리켰다.

"만복아저씨, 저리 비켜보세요."

삼손은 군소리 한마디 없이 묵묵히 바위 쪽으로 걸어갔다.

삼손은 한쪽 무릎을 꿇더니 익숙한 솜씨로 한 손을 바위 밑에 찔러 넣었다. 그러자 바위가 뜰썩거리며 조금씩 움직이기 시작하였다. 그때 나머지 한 손으로 바위의 움푹 패인 곳을 잡고는 번쩍 들어 올렸다.

그 광경을 가까이에서 지켜 본 장정들은 너나없이 두 손을 흔들며 환호성을 질렀다.

삼손은 머리 위로 바위를 들고는 돌을 가공하는 석공들이 있는 장소로 꿋꿋이 발걸음을 옮겼다.

채석장에서 나루터까지 운반할 때 중량이 많이 나가는 바위는 높은 마차에 싣기 어려워 석공들이 돌을 쪼갠 뒤에 바퀴가 낮은 수레를 이용해야만 했다.

삼손은 얼굴색 하나 변하지 않고 석공들 앞에 있는 빈 공간에 바위를 얌전하게 내려놓았다.

삼손이 아무렇지 않은 듯 손을 털고 뒤 돌아서자 손에 정과 망치를 들고 있던 석공 하나가 삼손의 괴력에 입을 다물지 못하고서 있었다.

"우리 마을에 삼손이 없었으면 어쩔 뻔 했어."

만복아저씨는 덩실덩실 어깨춤을 추며 신바람이 났다.

"아저씨도 참말, 또 그러신다."

그런 칭찬이 싫지 않은 듯 삼손은 해맑게 웃었다.

볏골마을에 사는 사람들은 한 손으로 큰 바위를 들먹일 정도로 힘이 센 삼손을 늘 자랑스럽게 여기며 아꼈다. 그건 단지 힘만 세다고 삼손을 좋아 한 것이 아니었다. 효심이 지극할 뿐만 아니라 속이 깊었고 심성이 착했기 때문이었다. 다른 아이들 또한 항상 맏형 같고 나볏한 삼손을 잘 따랐다.

마을 사람들이 채석장에서 일을 시작한지도 벌써 10년이 넘었다. 그사이 산 위에서 굴러 내린 바위에 깔려 죽거나 무거운 돌을 옮기다 허리를 크게 다치고 팔과 무릎이 부러진 사람들이 무수히 많았다.

관아에서는 부상으로 도저히 움직일 수 없는 환자들을 제외한 나머지 사람들을 색출해 채석장으로 끌고 왔다. 나이가 많은 노인들과 어린 아이들도 예외는 아니었다. 세상이 미쳐 돌아가기 시작하니 살기 위해 안간힘을 쓰는 각자도생의 시대가 되어 버린 지 이미 오래다. 볏골마을 사람들은 이 나라에서 벌어지고 있는 생명을 경시하는 현장 가운데에서도 가장 참혹한 곳에 있었다.

그때 어디선가 시끄러운 소리가 들려왔다. 한양에서 의금부 소속 나장들이 내려왔기 때문이었다. 채석장을 지키는 관아 포졸들이 그들의 기세에 눌려 연신 허리를 굽신거렸다. 나장들은 누군가를 찾는 듯 채석장 구석구석을 두리번두리번 둘러보고 있었다.

"혹시, 한양에서 서책을 팔던 공가라는 사람을 알고 있는가?"

나장 가운데 우두머리로 보이는 사내가 싸늘한 목소리로 물었다.

"글씨유……지들도 타지에서 온지 얼마 되지 않아…… 잘 모르겠구먼유."

질문을 받은 포졸은 머리를 긁적이며 기어드는 소리로 어물거렸다.

"나리, 지금 이곳을 지키는 군졸들은 타지에서 새로 모병한 자들입니다. 조금 전 이곳 현감을 만나고 오는 길입니다."

수하로 보이는 나장 하나가 난처한 표정으로 급히 다가왔다.

"뭐라고? 그럼 군졸들이 이 고을 출신들이 아니란 말이냐?"

"그렇습니다. 각지에서 민란이 속출해 기존 관아에 군사들은 모두 차출되었다고 합니다. 그나마 이곳은 형편이 나은 편입니다. 타지에서 모병을 해서라도 군사들을 쓸 수 있으니 말이죠."

"하악 퉤, 뭐 그럼, 저자들에게 물어 볼 수밖에 없겠구나. 야, 너희들 이리 와 봐!"

나장은 기분 나쁘다는 듯이 침을 뱉었다. 그러고는 곁에서 돌을 나르던 마을 사람들에게 이리로 오라고 손짓을 했다.

"왜 그러십니까? 나리."

무리 가운데 나이가 지긋이 든 노인이 대답했다.

"볏골마을에서 산지는 얼마나 되었는가?"

"벌써, 제 나이도 환갑이 서너 해가 지났는지라…… 이곳에서 꽤 살만큼 살았지요."

"그렇다면 아주 잘 만났구나. 내 단도직입적으로 묻겠다. 혹시, 한양에서 책방을 하던 공가라는 자를 알고 있나?"

나장의 입가에 엷은 웃음이 번졌다.

"으음, 글쎄요……. 그런 사람은 금시초문입니다."

노인의 얼굴에 당황하는 빛이 지나갔다.

"진짜 모르는 것이냐? 아니면 뭔가를 숨기려는 것이냐?"

나장은 노인의 모호한 대답과 당황해 하는 표정에 추궁하였다.

"어휴, 보시다시피, 하루하루 고된 노역을 하다…… 언제 죽을지 모르는 늙은이입니다. 나리께 괜한 거짓을…… 고할 리가 있겠습니까?"

나장의 날카로운 질문에 가슴이 뜨끔했지만 노인은 태연하게 대답했다.

"으음……혹시 너희들 중에 이자를 아는 자가 없느냐?"

나장은 품안에서 공가의 얼굴이 그려진 그림을 꺼내들어 들었다.

"글쎄유……이 마을에서는 본적이 없는 얼굴이네유. 어험, 자네들은 보았는가?"

무리 가운데 서 있던 만복이가 고개를 두리번거리면서 의아한 표정을 지어 보였다.

"지들도 처음 보는 사람이구먼유."

"아따, 나 참말로 못 보던 사람이랑게요."

"거참, 우리 동네에서 못 보던 얼굴인디……자넨 알아보갔어?"

"지도 몰라유."

사람들이 서로의 눈치를 살피고는 이구동성으로 말했다.

"정말로 모르는 것이냐? 만일 거짓을 고할 시에는 너희들 모두 의금부로 압송해 갈 것이야. 그러니 사실대로 말하는 게 좋을 것이다!"

나장은 분위기를 보아하니 사람들이 무언가를 숨기는 것 같은 느낌이 들었다. 순간 그는 고개를 내대고 서서 눈에 쌍심지를 치켜뜨며 무서운 기세를 내뿜었다.

겁을 먹은 사람들이 그 자리에서 발을 동동거리며 안절부절하지 못했다. 그런데 그때였다. 채석장을 향해 요란한 말발굽 소리가 따가닥따가닥 울려왔다.

"나리, 지금 금부도사께서 급히 관아로 모두 들어오라는 하명을 내리셨습니다."

흙먼지가 자욱이 팔싹하더니 곧이어 나졸 하나가 말에서 뛰어내렸다.

"아니, 금부도사께서…… 그런 명을 내리셨다고?"

나장은 다소 김이 샌 느낌을 받았다.

"네, 나리. 도성에 심상치 않은 일이 생긴 것 같습니다. 어서 출발하셔야 합니다."

"어…… 그래 알았다. 네놈들은 운이 좋은 줄 알거라! 에잇, 빌어먹을!"

나장은 사람들의 위아래를 쓱 째려보며 무리들과 함께 황급히 자리를 떴다.

의금부 군사들이 시야에서 모두 사라지자 모였던 사람들이 그제야 서로의 얼굴을 건너다보며 안도의 숨을 길게 내뿜었다.

"만복이 자넨 지금 당장 공가 형님을 찾아 가서 이 사실을 알려드리게. 그리고 조금 전 다들 수고했네."

노인이 걱정스러운 빛으로 조심스레 말했다.

"네, 알겠습니다요."

만복이가 포졸들의 눈치를 살피며 채석장을 몰래 빠져나왔다.

"대체 이게 어찌 된 일이래유?"

"그러게 말이여. 그 놈의 입에서 한마디가 나올 때마다 몽둥이로 가슴을 쿵쿵 치는 것 같았지 뭐여."

"얼마나 무서웠는지…… 십년감수는 족히 했을 거예유. 근데, 의금부에서 공가 어르신을 찾는 이유가 뭘까유?"

"글쎄……그건 나도 모르지만, 분명한 건 공가 형님은 죄를 지을 사람이 결코 아니란 게지. 그나저나 이번 불똥이 엉뚱하게 저 어린 삼손에게 튕겨지지만 않으면 좋겠는데……."

노인은 채석장 높은 곳에서 일하고 있는 삼손을 걱정스러운 눈으로 지켜보았다.

해가 떨어지고 황혼 무렵에야 삼손은 집으로 돌아왔다. 벼를 수확하고 남은 볏짚을 쌓아 지붕으로 얹은 초가집은 보기에도 너무 초라했다. 삼손이 집에 들어오자마자 인기척을 느낀 할아버지가 마른기침을 몇 번 내뱉었다.

"할아버지, 저 다녀왔어요."

삼손이 초가집 창호 문밖에서 문안 인사를 했다.

"그래, 삼손아. 이리 좀 들어오너라."

방 안에서 할아버지의 목소리가 들려왔다.

삼손이 문을 열고 방안으로 들어가자 얼굴에 병기가 완연한 할아버지는 바깥에 나갈 옷을 단정하게 차려입고 아랫목에 조용히 앉아있었다.

"할아버지, 오늘은 몸이 좀 어떠세요?"

삼손은 유일한 가족인 할아버지를 걱정스러운 눈빛으로 바라보며 조심스레 물었다.

"어차피 나는 살만큼 살았으니 내 걱정은 하지 말어. 그보다 오늘은 너에게 필히 해줘야 할 말이 있어서 그래. 지금부터…… 내가 하는 말을 잘 듣고 놀라지 말거라."

할아버지의 목소리는 결연한 의지로 한껏 상기되어 있었다.

"무슨 일인데…… 그러세요? 그나저나 이 시간에 옷은 왜 이렇게 입으셨어요?"

평소와 달리 뭔가 이상한 낌새를 느낀 삼손이 갑자기 불안해지기 시작했다.

"삼손아, 지금부터 이 할애비가 하는 말 잘 들어야 한다."

할아버지는 마치 마지막 유언이라도 남길 것처럼 비장한 목소리였다.

"알겠어요. 도대체가 뭔지 모르겠지만 어디 한번 말씀해보세요."

삼손이 긴장한 나머지 침을 꼴깍 삼키며 눈을 크게 떴다.

"오늘…… 채석장에 의금부 군사들이 다녀갔다면서?"

"아니, 할아버지가 그걸 어떻게 아셨어요? 와, 정말 난리도 아니었어요."

"음……그게 실은, 나를…… 찾으러 온 거였어."

"네?……아니 왜요? 할아버지가 대체 무슨… 죄를 저질렀다고……요?"

"저거시기, 그러니까…… 그게 뭐냐면 말이야."

"아휴, 답답해. 할아버지 속 시원하게 말씀해주세요. 무슨 일 때문에 그러는데요?"

"네 이름은…… 원래 공삼손이 아니다. 그러니까……그 말뜻은……으음, 너는…… 내 친손자가 아니라는 말이야."

그의 콧날이 시큰거리며 손끝이 파르르 떨리고 있었다.

"그게…… 무슨 말씀이세요? 제가…… 할아버지 손자가 아니면… 전 누구란 말이에요?"

삼손은 바위에 머리를 부딪힌 것보다 할아버지의 말에 몇 배 더 큰 충격을 받았다.

"넌, 그러니까……절대 놀라지 말거라. 알았지?"

"와, 정말… 할아버지 오늘따라 왜 그러세요? 그냥 속 시원히 털어놓고 말씀해 주세요!"

"으음, 알겠습니다. 이왕 이렇게 된 마당에 모두 허심탄회하게 말씀드리죠. 당신은……내 손자… 공삼손이 아니라…… 이 나라의 유일한…… 세손 각하이십니다. 세손 각하의 진짜 이름은…… 이현입니다."

그가 처음에는 퍽 곤혹스러운 기색이더니, 이내 공손히 예를 갖추며 그 자리에 엎드려 절을 올렸다.

"하하하. 할아버지, 대체 무슨 말씀인지 알아들을 수가 없네요. 갑자기 저한테 존댓말은 뭐고……큰절을 왜 하시는 건데요? 아니, 진짜 오늘 왜 그러세요?"

삼손은 할아버지의 이야기가 너무 느닷없어서 순간 당황한 나머지 어쩔 줄을 몰라 했다.

"세손 각하, 이 늙은이가 하는 말이 다소 황당한 이야기처럼 들리시겠지만 더욱 귀를 열고 잘 들으셔야 합니다. 지금으로부터 17년 전 궁 안에 큰 변고가 있었어요. 주상 전하의 총애를 받으시던 세자 저하께서는 어머니인 육영왕후가 갑작스러운 죽음을 당하자 큰 충격에 빠졌습니다. 저하께서는 그 의문의 사건을 해결하려고 비밀리에 조사를 진행하셨죠. 그 결과 어머니의 죽음에 뭔가 석연치 않은 점들을 발견하셨어요. 세자 저하께서는 그즉시 주상 전하에게 보고를 하셨습니다. 하지만 오히려 계비인 추씨가 파놓은 함정에 걸려들고 말았어요. 새로운 왕후에게는 사술의 힘으로 태어난 관악 대군이라는 아들이 있었죠. 그녀는 관악 대군을 새로운 왕세자로 옹립하려고 무서운 음모를 꾸미고는 실행에 옮겼습니다. 그것은 세자 저하가 역모를 꾸미고 반정을 시도하려고 한다는 것이었죠. 새 왕후의 계략대로 변절한 조정 대신들은 거짓 증좌를 만들고 주상 전하에게 거짓 증언을 하였습니다. 이미 새 왕후의 사술에 깊이 중독되어 버린 주상 전하께서는 그녀가 시키는 대로…… 세자 폐위를 명하셨죠. 끝을 보기로 작정한 그녀는 세자 저하와 세자빈 마마님을 옥에 가두고 고신을 자행하였던 것입니다."

할아버지는 말을 멈추고 무언가 옛일을 애써 생각해 내려는 듯한 얼굴을 지었다.

"할아버지…… 지금 그 말이…… 모두 사실이에요?"

삼손은 반문을 하면서도 할아버지의 얼굴 표정이 진지하고 진실되어서 사뭇 혼란스러웠다.

"제가 왜, 세손 각하 앞에서 거짓을 말할 수 있겠습니까?"

"아……아니, 갑자기 저보고 세손 각하라니……황당하고 무섭잖아요. 솔직히 할아버지가……조금 이상해진 것 같기도 하고요."

"허허, 듣고 보니 그럴 만도 하겠네요. 죄송합니다. 진작에 말씀드리지 못해서요. 하지만 세손 각하! 저의 말을 망령된 노인네의 헛소리라고 하시지 말고 꼭 새겨들으셔야 합니다. 지금 의금부 군사들이 언제 다시 들이 닥칠지 몰라요. 그래서 이 할아비가 급히 아뢰는 것입니다."

할아버지는 애절하면서도 진심 어린 목소리로 삼손에게 자기 감정에 대해 입을 열었다.

"할…아버지. 진짜 저한테 왜 그러세요? 아, 정말 미치겠네!"

삼손은 갑작스러운 할아버지의 이야기를 받아들이기 힘들었다.

"너무나 눈 깜짝할 사이에 벌어진 사태에 세자 저하와 세자빈마마님은 속수무책으로 당할 수밖에 없었습니다. 회임한 만삭의 세자빈마마님이 걱정되었던 저하는 자신의 호위무관들인 열네 명의 익위사들을 은밀하게 호출했죠. 이들은 모두 세자를 위하여 목숨을 바치기로 맹세한 자들이었습니다. 어느 날 밤에 기습 침투한 익위사들이 의금부에 불을 내고는 저하와 세자빈마마님을 탈출시키려고 행동에 나섰어요. 모든 과정이 순조롭게 끝나려고 하는 순간이었죠. 하지만 눈치를 챈 왕후가 준비시킨 의금부 군사와 금군의 가세로 모든 구출 계획이 실패하고 말았어요. 다행히도 세자빈마마님 한 명만이 궁을 무사히 빠져나오게 되었지만 안타깝게도 저하와 익위사들이 모두 추포되고 말았습니다."

심난했던 지난날이 떠오르는지 눈시울이 붉어진 할아버지는 꾸밈이 없는 솔직한 태도로 삼손에게 말했다.

"할아버지……세자 저하와……세자빈마마님은 어떻게 됐어요?"

삼손은 멍하니 앉아서 망연스레 할아버지를 바라보았다.

"송구하옵니다. 세손 각하. 저하께서는 아직 생사가 확인되지 않고 있어요. 다만, 세자빈 마마님께서는 여기서 먼 지방 고을에서 신분을 감춘 체 숨어 지내고 계십니다. 어쩔 수 없는 상황을 맞아 부득이하게 세손 각하를 제가 감히 모시고 있었던 겁니다."

할아버지는 두 손을 공손히 모아 예를 갖추며 말했다.

"할아버지가 무슨 말씀을 하시는지 아직도 전 도무지 이해가 안 돼요. 어떻게 제가 할아버지의 손자가 아닌 이 나라의 세손이라는 건지……왜 오늘에서야 이런 이야기를 제게 해주시는 건지……세자빈 마마님은 왜 저를…… 키우시지 않고 버리셨는지 말이에요."

삼손은 머릿속에 뒤죽박죽 떠오르는 생각 때문에 혼란스러워하고 있었다.

"외람된 말씀이오나……저하와 이 늙은이는 아주 친한 벗이었습니다. 한양 도성 안에 있던 저의 책방에서 우연히 저하를 뵙게 되었죠. 저하는 도성 밖 백성들의 살고 있는 모습이 궁금해서 자주 순행을 하고 싶으셨지만 그럴 수 없는 상황이셨어요. 그때 저의 도움을 받으시고 도성 밖으로 나가는 데 성공을 하셨죠. 그렇게 긴 시간을 지내며 저하께서는 저를 동궁 전에도 자주 불러주시고 세자빈마마님과 셋이서 가까워 질 수 있었던 겁니다."

할아버지가 그 때의 추억을 떠올리자 옅은 웃음이 입가에 번졌다.

"이 나라에 그렇게 좋은 시절도 있었나요?"

삼손은 모처럼 할아버지의 밝은 모습을 보니 내심 기분이 한결 나아졌다.

"정말이지, 세자 저하께서는 이 나라와 백성들을 끔찍이 아끼시고 사랑하셨어요. 하지만 육영왕후님께서 돌아가시고 난 뒤 계비로 들어 온 새 왕후는 무서운 여자였습니다. 헐벗고 주린 백성들의 고혈을 빨아 왕비가 숭배하는 사교의 신전을 짓는 데만 혈안이 되어 있었죠. 그런 행위들을 막고자 백성들의 편에 선 세자 저하께서 적극적으로 부당함을 주장하시자 그런 일들을 꾸민 것입니다. 왕후는 한술 더 떠 도망 간 세자빈마마님께서 적통을 잇는 것을 막기 위해 수단과 방법을 가리지 않았죠. 그 시기에 태어난 아기들을 한 명도 빠짐없이 모두 죽이라는 칙령을 전국 관아에 내리기까지 했습니다.”

자기도 모르게 두 주먹을 불끈 쥔 할아버지는 오랫동안 삼켜 둔 울분이 터져 나올 것만 같았다.

“할아버지. 그런데 제가…… 어떻게 살아남을 수 있게 된 거에요?”

삼손은 할아버지의 더덜없는 말에 혼란스러움으로 가득 찼던 마음이 조금씩 비어 가면서 무거웠던 정신이 가벼워지기 시작했다.

“그건……세손 각하께서 장차 보위에 오르셔야 할 운명이기 때문이었죠. 제 아무리 죽음의 서슬 퍼런 칼날이라도 피해갈 수밖에 없었던 거예요. 실은…… 세손 각하께서는 태어나시자마자 한 번 죽었다가 다시 살아나신 분입니다.”

그는 비장한 각오를 한 듯 단연한 표정으로 말을 시작했다.

“네? 제가 죽었다가 살아났다고요?”

삼손은 너무 놀라 입을 다물 수 없었다.

자신이 한 번 죽은 몸이었다는 사실에 삼손은 머릿속이 백지장처럼 하얗게 변했다. 어려서부터 온 정성을 다해서 자신을 애지중지 길러 오신 할아버지의 고백이라 그 충격은 말로 표현할 수 없는 것이었다.

“세자빈마마님께서는 숨어 지내던 육영왕후님의 생가에서 세손 각하를 무사히 출산을 하셨죠. 하지만 그 고을에도 새 왕후의 칙령을 받은 관군들이 들이닥쳤습니다. 살기등등한 군사들은 갓 태어난 아기들을 죽이기 위해 눈에 불을 켜고 다녔죠. 그러던 어느 날 집에 한 낯선 백발노인이 찾아와서 세손 각하를 살릴 수 있는 방법이 있다고 했어요."

할아버지는 시종 침착하게 삼손을 바라보고 있었다.

"그 분이 말한 방법이라는 게 뭐였어요?"

삼손은 그 다음 이야기가 궁금해서 견딜 수가 없었다.

"노인은 어깨에 메고 온 보따리에서 작은 호리병 하나를 꺼내더니 그 안에 든 액체를 아기에게 마시게 해야 한다고 했어요. 그걸 마시고 나면 몇 날 며칠 동안을 마치 죽은 상태처럼 된다고 했죠. 세자빈마마님은 출산을 하고 난 직후여서 칭얼거리는 세손 각하를 데리고 멀리 피할 수도 없는 몸 상태였어요. 무엇보다 육영왕후님의 생가도 군사들이 곧 들이닥쳐 세자빈마마님이 숨어 있는지를 찾아 낼 것이었기 때문에 그 집에 더는 머무를 수도 없는 상황이었죠. 결국 마마님께서는 이 나라의 유일한 적자이신 세손 각하를 왕후의 손에서 살리고자 그 호리병 속의 액체 몇 방울을 세손 각하의 입에 넣었습니다. 그 노인의 말대로 액체를 삼킨 세손 각하는 곧장 죽은 시신처럼 몸이 싸늘하게 굳어 있었죠."

할아버지는 잠시 두 눈을 밑으로 내리깔며 깊은 숨을 한번 내쉬었다.

"할아버지, 꼭 그 약을 먹여야만 했나요? 그 약이 아니더라도 방법은 얼마든지 있었을 거 아니에요? 왜 꼭 죽은 사람처럼 만들어야만 했는지 이해를 못하겠어요."

삼손은 이해 할 수 없다는 듯이 고개를 설설 흔들기만 할 뿐이었다.

"세손 각하. 한 번 생각해보세요. 이미 전국에 갓 태어난 아기를 죽이라는 칙령이 떨어졌고 고을들 마다 두둑한 포상금까지 내걸었는데 이제 막 태어나 시도 때도 없이 우는 아기를 어떻게 데리고 피할 수가 있겠어요? 세자빈마마님께서는 제 살을 깎아 내는 심정으로 어렵게 결단을 내리신 겁니다."

할아버지는 삼손의 눈치를 봐가며 조곤조곤 설명을 이어 나갔다.

"그러게요. 만약 움직이는 동안 아기가 크게 울기라도 했다면 금세 발각이 되고 말았을 테죠."

삼손은 이유를 알 만하다고 고개를 끄덕였다.

"세자빈마마님은 그 집에서 나오면 세손 각하와 함께 딱히 갈 곳이 없으셨기 때문에 너무나 막막하기만 하셨죠. 때마침 그 노인은 마마님께 자신과 함께 떠나자고 제안을 했어요. 마마님께서는 선택의 여지가 없으셨죠. 결국 그 노인을 따라가셨고 그곳이 바로 태룡산이었습니다."

"태룡산이요? 세자빈마마님은 지금 그곳에 계신 건가요?"

삼손은 겉으로는 태연한 척 했지만 마음속으로 어머니가 무척 그립고 걱정이 되었다.

삼손의 얼굴을 물끄러미 쳐다보던 할아버지는 자꾸 마른기침을 쿨룩대며 가슴을 쓸어안았다. 공가는 처자식을 잃고 난 뒤 몇 해 동안 안 좋은 일을 마음에 담아 두었고 결국 병이 되었다. 애꿎은 가족을 지키지 못했다는 자책 때문이었다.

"그런데 제가 어떻게 세자빈마마님과 헤어져 할아버지와 살게 된 거죠?"

삼손은 머릿속에 타래타래 엉켜 있던 복잡한 생각들이 생겨났다.

무슨 말을 물어야 할지 한편으로 그에 대한 답을 들어야 할 일이 너무나 많았다.

"그렇지 않아도…… 지금 그 이야기를 하려던 참이었습니다."

기침 때문에 힘겹게 말을 이어 가는 할아버지의 목소리는 갈그랑거리고 쇠약해진 몸은 경련을 일으켰다.

"할아버지, 괜찮으세요?"

삼손은 걱정이 되어 안절부절못하였다.

"제 걱정은 이제 그만 하세요. 이렇게 세손 각하에게 모든 이야기를 털어놓으니 이 늙은이는 몸과 마음이 한결 편안해졌어요."

"힘드시면 그만 말씀하세요."

"전 괜찮아요. 으음, 태룡산에 계신 마마님께로부터 제게 기별이 온 건 세손 각하가 태어나신지 한 해가 지나고 나서였습니다. 예상했던 대로 왕후 추씨는 육영왕후님의 생가에 군사들을 보내 그 집안사람들을 한 명도 빠짐없이 모조리 죽였어요. 어린 아이들도 예외가 아니었죠. 얼마 뒤 태룡산에서 이 소식을 들은 마마님은 너무나 슬퍼하셨고 고신으로 인한 후유증까지 겹쳐 몸져누우시고 말았습니다. 마마님은 세손 각하가 계속 곁에 있게 되면 왕후의 집요한 추격에 의해 세손 각하의 옥체가 위험하게 될 것을 염려하시고는 제게 부탁을 하셨던 거예요."

할아버지는 가쁘게 가슴으로 숨을 쉬다가 힘을 내고는 조용하고도 엄숙한 음성으로 천천히 말했다.

남달리 생각이 깊은 삼손은 비범한 눈빛으로 할아버지의 이야기를 듣더니 수긍이 가는 듯 고개를 끄덕였다. 삼손이 나이는 어렸지만 일찌감치 고생살이를 겪어서인지 눈치도 빠르며, 세상 물정을 누구보다 잘 알았다. 조금 전까지 할아버지의 입에서 나온 말들은 삼손에게 있어서 모든 막혔던 문이 열리며 뒤엉켜 있던 실타래가 갑자기 확 풀어지는 것만 같은 느낌이 들게 하였다.

할아버지는 삼손을 업고 이 마을 저 마을을 돌아다니며 젖동냥을 해서 키웠다. 덕분에 삼손은 건강하게 무럭무럭 자랐고 어느덧 열일곱 살이 되었다. 채석장에서의 노역이 심해지기 전까지 삼손은 할아버지에게서 낮에는 볏골 마을 산골짜기를 누비며 무예와 도술을 익혔고 밤에는 등불 아래에서 글을 배우고 읽었다. 어린 손자 하나 잘 되기를 바라는 마음으로 평생을 희생하며 살아오신 할아버지의 크나큰 믿음과 사랑을 알기에 삼손은 그 기대에 부응하 고자 어떤 순간에도 포기하지 않고 인내할 수 있었다.

"할아버지, 누가 뭐라 해도 제겐 할아버지가 제일 소중해요. 그거 알고 계시죠?"

삼손은 쇠약해진 할아버지를 바라보자 자신도 모르게 콧등이 시큰해 왔다.

"세손 각하. 성은이 망극하옵니다. 이제……이곳 볏골 마을을 떠나실 때가 되었어요. 오늘밤이 바로 그 날입니다. 전…그동안 세손 각하를 모신 것만으로도 큰 영광이었어요. 이렇게 장성하신 세손 각하를 보면서…… 아직 생사를 알지 못하는 저하에게 조금이나마…… 마음의 빚을 덜어 낼 수 있어서 기쁘기가 한량없습니다."

삼손을 떠나보내야만 하는 할아버지는 눈시울이 뜨거워짐과 동시에 목이 메어 왔다.

"할아버지! 제가 할아버지를 두고 가긴 어딜 가요! 전 아무데도 가지 않을 거예요!"

삼손은 그때까지 꾹 참아 온 울음을 터뜨렸다.

"세손 각하. 이렇게 약한 모습을 보이시면 안 됩니다. 장차 이 나라 지존의 자리에 오르셔야 할 분이 사사로운 감정에 얽매이시면 더 큰 일 앞에서 어찌하시려 합니까? 이 늙은이 걱정은 하지 마십시오. 이 시간 이후부터는 나라와 백성의 운명이 세손 각하의 손에 달려 있다는 것만을 반드시 유념하셔야 합니다."

할아버지도 삼손의 두 손을 부여잡고는 가슴에 북받쳐 오르는 감정을 이기지 못해 눈물을 글썽였다.

하늘도 슬펐는지 갑자기 천둥이 치며 소나기가 내리기 시작했다. 할아버지는 삼손의 눈치를 살피다가 앉아 있던 자리에서 일어나 의걸이장 안에서 천으로 둘러싸여 있는 기다란 물건을 꺼내었다. 할아버지가 양 손으로 천을 벗기자 잠시 뒤 영험한 기운이 깃든 칼집과 아주 작은 보석들이 촘촘히 박힌 검 손잡이가 보였다. 한눈에 보기에도 예사롭지 않은 칼집이었다.

"세손 각하께 이 공가의 보검을 드리오니 부디 이 나라와 백성을 위급에서 구하소서."

할아버지는 예를 갖추어 두 손으로 검을 건네주었다.

"아니, 이건 할아버지께서 가장 아끼시는 검이잖아요. 이걸 왜……저에게 주시는데요?"

엉겁결에 검을 건네받은 삼손은 칼집에서 흘러나오는 검기가 심상치 않음을 단번에 알 수 있었다.

"이검은 악귀를 물리치는, 즉 벽사의 신통력을 지닌 상서로운 검입니다. 저희 공씨 집안 대대로 내려오는 가보로서 한 때 이 늙은이가 사용하였던 검이기도 하죠. 세손 각하께서도 지난 세월동안 이 검으로 검술을 연마하신 걸 잘 알고 계실 겁니다. 오늘부터 이 검의 주인은 바로 세손 각하로서 현재 이 나라와 백성들을 괴롭히고 있는 사귀들과 재앙을 물리치시는데 사용하십시오. 이제 검은 오로지 새 주인이신 세손 각하의 손에서만 강렬한 빛과 화염이 발산되며 그 영묘한 능력이 나타나게 될 것입니다. 그리고 한번 칼집에서 뽑은 검은 결코 부러지거나 녹슬지 않을 것이며 모든 요귀를 베고 악을 없애게 될 것입니다."

검을 지그시 바라보던 할아버지는 확신에 찬 표정을 가지고 말했다.

비가 그치자 온 천지가 고요해졌다. 어둠을 뚫고 들려오는 부엉이 소리만 간간이 들려왔다. 밤이 깊어지고 달빛이 더욱 밝아지자 할아버지는 떠날 채비를 서두르기 시작하였다. 방 한 켠에는 보자기에 물건을 싸서 꾸린 보따리 뭉치가 하나 놓여 있었다. 그때 뭔가 이상한 낌새를 느낀 할아버지가 훅 호롱불을 불어 꺼서 방 안은 갑자기 칠흑처럼 캄캄해졌다.

"할아버지……불은 왜 끄세요?"

삼손이 작은 목소리로 속삭였다.

"쉿!"

할아버지가 입술에 손가락을 댔다.

그런데 그때였다. 집 어귀에 들어서는 사람들의 소리가 났고 발자국 소리가 다가왔다. 별안간 집 마당이 환해지며 횃불을 들고 오는 듯한 발자취가 가까워졌다. 머리에 벙거지를 쓰고 한 손에는 육모 방망이를 나머지 손에는 횃불을 든 포졸들이 서너 명씩 줄지어 야간 순찰을 하고 있었다. 채석장이 있는 볏골 마을에 도망자가 속출하자 포청에서 나 온 포졸들의 기찰활동이 삼엄해졌다. 왕후의 신전을 짓기 위한 채석작업을 해야 하는 볏골 마을 사람들은 아침 나절은 물론 해 넘어간 후에는 절대로 집 밖으로 나가지 못하게 엄히 단속했다.

포졸들의 발자국 소리가 점차 멀어지자 할아버지는 삼손을 데리고 은밀하게 집을 나섰다. 1시간이 지난 뒤 그들은 포졸들을 피해 나루터에 도착하였다. 두 사람은 강 건너에서 배가 건너오기를 기다렸다.

"할아버지, 이 밤중에 저희를 태워 줄 배가 어디 있겠어요? 설령 배가 있다고 해도 배를 움직일 사공은 어디에서 찾아요?"

삼손은 가쁘게 몰아쉬던 숨을 고르며 물었다.

"제가 다 손을 써 놓았습니다."

가쁜 숨을 몰아쉬던 할아버지는 엷은 웃음이 입가에 번졌다.

"그게 무슨 소리세요? 할아버지는 이제껏 저와 함께 계셨잖아요. 사공을 만난 적도 없으셨잖아요?"

할아버지의 말에 삼손은 약간 어리둥절한 표정이 되었다.

"세손 각하를 뵈면 17년 전, 영락없는 세자빈마마님을 연상케 하십니다. 저길 보십시오. 이 늙은이의 말대로 배가 들어오고 있지 않습니까?"

할아버지는 어린 삼손의 반응에 껄껄껄 웃으셨다.

조금 뒤 옅은 안개를 뚫고 나루터에 배가 닿자 사공은 예를 갖추어 두 사람을 향해 인사를 올렸다. 이 광경을 보고 놀라워하는 삼손을 배에 먼저 오르게 한 뒤 할아버지는 사공에게 고개를 끄덕이며 어서 떠나라는 눈짓을 보냈다. 그 즉시 사공은 바로 노를 밀어 배를 출발시켰다.

"할아버지! 배에 얼른 오르시지 않고 뭐하시는 거예요? 이봐요, 아저씨! 어서 배를 돌려요! 어서요!"

삼손은 너무 놀라서 그만 소리를 지르고 말았다.

배가 미끄러지기 시작하자, 강물 위에 비친 희뿌연 밤하늘이 뱃머리에서 양쪽으로 갈라지며 곱게 부서졌다. 사공이 힘차게 노를 내저으니 배는 나루터에서 멀어지며 조금씩 앞으로 나갔다.

"할아버지…할아버지! 안돼요!"

삼손은 무슨 말인가를 하고 싶어 할아버지를 큰소리로 부르며 뱃머리로 다가섰으나 이미 순풍을 맞은 배는 점점 빠른 속도로 달아났다.

제3장 산에는 꽃이 피고

칠흑 같은 어둠이 물러가고 붉은 태양이 서서히 모습을 드러냈다. 사방이 산으로 빙 둘러싸인 분지위에 세워진 산골 마을에는 바다처럼 널리 깔린 운해가 장관을 이루고 있었다. 쌍봉을 이루는 두 개의 봉우리 사이에서 흘러내린 시내는 넓은 들판을 에돌아 흐르다가 산 밑에 있는 강과 합류하였다. 깊어가는 가을을 알려 주듯 산등성이를 타고 차가운 아침바람이 불어왔다. 바람결에 간간 도성의 흉흉한 소문이 들려올 뿐 두메산골 마을에는 아직 왕후의 손이 미치지 않았다. 그도 그럴 것이 워낙 산세가 깊고 험준해서 외부와의 왕래가 적기 때문이었다.

그녀가 태룡산에서 살아 온지도 벌써 열일곱 해가 되었다. 산에서 자란 약초와 나물을 캐기도 하고 나뭇가지에 돋아난 새순을 따기도 했다. 거기에다 인삼재배와 같은 밭일을 해서 그런지 햇볕에 피부가 그을려 있었다. 그렇다고 그녀의 피부가 거칠거나 심하게 검게 그을린 것은 아니다. 그녀는 살결이 조금 가무잡잡할 뿐 매우 건강해 보였다. 그녀는 키는 작았지만 이목구비는 좀스럽지 않고 뚜렷뚜렷 예쁘고 고왔다. 할아버지 밑에서 자란 그녀는 겉보기에는 왈가닥이었지만 속이 깊고 섬세한 여자였다.

어느 곳을 둘러보아도 높은 산이 마을의 앞뒤를 막고 있어서 갑갑함을 느끼고 있던 그녀는 언젠가 두메산골 마을의 굴레를 벗어나 더 넓은 세상에서 자유롭게 살고 싶어 했다. 이런 그녀가 꽉 막힌 산속에서도 꿋꿋하게 열일곱 해를 견디며 살 수 있었던 것은 친 엄마처럼 따르는 월령 아줌마와 가장 아끼는 애완동물인 탄닌이 있어서였다.

비록 깊은 산속 마을이었지만 글을 배우는 글방과 병을 고치는 의원도 있었다. 분지마을 사람들은 인삼을 재배해 지방을 돌며 물품 교환을 하는 보부상들과 한양을 거점으로 활동하는 상인들로 구성 된 경강상인들에게 팔았다.

분지 마을사람들은 대개가 순박하였고 인심이 좋았다. 무엇보다 노인을 진심으로 존경하고 있었고 이웃끼리 서로 어려운 일을 돕고 살았다. 그렇기 때문에 마을 사람들은 모두 서로를 잘 알고 지내며 분위기도 매우 가족적이었다.

“월령 아줌마, 이것 좀 보세요. 올해는 근대가 이렇게 잘 자랐어요."

그녀는 손에 무언가를 꽉 움켜쥐고는 허둥지둥 뛰어왔다.

"공주야, 그러다가 또 다칠라. 조심해야지. 정말 잎이 넓고 줄기가 통통한 것이 잘 자랐구나."

월령 아줌마가 근대를 한아름 건네받고는 입가에 잔잔히 미소를 지었다.

그녀가 처마 밑에 놓여 있는 조그만 뜰마루에 걸터앉으며 길게 한숨을 쉬었다. 그러고는 멀찍이 떨어져있는 산자락을 바라보며 다리를 흔들었다. 월령 아줌마와 함께 있을 때는 마음이 편했다. 자신을 낳아 준 부모님의 얼굴조차 보지 못한 그녀는 마음 한구석이 늘 맷돌에 짓눌린 듯 갑갑하고 목구멍에 작은 생선가시가 걸린 것처럼 답답했다. 이모저모 생각해보니 가족에 대한 그리움 때문이었다. 지금 함께 살고 있는 할아버지는 친 할아버지가 아니라는 것을 일찍이 알고 있었다. 그나마도 동에 번쩍, 서에 번쩍 어디론가 사라졌다 한참 만에 집으로 돌아오시는 할아버지와 그리 많은 시간을 보내지도 못했다. 그녀는 어려서부터 홀로 남은 빈자리엔 무서움보다 외로움이 컸다. 하지만 이 마을에 월령 아줌마가 계셨고 조금씩 그녀에게는 새로운 삶의 변화가 일어나기 시작했다.

그녀가 늘 혼자 집에 남아 있을 때 돌봐 준 사람이 바로 월령 아줌마였다. 그녀는 아줌마가 마치 자신을 낳아 준 친 엄마였으면 좋겠다는 생각이 들기도 했다. 월령 아줌마는 그녀가 이제껏 한 번도 보지 못한 고운 얼굴이었다. 또한 아줌마는 이곳 두메산골 마을 사람들의 특유의 억센 사투리가 아닌 품위 있고 교양 있는 말투를 사용하였다. 무엇보다 평범하고 얌전한 옷차림을 했지만 남들과 달리 분위기가 고상했다. 그녀는 월령 아줌마의 모든 게 좋았다. 아줌마는 글도 잘 읽고 글씨도 잘 써서 산골 마을 아이들의 글 선생님이 되어주었다. 그녀가 사투리를 고치게 된 계기도 아줌마 덕분이었다.

그녀의 본래 이름은 분녀였다. 자신을 데려다 키워주신 할아버지가 지어주신 이름이었는데 태룡산 분지 마을에서 따온 이름이었다. 하지만 그녀는 언제부터인가 공주로 불리기 시작했다. 월령 아줌마 때문이었다. 부모 없이 할아버지 밑에서 커가는 그녀를 보면서 애틋함을 느낀 월령 아줌마는 공주처럼 소중하고 귀하게 자라라고 공주라고 부르기 시작했다. 그렇게 한번 불러지기 시작한 공주라는 이름은 마을 사람들 모두가 부르는 이름이 되어버렸다. 어느새 최공주로 살아 온지 15년이나 지났다. 그 누구도 공주의 진짜 이름인 분녀라는 이름을 기억하는 사람은 없었다.

"아줌마, 저기 산 너머에 세상은 어떤 모습일까요? 병풍처럼 둘러싸인 우리 마을과는 분명 다른 곳이겠죠?"

공주가 뜰마루에 비듬히 기대어 앉아 먼 곳을 바라보았다.

"공주야, 여기가 많이 답답하지? 그래, 생각해보니 그럴 만도 하네. 태어나서 지금까지 이곳을 벗어난 적이 없으니 얼마나 궁금하겠니. 그런데 이 바깥세상은 공주 네가 생각하는 것과는 많이 다르단다."

월령 아줌마는 공주에게 다가가 흐트러진 머리를 인자스레 쓰다듬어 주었다.

"어? 아줌마는 저와 똑같이 한 번도 산을 벗어 난 적이 없으시잖아요. 그런데 저 바깥세상을 마치 잘 아시는 것 같네요. 아줌마도 바깥세상에서 살아보신 적이 있나요?"

공주는 그녀의 말에 궁금해 하며 고개를 휙 돌렸다.

"음, 이건 누구한테도 말한 적 없는데…… 우리 공주에게는 예외로 해야겠지?"

하고 싶은 말은 많지만 무슨 말을 해야 할지 망설이던 월령 아줌마이지만 잠시 침묵이 감돌자 먼저 입을 열었다.

"아휴, 답답해라. 뭔데 그러세요? 아줌마가 이렇게 뜸들이시는 거 보니 더 궁금해지잖아요."

공주는 금세 뾰로통하게 토라진 얼굴로 그녀를 바라보았다.

월령 아줌마는 어린아이가 칭얼대는 듯 보채는 공주가 사랑스럽기만 했다. 그보다 바깥세상에 대한 동경과 기대감이 있는 공주를 보면서 걱정스러운 마음이 들었다. 공주가 꿈꾸는 세상은 이미 오래전 사라졌기 때문이다. 정확히 17년 전 깊고 깊은 이곳 산속으로 들어 온 것이 바로 엊그제의 일처럼 느껴졌다. 월령 아줌마는 잠시 망설여지기는 했지만 헤어진 아들과 또래인 공주가 곁에 있으면서 많은 위로와 격려를 받았다. 또한 공주를 보면서 연민의 정을 불러일으켰다.

"나도 오래 전 한양에서 산 적이 있었단다. 그때는 이 나라가 어진 임금님 밑에서 태평성대를 누리며 살 때였어. 궁궐 안에서는 임금님과 조정의 관료들이 오로지 백성들을 위한 정치에만 신경을 썼었지. 백성들은 그 어느 때보다 안전하고 풍요로운 삶을 살 수 있었단다."

월령 아줌마는 눈을 지그시 감고 지난날을 회상했다.

"우와, 너무나 훌륭하신 임금님이셨네요. 그래서요?"

공주는 그저 고개를 끄덕이며 월령 아줌마의 다음 이야기가 궁금해졌다.

"하지만……그 세월이 그리 길지 않았단다. 임금님의 부인이셨던… 육영왕후님이 갑작스런 죽음을 당하고 난 뒤 이 나라의 불행은 시작되었어."

월령 아줌마는 자기도 모르게 두 주먹을 불끈 쥐었다.

"음, 왕후님이시라면…… 중전마마를 말씀하시는 건가요? 그런데 그 분의 죽음이 왜요?"

이야기가 점점 흥미로워지자 공주의 목에서 꼴깍하고 침 넘기는 소리가 났다.

"임금님은 새로운 왕후……그래 맞아. 중전을 새로 맞아들이시기로 했단다. 그런데 문제가 생기고 말았어. 돌아가신 육영왕후님과 같이 인자한 성품과 자애로우신 분이 아닌…… 악독하고 사악한 여자가 계비로 들어온 거야. 그 악녀는……."

갑자기 월령 아줌마의 얼굴이 붉어지고 떨리던 목소리가 흐느낌으로 변했다.

"어……아줌마, 괜찮으세요?"

순간 공주는 당황해 하며 월령 아줌마의 손을 꼭 잡아 주었다. 이제껏 한 번도 그녀에게서 이런 모습을 본 적이 없었기 때문에 괜스레 이런 말을 꺼냈나 싶어 어찌할 바를 몰랐다. 월령 아줌마는 숨을 가쁘게 쉬면서 말을 이어 나갔다.

"난, 괜찮아. 너에게 이런 모습을 보이다니 부끄럽구나. 공주야, 넌 나한테 소중한 아이란다. 네가 아기 때 젖을 달라고 울 때 마다 내가 얼마나 안쓰러웠는지……그때 내가 건강했다면 너한테 젖꼭지를 좀 더 물리게 했을텐데…… 그러지 못해서 참 안타까웠어. 지금 와서 하는 말이지만 사실, 나에게는…… 공주와 같은 해에 태어난 자식이 하나 있단다."

"네? 아줌마에게 저 같은 자식이 하나 있다고요?"

그녀의 갑작스런 말에 공주가 두 눈을 동그랗게 떴다.

"그래, 아들이었어. 지금은 무탈하게 잘 살고 있는지…… 얼굴은 누굴 닮았는지…… 자신의 진짜 이름은 알고 있는지…… 자신이 누구인지…… 너무나 그 아이가 보고 싶고… 생각이 나고…… 그립구나."

그녀의 눈에서 이슬 같은 눈물이 방울져 떨어졌다.

"아줌마에게…… 아들이 있었다니, 정말 미처 몰랐어요. 그 아이는… 지금 어디에 있어요?"

공주는 덩달아 눈물을 따라 흘리며 그녀의 손을 놓지 않으려 더욱 힘을 줬다.

"음, 여기 태룡산에서 멀리 떨어져 있는 곳에 있어. 한양 도성과는 제법 가까운 곳이지."

그녀는 공주의 볼에 흐르는 닭똥 같은 눈물을 연신 옷고름으로 닦아주었다.

"그런데 아줌마, 왜 헤어진 건지…… 물어봐도 돼요?"

눈가가 촉촉해진 공주는 목소리를 가다듬고는 그녀의 눈을 바라보았다.

"으음, 그 이야기는 공주 너를 위해서라도 이 아줌마가 말할 수 없어. 오래 전에 할아버지와 약속을 했거든."

그녀가 손을 뻗어 공주의 얼굴을 다정히 만져 주고 머리도 쓸어주었다.

"아잉, 그런 법이 어딨어요? 아줌마 말해주세요. 네?"

공주가 한껏 비성을 발하며 응석을 부렸다.

"아줌마가 하지 말아야 할 말을 해서 우리 공주만 괜히 심란하게 만들었네. 미안해. 자, 그러지 말고 우리 맛있는 거나 먹을까? 공주주려고 아줌마가 약과를 만들었거든."

그녀는 대답하기 곤란한 얘기가 나오자 화제를 다른 것으로 돌리려고 애를 썼다.

"아휴, 궁금해 죽겠네. 그나저나 약과는 언제 만드셨어요?

공주는 그녀에게 말 못할 깊은 사연이 있다는 것을 알아차리고 얼른 표정을 바꾸며 물었다.

'공주야, 미안하구나. 언젠가 너에게도 진실을 말해 줄 때가 올 거야. 그러니 조금만 기다리렴.'

그녀는 해맑게 웃으며 약과를 먹고 있는 공주를 그저 바라만 보고 있었다.

문득 그녀는 공주가 입은 옷을 보더니 괜히 안쓰러운 마음이 들었다. 공주는 옷에 특별히 장식이 없는 일자 형태의 하얀색 저고리와 허리선보다 위쪽으로 올라가 활동하기 편해 보이고 발목이 훤히 드러난 짧은 몽당치마를 입고 있었다. 옷 색깔이 감색되어 낡아 보인 것은 물론 소매가 해져서 나달나달했다. 거기에다 기움질로 고쳐 입기를 여러 차례, 이제는 누더기가 다 된 옷이었다. 그녀가 생각할 때 공주가 그 옷은 더 이상 입을 수가 없을 것 같았다. 아니, 그보다 공주에게 이런 옷을 입혀서는 안 된다는 자기 생각의 확신이 들었다.

잠시 뒤 뭔가를 골똘하게 생각하는 듯한 그녀가 자리에서 벌떡 일어났다. 그러고는 한참 만에 방안에서 무언가를 들고 나왔다. 난생 처음 보는 비단으로 된 예쁜 보자기였다.

공주는 한 눈에 보기에도 월령 아줌마가 아끼는 물건이라는 것을 알 수 있었다. 월령 아줌마가 두툼한 보자기의 고매듭을 풀자 광택이 나는 원단으로 만든 갖가지 색깔의 여자 옷이 보였다.

보자기 맨 위에 놓여 있던 붉은 비단에 청색의 꿩을 수놓아 만든 옷이 제일 먼저 꺼내졌다. 가슴, 등, 양 어깨에는 금실로 오조룡을 수놓은 보가 덧붙여 있었다. 공주는 그 옷을 보자마자 웅장하고 화려함에 넋을 잃을 뻔 했다. 월령 아줌마는 보자기에서 다음 옷들을 꺼냈는데 공주가 세상에 태어나서 한 번도 본적이 없는 다채로운 색깔의 옷들이었다.

“아줌마…… 이 옷들은 전부 뭐에요?”

신기한 듯 공주의 눈이 깜짝였다.

“응, 아줌마 옷이야.”

자신이 보자기에서 꺼낸 옷들을 보며 아줌마는 아주 잠시 동안 회상에 잠겼다.

"아줌마, 예쁜 옷이 이렇게 많은데 왜, 입지 않으세요?"

공주는 눈앞에 있는 화려한 옷들을 보자 아줌마에 대해 더 궁금해지기 시작했다. 그동안 아줌마에 대해서는 누구보다 잘 알고 있다고 생각했는데 순간 정신이 멍해지는 느낌이 들었다.

"공주야, 이 옷들은 이제 아줌마가 입을 수가 없어. 어디보자…… 우리 공주에게 잘 어울릴만한 옷이……그래, 이 옷이 너한테 잘 어울리겠구나."

월령 아줌마가 청초한 물빛 저고리에 진홍색 치마를 펴보고는 환하게 웃었다.

"아줌마, 이렇게 귀한 옷을 저한테 주시려고요? 진짜요?"

공주는 월령 아줌마의 대답이 너무 갑작스러웠는데 한편으로는 기분이 좋았다.

저고리 몸판 전체에 꽃 자수가 놓인 옷을 입게 되리라고는 상상도 못했던 공주는 기쁨을 감추지 못했다.

"공주야, 방 안에 들어가서 얼른 입어 보렴."

월령 아줌마는 기분이 좋아서 해 맑게 웃고 있는 공주를 보면서 말했다.

공주는 월령 아줌마의 말이 끝나기도 무섭게 옷을 받아 들고는 거의 뛰다시피 급히 방으로 걸어갔다. 잠시 뒤에 문고리를 덜그럭대더니 공주가 방문을 열고 나왔다.

월령 아줌마 앞에 선 공주는 방금 전 들고 간 옷을 입고 있었다. 지금 막 염료를 옷에 풀어 놓은 것만 같은 청초한 물빛 저고리에 신비롭게 중첩되는 색상이 보여주는 진홍빛 치마를 입은 공주는 입가에 환한 미소를 짓고 있었다. 그때 하늘에는 옅은 자주에서 짙은 자주로 변하며 노을이 불타올랐다. 노을이 붉게 물든 하늘을 배경으로 서 있는 공주의 모습은 말로 형언할 수 없이 단아하고 아름다웠다. 살결이 조금 가무잡잡할 뿐 또렷한 이목구비 그리고 깊은 눈매와 귀염성 있는 표정과 눈빛까지 공주는 너무나 많은 매력을 지니고 있었다.

"공주야. 너무 예쁘고 정말 잘 어울리는구나. 이것도 신어 보거라."

공주의 기뻐하는 모습에 덩달아 신이 난 월령 아줌마가 마루 위에 꺼내 놓은 꽃신을 앞으로 내밀었다.

"이렇게 예쁜 신발은 처음 봐요!"

공주는 태어나서 처음으로 보는 꽃신을 신자 싱글벙글 입이 다물어 지지 않았다. 발 사이즈도 크거나 작지도 않고 딱 맞았다.

"공주야, 이 첩지도 한 번 해보자."

월령 아줌마가 금으로 도금 된 나비 모양의 예쁜 머리핀을 공주의 머리에 꽂았다.

"저한테 이 귀한 걸 다 주시면 아줌마는 어떡해요? 이 옷 그리고 신발과 머리장식은 아줌마한테 무척 소중해 보이는데요."

순간 월령 아줌마를 생각하자 미안한 마음이 들었다.

"우리 공주는 마음도 정말 예쁘네. 아줌마 생각하는 사람은 우리 공주밖에 없다니까. 공주야, 이건 아줌마가 너를 자식처럼 아끼고 사랑하니까 주는 거야. 부모 자식 간에는 어떤 조건이나 이유는 없는 거란다. 그러니까 괜한 걱정하지 말고 그냥 기쁘게 받으면 되는 거야. 알았니?"

월령 아줌마는 모처럼 밝은 표정으로 들뜬 공주를 보며 싱긋 웃었다.

"아줌마……고맙습니다."

공주는 월령 아줌마의 가슴에 얼굴을 파묻고는 아이처럼 엉엉 울었다.

할아버지와 단 둘이 살고 있는 공주의 집은 월령 아줌마의 집과는 그리 멀리 떨어져 있지 않았다. 집으로 가는 길목에 있는 계곡에는 어제 내렸던 비 때문인지 많은 물이 바위 사이로 부서지면서 콸콸 쏟아져 흐르고 있었다. 공주는 언제나 그랬듯이 계곡 옆에 있는 기묘한 바위들을 보며 걸어가다 오른쪽으로 난 비좁은 외나무다리에 멈춰 섰다. 가슴을 활짝 펴고는 심호흡을 크게 한 번 한 공주가 이제는 파겁이 되었는지 아무 거리낌 없이 다리를 건너갔다. 잠시 뒤 아름드리 노송이 빽빽이 우거진 숲속에 기이하게 생긴 큰 동굴 하나가 나타났다. 초롱을 손에든 공주가 주변을 살피며 동굴에 들어서자 갑자기 서늘한 기운이 느껴졌다.

캄캄한 동굴 속을 걸어가다가 순간 먹이를 입에 물고 날아가는 박쥐에 놀라 움찔하며 웅크렸다. 그러다가 공주는 언제 그랬냐는 듯 아무렇지도 않게 허리를 펴고서 동굴 안으로 계속 들어갔다. 동굴 안쪽 중간 지점에 도착하자 공주가 누군가의 이름을 반갑게 불렀다.

"탄닌, 어디 있어?"

공주의 목소리가 동굴 속 전체에 메아리쳐 울렸다. 곧이어 움침

하고 어두운 동굴 깊은 곳에서부터 바닥과 천장을 건드리는 약한 진동이 불연속적으로 일어났다. 그러다가 이내 천둥과 같은 굉음을 내면서 지축을 뒤흔들고 다가오는 거대한 그림자가 나타났다. 동굴 안에 거꾸로 매달려 휴식을 취하고 있던 박쥐들이 갑자기 떼를 지어 우르르 밖으로 나갔다. 바로 그 뒤로 네 개의 다리와 날개를 단 짐승이 이빨을 드러내며 나타났다. 하얀색 피부는 갑옷과 같은 비늘로 덮여 있었고 머리에는 두 개의 작은 뿔이 나있었다. 공주를 보자 반가운 듯 긴 꼬리를 흔들며 사람의 말을 했다.

"분녀야, 어서 와."

"너, 또 나를 분녀라고 부를 거야? 자꾸 그러면 토라질 거야."

공주는 일부러 화가 난 척 입을 뾰록 내밀었다.

"미안해, 공주야. 난 자꾸만 옛날 이름이 익숙해서 그래. 그런데 이렇게 늦은 시간에 어쩐 일로 왔니?"

탄닌이 날개를 오므리고는 공주와 눈높이를 맞추려고 동굴 바닥에 몸을 낮추며 물었다.

"오늘 내가 뭔가 달라진 것 같지 않니?"

공주는 초롱을 허리춤까지 올리며 자신이 잘 보이도록 불빛을 비추었다.

"오, 그 옷은 뭐야? 알록달록한 색깔이 너무 예쁘다. 가만 있어 보자…… 공주 네가 태룡산을 벗어나 산 밑 마을에서 옷을 사지는 않았을 거고……음, 어디보자 누가 너에게 준 옷이구나."

탄닌이 눈을 가늘게 뜨더니 공주가 입은 옷을 유심히 관찰했다.

탄닌은 사람의 말을 할 뿐만 아니라 오랜 옛 일과 미래의 일까지 모두 내다 볼 수 있는 신비한 능력이 있었다. 보기에도 무시무시하게 생긴 탄닌과 공주와의 만남은 그녀가 막 말을 배우기 시작했을 때부터였다. 태룡산 신의로 불리던 할아버지는 어느 날 작고 귀여운 동물 하나를 집으로 데리고 왔다. 생김새가 마치 양서류인 도롱뇽과 같이 생겼고 사람 손가락 크기만 했다.

공주는 탄닌이 집에 오면서부터 둘도 없는 친구 사이가 되었다. 약초를 캐러 집을 자주 비우시는 할아버지 대신 탄닌과 함께 보내는 시간이 더 많았다. 물론 월령 아줌마가 계셨기 때문에 가능했던 일이다. 호주머니 속에 쏘옥 들어가는 탄닌은 아줌마 집에도 늘 함께 다녔다. 기쁠 때나 슬플 때나 곁에 있어 준 든든한 친구였다. 태룡산 산골 마을에는 공주와 비슷한 또래의 친구들이 몇몇 있었지만 탄닌의 존재를 아는 아이들은 없었다.

탄닌을 아는 사람이라고는 할아버지와 월령 아줌마 그리고 공주뿐이었다. 처음엔 탄닌이 사람 말을 하게 될 줄은 꿈에도 몰랐다. 유일하게 알고 있었던 사람이 바로 할아버지였다. 할아버지는 공주에게 곧 해가 바뀌면 탄닌에게 깜짝 놀랄 만한 일이 생길 거라며 궁금증을 안겨 주었다.

해가 바뀌고 봄이 되자 할아버지의 말대로 정말 놀라운 일이 터졌다. 몸은 그대로인 탄닌이 공주에게 말을 하기 시작한 것이다. 지난밤에는 숲 속에 사는 늑대들의 울음소리 때문에 잠을 못 잤다는 불평부터 시작해 앞으로 사나흘 동안은 비가오지 않을 거라는 등 일기의 변화를 예측하기도 했다. 탄닌은 이제 막 말을 배우기 시작한 아이처럼 쉼 없이 쫑알쫑알 지껄였다. 또 간혹가다 흥얼거리며 노래를 부르기도 했는데 듣기가 민망할 정도는 아니어서 그나마 다행이었다.

어느 날은 새벽부터 깨어 있어서 오늘 낮에는 메뚜기를 배불리 먹겠다며 포부를 자랑스럽게 밝히기도 했다. 탄닌은 공주의 한쪽 어깨에 올라가 앉아 있는 것을 매우 좋아했다. 그래야만 외부의 위험으로부터 유일한 친구를 지켜줄 수 있다는 믿음 때문이었다.

공주는 조금 엉뚱하고 수다쟁이인 탄닌이 귀찮거나 실증이 나지 않았다. 오히려 어떤 모습으로 변해갈지 호기심마저 일어나는 것이었다.

“와, 역시 탄닌답구나. 그래 맞아. 월령 아줌마가 주신 옷이야. 이 옷하고 머리에 꽂은 장신구부터 꽃신까지 전부다. 아줌마는 도대체 산 속에 오시기 전에 어떤 삶을 사셨던 걸까? 오늘 나한테 바깥세상 이야기를 들려주시다가 갑자기 눈물도 흘리셨어. 아, 맞다! 아줌마한테 나랑 나이가 똑같은 아들이 한 명 있다고 하셨어. 그 아이가 얼마나 보고 싶으셨으면……아줌마가 너무나 슬퍼보였어.”

공주는 아까 전에 월령 아줌마와의 대화가 생각이 나자 두서없이 말했다.

탄닌은 동굴 바닥에 엎어지다 시피 자세를 취하고는 공주의 이야기를 차분히 듣기 시작했다. 그와 동시에 공주의 머리에 꽂은 나비모양의 첩지를 유심히 들여다보며 곧 이상한 말을 했다.

“운명의 사람이 너를 만나러 오고 있구나.”

“뭐? 그게 무슨 말이야? 운명의 사람이 나를 만나러 온다고……

그게 누군데?"

공주는 바로 앞에 있는 돌 위에 털썩 앉고는 의아한 표정을 지었다.

"월령 아줌마의 아들."

탄닌은 몇 초의 망설임도 없이 말했다.

"뭐야? 그러니까 방금 그 말은 월령 아줌마의 아들이 내 운명의 사람이라는 소리야? 도대체 무슨 일인지 알아듣기 쉽게 말해 봐."

공주는 몸을 앞으로 바싹 기울이며 탄닌의 얼굴에 닿을 듯 말 듯 얼굴을 내밀었다.

"월령 아줌마는 평범한 사람이 아니야. 네가 머리에 한 나비장식 첩지는 이 나라 조선의 왕실에서만 쓸 수 있는 아주 귀한 물건이야. 그래 나도 진작 왜 그걸 몰랐을까……아마 그건 누군가가 월령 아줌마의 몸에 결계를 쳐놨기 때문일 거야. 일종의……마법이지."

탄닌이 눈을 깜빡이면서 탄성을 자아냈다.

"결계라니……또 마법은 뭐고…… 뚱딴지처럼 난데없이 무슨 소리야."

공주는 영문을 몰라 눈만 뒤룩뒤룩 굴리며 탄닌을 바라보았다.

"누군가 월령 아줌마를 지키려고 보호결계를 걸었다는 말이야. 그런 능력은 보통 사람이 할 수 없는 거거든. 그러니까 내 말은……사람이 아닌 반신반인이 한 짓이야. 이거 정말 흥미로운 일인 걸."

탄닌이 이를 다 드러내 보이며 웃기 시작했다.

"반신반인……그게 가능한 일이야? 네 말은 마치 이 세상에 사람들 말고 다른 존재가 있다는 것처럼 들려. 그래서 아줌마가 어떤 분이시라는 말이야? 혹 임금님이 살고 있는 궁에서 일하시던 분이셨어?"

궁금한 것을 참지 못하는 공주가 탄닌을 재촉하며 물었다.

"그 머리에 꽂은 첩지를 보니 이제야 월령 아줌마의 과거를 보기 시작했어. 보호결계는 사람한테만 걸려 있는 거지 그 사람의 물건에는 해당사항이 없거든. 음……어디 볼까. 오, 저런 쯧쯧……못된 년 놈들 같으니라고……으음, 그런 사연이 있으셨구나."

탄닌이 공주의 머리 위에 장식 된 첩지를 응시하며 몹시 안타까움을 느꼈다.

"왜 그래? 월령 아줌마에게 안 좋은 일이라도…… 있으셨던 거야?"

탄닌의 표정을 살피던 공주가 걱정스러운 듯 숨을 죽였다.

"공주야, 너무 놀라지 마! 월령 아줌마는…… 이 나라의 세자빈이셔. 17년 전 사악한 새 왕후가 궁궐에서 세자빈 이신 월령 아줌마와 남편인 세자 저하를 죽이려고 했어. 그때 월령 아줌마는 만삭이었고 배속의 아기를 살리기 위해 목숨을 걸고 탈출을 하신 거야. 아……반신반인이 누군지 알아냈어. 바로 월령 아줌마를 위기에서 구해 준…… 공가라는 사람이었구나. 음, 그 사람이 월령 아줌마의 아들을 키워주었네. 가만 있어보자……뭔가 새로운 게 보일 것도 같은데……뭐야, 또 결계네. 이번엔…… 어둠의 결계가 쳐져 있어 아주 희미하게만 보여. 하……나도 이제 늙었나봐. 예전처럼 잘 보지도 못하고 말이야."

탄닌이 눈을 깜빡이며 한 숨을 길게 내쉬었다.

"세상에, 이럴 수가! 아줌마가…… 세자빈이셨다니, 어쩐지 품위 있는 말투나 절제 된 행동까지…… 다른 사람들과는 비교 할 수조차 없었어. 그런 귀한 분이 나 같은 산골 촌뜨기 아이를 친 딸처럼 키워주시다니……이건 정말 말도 안 돼는 일이야!"

공주는 탄닌의 이야기를 듣자마자 온 몸에 전율을 느꼈다.

모든 일이 한꺼번에 급작스럽게 일어난 것처럼 얼떨떨하기만 공주는 아까 월령 아줌마의 말을 조금은 이해 할 수 있었다. 이 나라의 세자빈이었던 월령 아줌마가 갑자기 몹시 측은해 보였다. 동시에 새로운 왕후가 한없이 미워졌다.

탄닌은 과거에 궁궐과 나라 안팎에서 일어났던 일들을 공주에게 상세히 이야기 해주었다. 조선이 어쩌다가 이 지경이 되었는지 공주는 자신도 모르게 한숨이 새어 나왔다. 임금을 잘 보필하여 나라를 이끌어 가야 할 조정 신료들이 왕후의 편에 서서 세자 저하를 몰아 내쫓은 대목에서는 불끈 화가 치밀어 올랐다. 조정은 점점 파행적으로 행해졌고 벼슬자리를 매관매직하는 것이 일상화 되어 버린 지 벌써 오래였다는 것과 한술 더 떠 지방의 수령들도 여전히 백성들의 고혈을 짜내는 일에만 열중한다는 이야기에 절망감을 느꼈다.

공주는 평소 자신이 꿈꿔왔던 산 밑의 바깥세상과 현실이 엄연히 다르다는 것을 깨닫는 데에 그리 긴 시간이 걸리지 않았다.

"그렇다고 희망을 접고 실망하기에는 아직 일러."

탄닌이 의미심장하게 공주를 바라보았다.

"그게 무슨 뜻이야?"

공주가 미간을 모으면서 고개를 갸웃거렸다.

"나와 같은 드래곤들은 오랜 세월을 살면서 과거와 현재 그리고 미래의 일까지 볼 수 있는 특별한 재능이 있어. 그 사실은 너도 이미 잘 알고 있을 테지. 조금 전 말했듯이 왕후는 정말 사악한 여자야. 악마를 숭배하는 것으로도 모자라 영원불멸의 삶을 얻기 위해 신전을 계속 짓고 있지. 그녀의 최종 목적은 조선이라는 나라를 멸망시키고 새 왕국을 만드는데 있어. 너와 같은 조선의 순수혈통인 백성을 모두 없애고 자신과 같은 반신반인들이 득실거리는 세상으로 바꾸는 거지."

탄닌은 콧볼을 옴씰거리다 흰 콧김을 뿜고는 왕후의 계획에 머리를 흔들었다.

"어떡해? 왕후의 계획대로 된다면 불쌍한 백성들이 다 죽게 될 텐데……잠깐, 조금 전에 월령 아줌마에게 보호결계를 건 공가라는 사람도 반신반인이라고 했잖아. 그런데 아줌마를 죽이려는 왕후도 반신반인이라면 어떻게 같은 부류의 사람들이 상반된 행동을 하는 걸까?"

공주는 생각할 것이 너무 많아 머릿속이 뒤죽박죽이었지만 왕후의 정체가 궁금했다.

"반신반인, 우리 드래곤들은 그들을 네피림이라고 불러. 우리 드래곤들과 마찬가지로 네피림들도 오랜 세월 동안 종족을 유지해오고 있어. 엘프 종족만큼은 아니지만 한 때 네피림들도 뛰어난 지식과 명성, 그리고 용맹함이 있었지. 하지만 그들은 악마와 손을 잡고 타락의 길을 선택했어. 그때 네피림들 가운데 깨어있는 몇몇 자들만이 그 길을 따르는 것을 반대하고 목숨을 걸고 싸우기 시작했던 거야. 온 세상을 장악해 자신들이 숭배하는 악마에게 세상을 바치려는 존재들이 바로 반신반인, 네피림이야."

탄닌은 공주와 이런 대화를 하게 되리라고는 예상치 못했다는 눈빛이었다.

"네피림……정말 큰 일 이구나. 그런데 아까 전에 네가 했던 말…아직 이 나라와 백성들을 살 릴 수 있는 기회가 남아 있다는 것처럼 들렸어. 내 말이 맞니?"

공주는 탄닌의 눈을 바라보며 슬그머니 물었다.

"공주야."

탄닌이 나지막하게 그녀를 불렀다.

"응, 탄닌."

공주가 눈을 깜빡이며 숨을 죽였다.

"너와 월령아줌마의 아들인 세손 각하가 그 질문에 대한 답이야. 너희 둘, 운명의 사람들이 만나 이 나라를 되찾고 백성들을 왕후의 손에서 반드시 구해낼 거야."

탄닌이 확신에 찬 목소리로 말했다.

공주는 탄닌이 하는 말을 허투루 듣지 않고 마음에 새겼다. 한편으로 하늘의 섭리란 참으로 오묘하고 알 수 없는 노릇이란 생각이 들었다. 또한 할아버지와 월령 아줌마가 왜 그토록 산 밖으로 나가는 것을 만류했는지 오늘에서야 그 사실을 알게 되었다.

탄닌과 더 많은 이야기를 나누고 싶었지만 시간이 너무 늦어 집으로 돌아 올 수밖에 없었다. 예전 같으면 호주머니 속에 넣어 다녔을 텐데 어느 날 갑자기 천지가 개벽할 듯이 무섭게 폭풍 성장한 탄닌과 더 이상 동행 할 수가 없었다. 그나마 숲 속에 거대한 동굴이 있었기에 탄닌을 가까이에서 볼 수 있다는 것만으로도 만족해야만 했다.

공주는 조금 전 탄닌의 말이 아직도 뇌리 속에 남아 있었다. 월령 아줌마의 아들인 세손 각하가 자신의 운명의 사람이라는 사실이 얼떨떨하기만 했다. 자신에겐 그럴 자격도 없고, 그리해서도 안 된다고 몇 번이고 스스로를 억압했지만 그러면 그럴수록 번민은 늘어갈 뿐이었다.

제4장 바람 부는 날

달빛도 별빛도 안 보이는 칠흑 같은 밤이 찾아오자 한양에서 얼마 떨어져 있지 않은 행신고을에는 요란스레 울부짖는 개의 울음소리만 들려왔다. 간간이 서늘한 거센 바람이 잿빛 지붕의 골이 진 기왓장을 덜거덩대고 있었다. 그 틈을 타 얼굴에 복면을 쓴 대여섯 명의 자객들이 대궐 같은 기와집의 높은 담장을 훌쩍훌쩍 뛰어넘어 들어갔다.

뒤뜰을 지나 사랑채로 들어 선 그들은 약속이나 한 듯 무리 중에 한 명 만이 방문 앞에서 칼을 뽑아 들었다. 나머지 자객들은 망을 보듯이 숨을 죽인 채 경계를 펼쳤다. 잠시 뒤 드르륵하고 미닫이 문 열리는 소리가 나더니 방 안으로 자객의 발자국 소리가 들렸다. 자객은 캄캄한 방 안에 들어온 바람에 발밑을 분간 못 해 불 꺼진 화로를 발로 툭 걷어찼다.

그 소리에 깜짝 놀라 잠에서 깬 사내가 소리를 질렀다.

"웬 놈이냐?"

"쉿! 떠들지 말고 가만히 앉아 있어. 한 번 더 소리를 지르면 그 때는 가차 없이 네놈의 목을 베겠다."

복면을 쓴 자객이 사내의 목에 칼을 들고 겨누었다.

"원하는 것이…… 뭣이냐?"

사내는 칼끝이 자신을 향하자 겁을 먹고 얼굴이 파래졌다.

"야, 이 새끼 봐라, 원하는 것이 뭐냐고? 네 놈이 죽인 내 누이를 살리기도 하겠다는 뜻이냐?"

분노에 찬 그는 두 눈을 희번뜩이며 소리를 질렀다.

"누이……그게… 누구요?"

무언가 캥기는 것이 있는지 사내는 얼굴 근육이 움찔 움직이더니 곧 곁눈질로 자객을 올려다보았다.

"이런 버러지만도 못한 개새끼! 네 놈이 현감이라는 벼슬을 이용해 밥 먹듯이 부녀자 겁탈을 일삼고 마을 사람들의 재물을 약탈하더니 이젠 배가 불러 기억도 못하는구나. 네 놈은 아직 피지도 못한 꽃 같은 어린아이의 인생을 무참하게 짓밟아 버렸어. 그 일로 인해 충격을 받으신 내 어머님은 시름시름 앓으시다가 돌아가셨다.

그뿐 아니라 어머니마저 잃은 아버지는 큰 슬픔을 견디다 못해 끝내 바다에 투신하여 스스로 목숨을 끊으셨어. 이게 다 네 놈이 사람이기를 포기한 짓거리 때문이야. 그래서 오늘 너의 목숨을 거두러 왔다."

그는 더 이상 끓어오르는 울분을 주체할 수 없었다.

"이보시오, 제발…… 목숨만은 살려 주시게! 재물을 달라하면…… 내가 가진 재산의 절반을 주겠소. 그러니 한번만 살려주시오! 제발…… 부탁이오!"

사내는 목숨만은 살려 줄 것을 자객에게 애걸복걸하였다.

"이 천하에 짐승만도 못한 놈! 지옥에나 가거라."

자객은 한 손으로 칼을 번쩍 들어 한 번에 휘둘러 버리려다 멈칫했다. 하지만 이내 상대를 가장 고통스럽게 죽이려고 칼로 사내의 목과 몸통을 힘껏 들이찔렀다. 곧바로 피가 낭자하게 방을 적셨고 오장이 갈가리 찢어지는 소리와 고막이 따가울 정도로 고통스러운 비명이 터졌다.

문 바깥에서 대기하던 다른 자객들이 예상치 못한 소란에 몹시 당황한 기색을 감추지 못했다.

"대장, 빨리 나와! 관군들이 곧 몰려 올 거야."

문 바깥에서 대기하던 자객들 가운데 하나가 다급한 목소리로 불렀다.

잠시 뒤 닫혀있던 방문이 열리며 피 묻은 옷을 입고 피가 뚝뚝 떨어지는 칼을 손에 쥔 자객이 나왔다.

"이게 대체 뭐야? 조용히 해치우기로 약속했잖아. 온 동네 사람들 다 깨우기로 작정한 거야?"

무리들 가운데 유독 안절부절 못하고 있는 키 작은 사내가 잔뜩 겁을 집어 먹은 소리를 냈다.

"순간 저 놈의 면상을 보자 그냥 편안하게 끝내고 싶지 않았어. 내 누이가 받은 고통만큼, 내 부모님이 겪은 괴로움만큼, 그리고 다른 사람들이 받은 억울함만큼 갚아줬을 뿐이야. 내 생각 같아서는 온종일 저 놈을 갈기갈기 찢어 죽이고 싶었지만 너희들 때문에 꾹 참은 거야."

사내는 단번으로는 성에 차지 않는 듯 분루를 삼키고 있었다.

그때였다. 멀리 안채 쪽 뜰과 반대쪽 행랑채에서 발걸음을 옮길 때마다 발밑에서 낙엽이 부스러지는 소리가 동시에 들려오기 시작했다. 뒤이어 안채와 사랑채를 연결하는 문의 자물쇠 여는 소리가 몇 번씩이나 재까닥재까닥하더니 곧 문을 따고 들어오는 발걸음 소리가 들렸다.

"웬 놈들이냐?"

현감댁을 지키는 십수 명의 포졸들과 서너 명의 머슴들이 비명 소리를 듣고 달려왔다. 포졸들 가운데 일부는 삼지창을 들고 나머지는 육모방망이를 허리춤에서 꺼내 꼬나들고는 자객들을 잡기 위해 포위망을 좁히고 있었다. 건장한 장정들로 보이는 머슴들은 손에 낫과 호미를 들고 포졸들 뒤에서 눈치를 살피고 있는 중이었다.

"대장, 내가 분명히 뭐라고 했어? 애당초 조용히 끝내라고 신신당부했잖아. 이제 어떡할 거야?"

자객 중 하나의 입에서는 저도 모르게 볼멘소리가 흘러나왔다.

"이미 엎질러진 물, 이젠 되돌릴 수도 없게 되었어. 각자도생으로 여길 빠져 나간다. 가자!"

피 묻은 칼을 포졸들을 향해 겨눈 사내가 다른 일행들을 향해 목청을 높였다.

그의 말이 끝나자마자 자객들 가운데 삐쩍 마르고 키가 큰 사내가 허리춤에 달려 있던 복주머니 하나를 풀어 포위해 오는 포졸들을 향해 힘껏 던졌다. 땅에 떨어진 복주머니가 종잇장처럼 터지더니 잿빛 연막이 일어났다. 곧이어 잿빛 같은 연무가 더욱 짙어지면서 지척을 분별할 수 없게 되었다.

자객들이 연속적으로 던진 한지로 만든 복주머니에서 연막탄이 터지자 사랑채 뜰에 모여 있던 포졸들과 머슴들이 우왕좌왕하면서 어쩔 줄 몰라 했다. 동시에 매콤한 연기 냄새가 코를 후벼 파는 듯하였다. 포졸들 가운데 일부는 맥없이 쓰러지고는 눈이 뒤집힌 채 입에 거품을 물고 발작하고 있었다.

나라의 녹을 먹는 관원의 일원인 포졸들과 달리 현감댁 머슴들은 일찌감치 자객들과 맞붙어 싸울 뜻이 없어 보였다. 그냥 범인들만 잡으려는 시늉만 냈던 것이다. 그동안 고을에서 악명이 높았던 현감 밑에서 종으로 지내기란 여간 힘든 노릇이 아니었다. 백성의 고혈을 빠는 탐관오리의 전형적인 인물이었던 현감은 자신의 종들에게조차 예외가 아니었다. 마루 끝에 서서 하인들을 내려다보며 마당 청소 하는 일이 느리다고 꾸지람을 치는 것은 기본이고 여자 하인이 물을 늦게 떠 온다고 다른 하인들을 시켜 볼기짝을 사정없이 후려갈겼다.

어느 날인가는 맨 정신에 하인의 여식을 겁탈하려 방 안으로 강제로 끌고 들어갔다. 어린 딸이 짐승 같은 현감에게 붙들려 들어가는 것을 목격한 아이의 아버지가 낫을 들고 방으로 들어가 현감을 위협하며 딸을 데리고 서둘러 나왔다. 가족을 데리고 곧장 그 집을 나와 도망갔지만 곧 현감에게 붙들리고 말았다. 그 날 밤 하인과 그의 가족들은 온 몸이 결박을 당한 채 입에 재갈을 물려 넣은 뒤에 바다에 수장되고 말았다.

그 일이 있고 난 뒤 현감댁에 있던 하인들은 너나 할 것 없이 쥐 죽은 듯이 숨을 죽이고 벌벌 떨었다. 그 다음차례가 누가 될지 아무도 몰랐기 때문이었다. 하인들은 사람대접은커녕 현감이 시키면 그 어떤 일도 해야만 하는 짐승보다 못한 삶이 너무나 고통스러웠다.

하인들은 자신들에게 악행을 밥 먹듯이 저지른 현감에게 무슨 변고라도 생기기를 내심 바라고 있었던 차에 자객들의 침입을 천우신조와 같이 여겼다.

짙은 연막이 사랑채 앞 뜰 전체를 덮고 포졸들이 우왕좌왕하자 자객들은 담을 훌쩍 뛰어 넘어 서둘러 밖으로 나갔다. 밤 12시가 훨씬 넘은 시간이 되자 복면을 썼던 자객들이 신변에 위협을 느끼고는 산 속의 비밀 은신처로 모여 들었다.

“다들 무사한 게냐?”

피가 잔뜩 묻은 옷을 입은 자객이 복면을 벗으며 주변을 살폈다.

“다행히 그런 것 같아. 그건 그렇고 춘삼아……아니 대장! 오늘 당신 때문에 모두 다 죽을까봐 십 년은 감수를 한 것 같거든.”

뜻밖에 복면을 벗은 자는 사내가 아닌 여자였다. 여느 검객이나 칼잡이와는 달리 눈앞의 그녀는 마치 어린 소녀처럼 앳되고 가냘픈 목소리였다.

"암, 그건 세령이 말이 맞지. 에이씨, 내가 너한테 몇 번이나 말했냐? 감정을 주체 못하면 거사를 망치는 것뿐만 아니라 우리 모두 골로 갈 수 있다고 했냐? 안했냐?"

키가 작은 사내 하나가 재빨리 복면을 벗어던지며 온 세상의 걱정 근심을 혼자 안아맡은 것처럼 인상을 썼다.

"나도 같은 생각이야. 대장, 앞으로는 두 번 다시 오늘과 같은 치명적 실수가 없도록 해 주게."

무리 가운데 힘이나 씀 직한 큰 덩치가 춘삼이 앞으로 다가서며 말했다.

"자, 다들 진정해. 그 정도면 우리의 말을 대장도 다 알아들었을 거야. 그렇지?

뒤늦게 복면을 벗은 사내는 백옥으로 깎은 듯 가름한 얼굴과 다소곳이 생긴 눈썹, 무엇보다도 슬픈 듯한 눈매가 좋았고 꽉 다문 입은 깊은 신뢰를 일으켰다.

"송철, 자네가 그리 생각해 주니 고맙네. 그리고 세령이와 정길, 왕호의 말도 모두 옳은 말일세. 젠장, 그 현감 새끼의 얼굴을 보는 순간 세상을 떠난 내 누이와 부모님이 떠올랐어. 아무튼 오늘은 내가 너무 이성을 잃어버렸네. 너희들에게 정말 미안해."

춘삼이는 미소년처럼 생겼다든지 호남형 얼굴은 아니었지만 남자다운 얼굴임엔 분명했다.

"근데 나는 춘삼이형의 마음이 충분히 이해가 가. 내가 그 자리에 있었어도 아마 똑같이 했을 거야. 가족을 죽인 놈인데 뭔들 뭣하겠어."

무리 중에 키가 유난히 크고 삐쩍 마른 사내가 대화에 끼어들었다.

"그래, 덕환이 말도 틀린 말은 아니지. 너희들 한 번 생각해봐. 현감 그 새끼가 우리 마을에서 한 짓을 벌써 다 잊었어? 하루아침에 우리가 가족도 없이 고아처럼 된 건 전부 다 현감과 같은 탐관오리들 때문이라고. 그런 새끼는 죽어도 싸!"

구석진 곳에 앉아서 침묵을 지키던 화룡이가 춘삼이를 두둔하고 나섰다.

"그나저나 호조판서의 조카인 현감이 죽었으니 우리도 어서 이 마을을 떠나야 하지 않을까? 분명 도성에서 관군들이 몰려들 텐데……호조판서는 왕후 년이 가장 총애하는 신하 가운데 한 명이잖아."

아무 말도 없이 다른 사람들의 말을 경청하던 조승수란 사내가 한참 만에 입을 열었다.

"음, 자네 말대로…… 실은 나도 그게 걱정일세. 하지만 우리가 갑자기 이 마을을 떠난다면 제일 먼저 우리부터 의심을 사게 될 거야. 그렇게 되면 상단은 초토화가 될 테고……."

춘삼이는 자신 때문에 마을에 복수의 피바람이 몰아칠 것만 같은 불길한 기운이 감돌았다.

호조판서 양정인은 가난한 백성들에게 과중한 세납을 물게 할

뿐만 아니라 1년 치 양식을 공출로 빼내어 오직 왕후에게 모두 갖다 바치는 일을 했다. 국가의 돈줄을 틀어쥔 호조판서는 국방을 담당하는 병조판서 조달구와 함께 왕후의 앞잡이 노릇을 톡톡히 하는데 크게 일조하고 있었다.

왕후의 세도를 등에 업은 호조판서와 병조판서의 세력은 궁중부중을 물론하고 권세가 하늘을 찌를 듯하였다. 상황이 이렇다 보니 조정의 모든 관리들은 그들의 눈치를 볼 수밖에 없었다.

지방의 탐관오리였던 현감은 한양의 최고 권문세가이자 삼촌인 호조판서의 비호 아래 부정, 부패를 저질렀고 많은 토지를 사사로이 독점하였다. 그뿐만이 아니라 온갖 악행과 이런저런 기행들을 저질러 백성들의 원성을 사고 있었다. 이제 현감이 죽었다는 소식을 호조판서와 그를 신임하는 왕후가 알게 된다면 분명 그들은 민란을 수습한다는 명목으로 대규모의 군사들을 보내어 마을 사람들을 공포 속으로 몰아갈 것이 불을 보듯 뻔했다.

어둠이 내리고 사면팔방이 암흑 속으로 빠져들어 간 산 속 은신처에 모여 있는 무리들은 제각각 구구절절한 사연들을 안고 있었다. 양반이나 평민과 천민 같은 신분의 차이는 이들에게 더 이상 갈등의 요소가 되지 않았다.

그들은 탐관오리의 수탈과 가혹한 철권통치의 폐해로 소중한 가족을 잃어버린 공통점이 있었다. 이젠 더이상 잃을 것도 없고, 무슨 일이 생겨도 기탄없는 자들이었다. 세상 무서울 것이 없는 그들이 한데 모여 비밀 결사가 조직되었던 것이다.

"지금 조정 신료들은 하나 같이 왕비의 손아귀에서 꼭두각시놀음을 하고 있고 백성들의 안위는 안중에도 없어. 우리가 이번 일로 몸을 사리게 된다면 탐관오리 놈들은 더욱 기세가 오르고 말거야. 그건 결국 백성들의 고통으로 이어질게 뻔해. 이 일을 여기서 멈추면 안 된다고 생각해."

송철은 한 손으로 맨송맨송한 아래턱을 만지며 진지하게 말했다.

그곳에 모인 무리들이 송철의 의견을 듣고는 약속이나 한 듯 일제히 고개를 끄덕였다. 그때 한쪽 구석에 앉아있던 왕호가 뭔가 덧붙일 말이 생각이 났는지 끼어들었다.

"다행히 우리 상단에 대해 저 놈들이 아직 의심을 안 하는 것 같아. 하긴 이제껏 지 놈들의 호주머니를 뇌물로 제법 불려주었는데 의심은커녕 무슨 콩고물이라도 없나 싶어 상전 앞을 더욱 기웃거리겠지. 그러니 만일 우리가 여기서 더 버텨야 한다면 관아 놈들과 더 밀착해서 환심을 얻을 수밖에 없을 것 같아."

"멍청한 새끼들 같으니라고! 우리가 주는 뇌물이 지들 목숨 값인 줄도 모르고 헤벌쭉 아가리를 벌려 받아쳐먹다니. 참말로 세상은 요지경이여."

전신에 긴장이 쫙 풀리자 박화룡이 겨우 주저주저 입을 열어 말했다.

"지금 상단을 포기하고 이 고장을 떠나게 된다면 우리가 애초에 계획했던 것과 달리 왕후를 죽이려는 기회가 더 멀어지게 될 거야. 물론 우리 목숨이야 겨우 연명 할 수 있겠지만……."

세령이 춘삼이를 힐끗 바라보고 나서 입을 열었다.

"설령 우리의 계획이 틀어지게 된다고 해도 놈들에게 구질구질하게 목숨을 구걸할 생각은 전혀 없어. 우선 대행수님에게 이번 사건의 자초지종을 말씀 드리고 앞으로의 일에 대해서는 차차 생각해 보자."

춘삼이가 아까부터 고개를 기웃하게 하고서 무엇인가를 골똘히 생각하고는 상황을 정리했다.

사람의 발길이 거의 닿지 않는 숲 속 산채에 모여 있던 그들은 미리 준비해 놓은 장사꾼 옷으로 갈아입고 일부러 삥 돌아서 내려가는 길을 선택했다. 지금쯤이면 현감의 죽음으로 인해 마을이 난리법석이 났을 게 뻔했기에 한사람씩 등에 봇짐을 메고는 먼 곳에서 장사를 하고 온 것처럼 사람들에게 보일 속셈이었다.

춘삼이를 필두로 비밀 조직의 무리들이 산맥을 가로지르는 험준한 산길을 둘씩 둘씩 짝을 지어서 내려갔다. 그들은 동이 틀 무렵이 되어서야 마을입구에 도착할 수 있었다.

그들이 예상한대로 이른 시간임에도 불구하고 포도청 군사들이 마을에 쫙 깔렸다. 하나같이 광기 어린 눈빛으로 현감을 죽인 범인들을 색출하기 위해 혈안이 되어 있었다. 또한 그뿐 아니라 죽은 현감이 형조판서의 조카라는 사실을 알게 된 왕후는 한양에 있는 의금부 군사들을 대거 파견시켰다.

왕후 추씨는 여기에 그치지 않았다. 임금으로 하여금 도성을 지키는 훈련도감, 총융청, 수어청, 어영청, 금위영의 5군영 소속 관군을 파견하여 민란을 탕정하도록 칙령을 내리게 했다. 한낱 한 고을의 관리에 지나지 않던 현감의 죽음에 왕후가 이렇게 민감하게 반응하는 이유는 그동안 자신을 향한 백성들의 분노가 심상치 않음을 느끼고 있었기 때문이었다. 그러던 차에 그녀는 이번 일을 호재로 여겼다. 민란이라는 딱지를 붙여 백성을 더욱 옥죄이고 공포감을 조성시켜 자신에게 위협이 될 존재는 아예 싹을 자르겠다는 의중이었다.

이미 마을 입구 다섯 군데는 포졸들을 시켜 마을 사람들이 도망가지 못하게 차단해 놓은 상태였다. 그 가운데 한 곳이 춘삼이와 동료들이 거사를 치르고 급히 산으로 올라간 길목이었다. 잠시 뒤 보부상 옷차림의 무리들이 삼삼오오 짝을 지어 마을 입구에 들어서자 개들이 컹컹 소리 내어 짖기 시작했다. 그러자 그들 일행이 곧장 관군들의 눈에 띄었다.

"이봐! 너희들 뭣 하는 놈들이야?"

살짝 정나미가 떨어지는 뱁새눈을 가진 포졸 하나가 앙칼진 태도로 쏘아붙였다.

"아이고, 우리 나리들께서야말로 이 아침부터 웬 수고이십니까요?"

무리들 가운데 파묻혀있던 키가 유난히 작은 정길이 앞으로 나서며 장사꾼 특유의 너스레를 떨기 시작했다.

"아니, 네 놈은 행신 상단의 정길이가 아니더냐? 가만 있어보자 그러고 보니 너희 모두 상단사람들이로구나. 아니, 이렇게 이른 시간에…… 어딜 갔다 오는 게냐?"

시력이 안 좋은지 한참을 노려보던 포졸이 정길을 알아보고는 화들짝 놀랐다.

"아이 참, 나리께서도 별 말씀을 다하십니다요. 저희 같은 장사꾼들이 허구헌날 뭘 하겠습니까? 지금 막 포천에서 물건을 매매하고 밤새 오는 길입니다요. 그건 그렇고, 시방 마을에…… 무슨 일이 생긴 겁니까?"

정길은 아무것도 모르는 양하며 시치미를 뚝 떼고는 궁금한 표정으로 되물었다.

"허허, 이 사람들 통 모르는구먼. 어제 밤 현감나리가…… 비명횡사를 당했어. 그래서 지금 한양에서 의금부 군사들과 도성을 수비하는 5군영 군사들까지 파견 나왔네."

그는 다른 사람이 듣지 못하도록 목소리를 낮추어 말했다.

"에구머니나, 현감 나리께서 죽으셨다고요? 아니 이게 웬 날벼락 같은 소리입니까요?"

정길이 처음 듣는 얘기처럼 토끼같이 놀란 표정을 지었다.

"난들 알겠나? 당분간…… 이 마을도 꽤나 시끄러워질 걸세. 그러니 자네들도 괜히 가볍게 움직이지 말고 행동을 각별히 조심하게."

그가 당부하듯이 정길에게 말했다.

"아, 그럼요. 그야 여부가 있겠습니까? 그나저나…… 나리들께서 이렇게 수고하시는데 이따 주막에 가셔서 따끈한 달개장 한 그릇 하고…시원한 탁주라도 한잔씩 걸치십시오."

정길은 서둘러 전낭을 끄르고 엽전 한 꿰미를 꺼내고는 상대의 손에 쥐어주었다.

"아, 이 사람 참, 이거 매번 신세를 져서 어떡해. 좌우지간 고맙네. 자 어서들 지나가게."

입이 함박만큼 벌어진 포졸은 얼른 돈을 받아 허리춤에 꿰차더니 춘삼이와 동료들을 통과시켰다.

복수심에 눈이 멀었던 춘삼이는 일이 이렇게까지 커지게 되자 얼마나 경솔한 짓이었던가 후회막심이었다. 그는 혹여 이번 일로 인하여 상단의 대업이 물 건너가지 않을까하는 책임감으로 마음이 무거웠다.

조금 뒤 행신고을에서 가장 큰 시장거리에 들어 선 춘삼이와 동료들이 구불구불한 골목길을 가로질러 상단 본채에 도착했다. 그곳에는 이미 많은 상인들이 들락날락거리고 있었고 크고 작은 짐짝들이 이리저리 어지럽게 쌓여있어 정신이 없었다.

그때 마침 넓은 마당을 가로지르며 사환 하나가 일행들 앞으로 뛰어왔다.

"세령이 누나! 아니…… 어디 갔다가 이제야 오십니까?"

그는 헐레벌떡 달려온 듯 몹시 숨 가빠하고 있었다.

"두칠아, 왜 그래? 무슨 일이라도 있는 거니?"

세령이가 한숨에 달려오는 그를 보니 무슨 일이 일어난 게 틀림없다고 생각했다.

"휴! 말도 마십쇼. 아 글쎄…… 대행수 나리께서 하마터면…… 목숨을 잃을 뻔 하셨어요."

두칠이는 여전히 가쁜 숨을 몰아쉬며 말했다.

"뭐라고? 대행수님께서 목숨을 잃을 뻔…… 하셨다니? 도대체 무슨 일이 있었던 게냐?"

그의 말을 듣자 세령이의 동자가 커졌다.

"대행수님께서 어제 사역원 역관 나리를 뵈러 출타 하셨거든요. 아, 근데 인왕산을 지나시다가…… 호랑이에게 그만 호환을 당할 뻔 했지 뭡니까."

두칠이는 마치 자신이 호환을 당한 사람처럼 와들와들 몸을 떨었다.

"대행수님은 아무 별고 없이 무탈하신 게냐?"

옆에 있던 춘삼이가 끼어들며 걱정스러운 빛으로 조심스레 물었다.

"네, 천만다행히도 아무 탈 없으셨어요. 이게 다 생명의 은인 때문이죠."

두칠이의 얼굴에 차츰 화색이 돌기 시작하였다.

"후유! 아무 일 없다니 정말 다행이다. 그런데 생명의…… 은인? 혹시, 대행수님이 산행포수라도 만났다는 거니?"

세령은 전신에 긴장이 일시에 탁 풀리기 시작하였다. 그런 다음 궁금한 말투로 되물었다.

"아뇨, 대행수님의 목숨을 구한 은인은 그냥 젊은 사내였어요. 대행수님을 향해 달려드는 호랑이를 그냥 맨 손으로 때려잡았다고 하더라고요. 음, 이름이 뭐라고 했더라. 삼…순이? 아, 맞다 삼손이요. 그 사내 이름이 삼손이라고 했어요."

두칠이는 혼자 신이 나서 주저리주저리 떠들어 댔다.

"뭐……맨손으로 호랑이를? 삼손……."

세령은 하도 기가 막혀서 말문이 막혔다.

춘삼이와 동료들이 두칠이의 말에 크게 놀란 눈빛으로 서로의 얼굴을 번갈아 보았다. 조선 각지에서 연간 천여 명 이상이 호랑이에 물려 죽고, 얼마 전에는 한 낮에 도성 안까지 호랑이가 들어와 닥치는 대로 사람과 짐승을 죽이는 일이 일어났기에 호환에 대한 두려움과 공포심이 극에 달해 있던 차였다.

"지금 대행수님……아니, 아버지는 안에 계시니?"

평소 아버지 대신 대행수라는 공적인 호칭을 쓰던 세령은 이날만큼은 편히 부르고 싶었다.

"아, 네. 지금 삼촌이라는 그 사내와 함께 담소를 나누고 계세요. 대행수님께 제가 아뢸까요?"

"그래."

"어험, 대행수님! 세령이 누나와 형님들이 돌아왔습니다."

두칠이는 말이 끝나기도 전에 대행수 집무실 앞에서 고개를 살며시 숙이고 아뢰었다.

"어서들 들어오너라."

안에서 최낙훈 대행수의 쩌렁쩌렁 울리는 목소리가 들렸다.

그들이 안으로 들어가자 대행수와 낯선 사내 한 명이 화기애애한 분위기가 깃든 정담을 주고받고 있었다. 아버지의 모습을 본 세령은 벌써부터 울음을 참느라고 두 눈이 붉게 충혈되어 있었다.

"아버지, 방금 두칠이에게 모든 걸 들었어요. 어디 다치신 데는 없으세요?"

누가 보든지 말든지 세령은 대행수의 품에 달려들어 안긴 채 마구 울기 시작했다.

"어이구…… 이 녀석, 그래, 이 아비는 보다시피 괜찮아. 그나저나 너희들도 모두 무사하니 다행이구나."

대행수는 외동딸인 세령을 보자마자 어제 저녁 호환을 당할 뻔했던 일을 떠올렸다. 어쩌면 지금쯤 이 세상 사람이 아닐지도 모른다는 생각에 울컥 눈물이 복받쳐 올랐다. 그는 민망한 듯 분위기를 바꾸려고 화제를 돌렸다.

감격의 상봉을 하는 두 부녀를 보며 춘삼이와 동료들의 눈시울도 화끈하고 뜨거워졌다. 잠시 뒤 최낙훈 대행수는 헛기침을 한번 하고는 말을 이었다.

"자, 너희들에게 아주 귀한 손님을 소개할 수 있어 기쁘구나. 으흠, 이쪽은 나의 생명의 은인이자 앞으로 우리와 뜻을 같이 하게 될 삼손이란 분이다. 어서 서로 인사를 나누시게."

대행수가 앞자리에 앉아 있는 삼손을 가리키며 정중히 소개했다.

"안녕하십니까? 저는 볏골 마을에서 온 공삼손이라고 합니다."

삼손이 자리에서 일어나 가볍게 묵례를 했다.

"반갑소. 난 대행수님을 모시고 있는 이춘삼이라고 하오. 앞으로 잘 지냅시다."

춘삼이가 천천히 손을 내밀어 악수를 청했다.

"난 김정길이라고 하오. 얼핏 보아하니 우리와 나이도 비슷해 보이는 구려. 오늘부터… 우리 동무처럼 허물없게 지냅시다."

누가 밀지도 않았는데 그가 갑자기 앞으로 쑥 나왔다.

"반갑소."

삼손이 미소를 지으며 정길의 손을 맞잡았다.

"나는 행신 상단에서 힘 좀 쓸 줄 아는 왕호요. 그쪽이 호랑이를 맨 손으로 잡았다니…… 언제 한 번 내 눈으로 직접 확인해보고 싶소. 아니면 지금이라도 당장 마당에서 나와 씨름이라도 한판 해보는 것이 어떻소?"

왕호는 키가 크고 체구가 우람하여 마치 곰 한 마리가 웅얼거리는 듯 했다.

두 명의 덩치 좋은 사내들이 딱 버티고 서서 손을 맞잡자 약속이나 한 것처럼 서로의 팔뚝 근육이 울툭불툭 꿈틀거렸다.

두 사람은 서로의 손을 움켜 쥔 상태에서 말없이 서로의 얼굴을 바라보며 뜻있는 눈길을 섞으며 기 싸움을 계속했다.

"자자, 두 사람 오늘은 이쯤에서 그만하고 다음 기회에 실력을 서로 확인해보시게. 난 조승수라고 하네. 반가우이."

간신히 두 사람을 떼어낸 조승수가 평소와 달리 조심스러운 어투로 인사를 건넸다.

"나도 반갑소."

삼손이 가볍게 목례를 했다.

"우리 대행수님을 구해 주셨으니 이 은혜는 정말로 백골난망이올시다. 대단히 반갑소. 이곳 상단에서 서기를 맡은 송철이라고 하오."

그의 몸집이 어떻든 눈매가 길며 피부가 하얗고 깔끔하게 생긴 얼굴에는 귀티가 흐르고 있었다.

"전 당연히 해야 할 일을 했을 뿐이오. 때마침 제가 그 시간에 거기를 지나가다 천만다행으로 대행수님을 도울 수 있었죠. 무엇보다 이 일로 인해 여러분을 이렇게 만나게 되어 정말 기쁘기 그지

없소."

삼손이 송철과도 반갑게 손을 잡고서 겸손하게 말했다.

그 뒤를 이어서 덕환이와 화룡과도 정답게 인사를 나누었다. 대행수 옆에서 삼손의 모습을 지켜보던 세령이 입가에서 흐뭇한 미소가 피어올랐다. 그러다 그녀는 아차 실수했다는 듯 갑자기 자리에서 일어나 저고리 섶을 여미고 머리 매무새를 가다듬었다. 그러고는 곧장 삼손의 곁으로 가까이 다가갔다.

이런 그녀의 모습을 춘삼이가 눈여겨보고 있었다. 문득 그의 마음속에 장정들 틈에서 자란 여동생과 같은 세령이 안쓰러워 보였다. 그녀가 아무리 장정들 못지않게 정신적으로 강하다 하나 그의 눈에는 여전히 지켜 줘야 할 어린 동생일 뿐이었다.

"안녕하세요, 전 세령이라고 해요. 우리 아버지를 살려주셔서 정말 고맙습니다. 이 은혜는…… 평생 잊지 않을게요."

세령은 대뜸 허리를 깊이 수그려 공손하게 삼손에게 인사를 했다.

그런 그녀의 모습을 처음 본 춘삼이와 다른 동료들은 순간 적지 않게 당황했다. 그녀는 겸연쩍게 미소 짓고 있었고 시선을 어디다 둘지 몰라 어정쩡하게 서 있었다. 그러고는 틈틈이 삼손을 바라보는 시선이 따뜻하고 부드러웠다.

행신 고을에서 소문난 왈가닥이었던 그녀가 삼손 앞에서 말씨나 하는 행동이 싹 달라지자 동료들이 당황스러워했다. 오랜 시간 친형제지간처럼 사이가 좋았던 동료들의 눈에는 천지가 개벽할 듯이 보였던 것이다.

최낙훈 대행수는 세령이 수줍음도 탈 줄 아는 영락없는 여자라는 사실을 직접 눈으로 확인하고 나니 마음이 기뻤다.

"낭자, 별 말씀을요. 대행수님과 같이 인품이 훌륭하신 분을 도울 수 있어서 제가 오히려 감개무량할 뿐입니다."

삼손의 말 한 마디 한 마디에는 감히 범접하기 어려운 기품이 있었다.

"조금 전 아버지의 말씀으로는 앞으로 저희 상단과 함께 하신다고 했는데 그게 사실입니까?"

세령은 삼손에게 직접 확인하고 싶었다.

"당분간은 그럴 생각입니다. 현재는 어디 딱히 갈 곳이 없는 처지여서…… 대행수님께 신세를 지게 되었습니다. 앞으로 잘 부탁드리겠습니다."

삼손은 자신의 신분을 숨기면서까지 스스로를 낮추었다.

세령은 그가 상단에 머무르겠다는 말을 듣고 절로 입가에 미소가 번졌다. 이제껏 사내를 보고 단한 번도 느낀 적 없는 감정이기에 스스로도 당황했다. 그녀는 오늘따라 삼손의 앞에만 서면 이상하게도 가슴이 뛰고 얼굴이 불덩이같이 달아올랐다.

그녀의 감성이 묻어나는 깊은 눈빛과 꽃잎과도 같은 입술, 이마에서부터 코끝까지 부드러운 곡선을 그리며 내려오는 얼굴 윤곽이 소녀에서 한 여인으로 변화를 느끼기에 충분했다.

춘삼이는 새롭게 상단에 합류하게 된 삼손을 바라보며 자신들이 은밀하게 활동하고 있는 비밀 결사 조직에 대하여 솔직히 말을 해야 할지 망설여졌다. 혹시 탐관오리들을 심판하는 일이 잘못되지나 않을까 하는 염려 때문이었다. 하지만 그런 걱정은 괜한 기우였다.

대행수가 이미 모든 사실을 이야기 한 직후였다. 삼손은 대행수와 새롭게 동료가 된 그들 앞에서 그간 볏골 마을에서 자신이 겪은 이야기를 들려주었다. 지금도 왕후의 신전을 짓기 위해 채석장에서 강제 노역을 하고 있는 마을 사람들의 딱한 사정은 눈물 없이는 들을 수 없는 얘기였다.

그러다가 자신의 할아버지와 나루터에서 헤어지게 된 일과 혼자서 배를 타고 떠났지만 다시 한양까지 돌아올 수밖에 없었던 사연들을 풀어가기 시작했다.

그제서야 춘삼이는 자신 만큼 왕후에 대한 적개심을 갖고 있는 삼손을 보고야 안심을 하였다.

"결국 헤어진 할아버지는 찾지 못한 것이오?"

송철이 안타까운 어조로 물었다.

"한양 도성 시장에서 책방을 하셨던 할아버지를 찾기 위해 나름 애를 썼지만 헛수고가 되어 버렸습니다."

할아버지에 대해 이야기할 때 삼손의 얼굴에는 깊은 회한이 묻어났다.

삼손은 하루빨리 태룡산으로 가서 어머니를 만나고 싶었지만 그동안 자신을 키워주신 할아버지를 도저히 혼자 나두고 갈 수가 없었다. 그는 즉시 배를 돌려 한양 도성에서 가장 가까운 포구인 마포나루에 도착하여 내렸다.

한양 거리는 활기를 잃은 지 오래인 듯 골목마다 거적때기 옷을 입은 거지들과 깨진 박 바가지를 들고 집집 문전이나 거리에서 구걸하는 아이들로 가득했다. 가난과 질병, 그리고 왕후의 폭정 아래서 신음하고 있는 백성들의 삶의 현장을 목도하자 삼손은 순간 이성을 잃고 말았다.

속에서부터 끓어오르는 분노와 같은 것을 느꼈지만 현실의 높은 벽에 절망하고 말았다. 혼자의 힘으로는 감당할 수 없는 커다란 문제라는 것을 직감했기 때문이었다.

왕후의 손아귀에서 죽은 시체처럼 놀아나고 있는 자신의 친 할아버지인 주상 전하가 원망스러웠고, 오래 전 그녀의 개가 되어버린 조정 신료들이 저주스러웠다.

삼손은 목숨을 연명하기 위해 자신의 진짜 이름과 신분을 숨긴 채 치욕적으로 사느니 차라리 그들과 싸우다 떳떳한 죽음을 택하겠다고 몇 번이고 다짐을 했다.

그는 몇 날 며칠을 공가 할아버지를 찾겠다며 한양을 헤매고 다니다 인왕산에서 최낙훈 대행수를 만난 것은 결코 우연이 아니었음을 깨달았다.

삼손은 그저 평화롭게 사는 날만을 기다리고 있는 여느 민초들과 달리 풍진에 시달리는 백성들을 깨우고 살리기 위해 행동하는 대행수와 상단 사람들을 보면서 깜깜한 암흑만 보이던 현실에 희망의 불씨가 살아난 것만 같았다.

제5장 두려운 눈초리

밤 깊은 창덕궁의 희정당에는 관복을 깔끔하게 차려 입은 모든 대소 신료들이 어색한 표정으로 자리를 잡고 있었다. 벌써 여러 달 동안 조회가 열려야 하는 정전은커녕, 그나마 신하들과 유일한 만남의 장이었던 편전에도 군주는 제대로 모습을 드러낸 적이 없었다. 임금은 이날도 어김없이 시간이 한참 흘렀음에도 나타나지 않았다. 이처럼 임금이 공개석상에 모습을 보이지 않는 날이 길어지자 일부 대소 신료들 사이에서는 임금이 이미 죽었을 수 있다는 천붕설까지 나돌기 시작했다.

물론 그 전에도 임금 없이 어전 회의가 진행되는 경우가 없진 않았다. 왕명을 출납하던 승정원의 우두머리인 도승지가 왕이 내리는 교지를 대신 대독하는 식으로 이끌었다. 하지만 이미 조정의 신료들은 왕의 교지가 사실은 왕후의 뜻임을 잘 알고 있었다.

조정의 실세인 호조판서와 병조판서가 왕후의 곁에 떡하니 버티고 앉아 조정의 신료들을 감시하고 자기들 뜻대로 움직이게 하는 역할을 했다. 오래 전 백성들의 어려운 고통을 호소하며 전국에서 모인 유생들의 상소를 면주해야 한다며 세 명의 삼정승들과 그들을 보좌하던 좌참찬 대감이 직접 나섰던 적이 있었다. 그들은 다른 조정 신료들의 만류에도 불구하고 이른 아침 상소를 들고 임금이 거처하는 전각을 찾았다가 왕후의 노여움을 사 일문일족이 멸문지화를 당했다.

조정 신료들의 존경을 한 몸에 받고 있던 삼정승과 좌참찬 대감의 죽음을 보며 그 날 이후부터 다른 신료들은 감히 임금에게 충언을 할 엄두도 내지 못했다. 상황이 이렇다 보니 조정의 신료들이 너도 나도 사직을 안보하기 위해 애쓰는 것도 모자라 왕후에게 듣기 좋은 말만 하는 아부꾼들이 되었다.

왕후는 조정 신료 한 사람 한 사람을 마치 자신의 물건처럼 저울대 위에 올려놓았다. 그러고는 자기 입맛에 맞는 사람만 선택하여 중용하기 시작했다. 설령 간택을 받았다 할지라도 만일 왕후의 마음에 들지 않는 말이나 행동을 했을 경우에는 가차없이 본인은 물론 가족들까지 죽였다.

궁에 입궐한 신료들은 봐도 못 본 척, 들어도 못 들은 척, 알아도 모르는 척 이 세 가지가 불문율처럼 여겨진지 오래였다. 왕후의 갑작스러운 부름에 희정당에 모인 신료들은 임금이 죽었는지 살았는지 궁금했지만 그 누구하나 내색은 할 수 없었다.

"주상 전하 납시오."

별안간 적막을 깨는 내관의 목소리가 희정당 내부에 길게 울렸다.

주상 전하라는 이름을 듣자마자 무슨 죄를 지은 듯이 움찔하던 대소 신료들이 일제히 자리에서 벌떡 일어섰다. 조금 뒤 상궁들과 내관들의 부축을 받으며 입장하고 있는 임금의 모습이 보였다. 그 뒤를 이어 왕후 추씨가 거만한 표정을 지으며 모습을 드러냈다.

신료들은 하나같이 마치 허깨비를 본 것처럼 깜짝 놀란 표정을 지었다. 임금이 어좌에 힘겹게 앉자 왕후가 바로 그 옆 자리에 서서 대소 신료들을 빙 둘러 보았다.

"짐이 그동안 보이지 않아 그대들이 걱정을 많이 한다고들 들었소. 난 이렇게 멀쩡하게 잘 있으니…… 괜한 추측들은 하지 마시길 바라오."

임금의 용안은 이미 이 세상 사람이 아닌 것처럼 종잇장처럼 창백해보였다.

"전하…전하의 용안이 수척해 보여 신들의 마음이 몹시 아프옵나이다."

좌의정 최복성이 마음에 걸리는 것이 있는지 잠시 머뭇거리며 말했다.

"좌상은 어찌 그러시오? 오늘 내가 여러 대신들 앞에 모습을 보인 것만으로도 안심이 들지 않는 게요?"

임금은 그의 의중을 떠보았다.

"전하, 선대왕들께서도 그랬듯이…… 만일을 모르니…… 옥체가 더 위중해질 때를 대비하여 후사를 세우심이 마땅한 줄로 아옵니다."

좌의정의 말 한 마디에 희정당 안이 찬물을 끼얹은 듯 조용해졌다.

그의 말을 얼핏 들으면 참 정곡을 파고드는 옳은 소리 같지만 자세히 들여다보면 왕후의 지시대로 하는 말이었다.

"이보시오, 좌상……지금 나보고 선위를 하라는 말이오?"

좌의정에게 말의 진위를 확인하려는 임금의 목소리는 떨리고 있었다.

"그러하옵니다. 전하. 지금처럼 국사를 돌보는 것도 좋으시지만, 자칫 옥체가 더욱 상할까 염려되옵니다. 부디 통촉해 주시옵소서."

좌의정은 자신의 주장을 내세우는데 있어 아무런 거리낌이 없어 보였다.

"통촉해 주시옵소서!"

모든 신료들이 기다렸다는 듯이 한 목소리로 따라 외치기 시작했다.

"그대들은…… 정녕 나의 신하들이 맞소?"

신하들에게 조차 버림받은 임금의 마음은 깊은 바다 속으로 가라앉은 것 같았다.

"부디 하해와 같은 마음으로 소신들의 충심을 깊이 헤아려주시옵소서!"

임금의 슬픈 기색에도 아랑곳 하지 않고 좌의정이 다시 한 번 큰 소리로 선창을 했다.

"헤아려주시옵소서!"

조정 신료들이 앵무새처럼 따라 외쳤다.

조정 신료들의 맏형격인 좌의정을 비롯하여 병조판서, 이조판서, 호조판서, 형조판서, 예조판서, 공조판서등 조정을 대표하는 6조판서 모두가 왕후에게 충성맹세를 한 상태였다. 그들 모두가 왕후의 사술에 넘어간 것뿐만 아니라 사교집단의 추종자들이었다.

역적으로 몰리는 한이 있어도 임금께 충언을 드리는 것이 신하의 도리였지만 대다수의 신료들은 왕후의 보복이 두려워 감히 바른 말을 하지 못하였다.

"그대들의 충심을 전하께서도 이해하시고 받아주실 것이오. 나도 오늘 대신들의 나라를 위한 진심어린 충정을 보았소. 이제 전하께서도 관악 대군을 새로운 세자로 책봉하시고 선위를 하시게 될 것이니 그리들 알고 준비하시오."

왕후가 침묵을 깨고 입을 열었다.

그 광경을 지켜 본 임금은 말없이 눈물만 흘릴 뿐이었다. 쇠약할 대로 쇠약해진 몸이 더욱 기운을 차리지 못하고 경련을 일으키기 시작하였다. 그때 눈앞에 어렴풋이 사람의 윤곽이 보이는 듯 했다. 요 근래에 들어 임금은 심신이 더욱 허약해지면서 쉴 새 없이 환영에 시달리고 있는 중이었다. 그는 자신 앞에서 그림이 펼쳐지듯 점차 모습을 드러내고 있는 이 뜻밖의 사람을 어안이 벙벙해진 눈으로 쳐다보았다. 그는 곧 희미한 기억이 되살아나듯 환영 속에 나타난 형체가 누구인지 금방 알아보았다.

오래 전 궁에서 헤어진 세자였다. 현우, 임금은 그의 이름이 이제야 기억이 났다.

임금은 심각한 표정으로 고개를 기울이며 있다가 무언가 생각난 듯 머리를 두 번 세게 쳤다. 그러자 돌부리에 부딪친 것처럼 머리가 깨어질 듯 아팠다. 그 모습을 안타깝게 보고 있는 환영 속의 세자가 슬픈 목소리로 말을 걸었다.

"아바마마!"

"현우야……내……아들."

순간 임금은 귀에 익은 목소리를 듣고는 정신이 번쩍 났다.

그때 대소 신료들 앞에서 자신의 뜻을 강론하고 있던 왕후가 이상한 낌새를 눈치 채고는 임금의 용안을 살피기 시작했다. 그녀는 사물의 본질을 꿰뚫어 보는 안광을 지니고 있었기에 임금이 환영을 보고 있다는 사실을 깨달았다. 그 즉시 왕후가 무슨 주문을 외우자 곧 임금의 몸이 공중으로 둥둥 뜨기 시작했다.

이 모든 광경을 바라보고 있는 대소 신료들이 갑자기 소스라쳐 놀라는 소리가 희정당을 들썩여 놓았다.

"으윽……."

임금이 고통스러운지 악문 그의 이 사이로 신음 소리가 흘러나왔다.

"전하, 제가 그동안 누누이 말하지 않았습니까. 사사로운 옛 기억들을 모두 잊으시라고 말입니다. 이렇게 어린 아이처럼 연약하시니 저기 모인 대소 신료들이 선위를 요구하는 것 아닙니까? 오늘부터 모든 짐을 편히 내려놓으세요. 이제 이 조선의 왕은 제 아들인 관악 대군이옵니다."

그녀는 얼굴에 냉소적인 비웃음을 가득 담고 있었다.

"으, 으악!"

몸 깊은 곳에서 우러나온 것 같은 무거운 신음, 자지러질 듯한 아픔, 임금은 악몽이 되살아나는지 비명을 질렀다.

"아바마마! 부디…… 옥체를 보중하옵소서."

안개처럼 사라져 가는 환영 속의 그 말을 듣는 순간 임금은 피가 역류하여 머리로 치솟는 듯 아찔했다.

누군가를 그리워하는 것은 그 사람에 대한 사랑과 애정이 깊이 남아있다는 증거였다. 임금은 금세라도 손을 대기만 해도 눈물을 쏟아 낼 듯이 눈물이 가랑가랑 맺혔다. 철창과 같은 궁궐에서 이제껏 수없이 많은 막된 고비를 치러 왔지만 임금은 그때마다 조마조마하게 목숨을 부지했다. 그는 자신의 무기력함을 자탄하며 왕후의 악행에 다시 한 번 치를 떨었다.

사악한 사술의 최면에 다시 중독 된 임금이 자리에서 먼저 일어나 희정당을 떠나고 난 뒤 왕후는 슬슬 분위기를 고조하면서 본색을 드러내기 시작했다.

"최근 들어 궁궐 안에 짓고 있는 신전의 건축이 너무 늦게 진행되고 있소. 경들은 상황이 이런데도 강 건너 불 보듯 구경만 하고 있으니 내 인내심을 어느 때까지 시험할 셈이오."

벌겋게 달아오른 볼을 씰룩거리던 왕후는 조금 전까지 임금이 앉아있던 어좌에 자신이 털썩 앉고는 격앙된 어조로 소리쳤다.

"아뢰옵기 송구하오나, 이 나라에 몇 년 째 흉년이 계속되면서 백성들의 살림이 나날이 어려워지고 있사옵니다. 그러하오니 신전을 짓기 위해 들어가는 재정을 줄이시어 민초들의 눈물을 닦아 주는 따뜻하고 현명한 왕후가 되시옵소서."

당상관 직위를 가진 신료들보다 한 참 뒤쪽에 서있던 파란색 관복을 입은 관리 하나가 힘껏 목청을 높였다.

왕후는 잠시 멍한 표정으로 자기 귀를 의심했다. 그녀는 자신의 귀에 거슬리는 말을 듣는다든지 하면 숨소리가 거칠게 쌔근쌔근해졌는데 지금 상황이 그랬다.

"방금 말한 이가…… 누구요?"

그 말이 비위에 거슬렸는지 그녀는 가시눈으로 신료들 주위를 쳐다보았다.

일순간 희정당의 분위기는 찬물을 끼얹은 듯 갈앉았다.

별안간 벌어진 일이라서 대소 신료들은 몹시 당황한 기색을 감추지 못했다. 지위고하를 막론하고 그들은 어좌에 앉아 있는 왕후의 눈빛을 보는 순간 살벌한 느낌이 들었다.

그녀의 기분에 따라 사람 목숨이 왔다 갔다 하는 판에 죽을 각오로 말발을 세운 자가 누구인지 대다수 대소 신료들의 궁금증을 유발 시켰다.

"왕후마마께 인사드리옵나이다. 소신은 사간원 사간 정철이라고 하옵니다."

파란 관복을 입은 그는 당하관 관리들 틈에서 모습을 드러냈다.

"감히 사간원 사간 따위가 대소 신료들 앞에서 나를 가르치려 해? 내금위장은 뭘하고 있는 것이오. 당장 저자를 끌고 나가 형틀에 묶어 죄를 뉘우칠 때까지 주리를 틀도록 하시오."

그녀는 분이 풀리지 않는지 애꿎은 내금위장을 향해 고함을 질러댔다.

정철은 조금도 불안해하거나 당황하지 않고 오히려 자세조차 흩뜨리지 않고 태연자약한 침착성을 발휘하였다. 목각 인형 마냥 아무 말도 못하고 있는 대소 신료들과 달리 아름드리 느티나무와 같은 위풍당당한 그의 모습에 왕후는 기막힌 듯 무척 당황스러워했다. 제 아무리 극악무도한 왕후일지라 해도 자신의 소신을 지키기 위하여 죽음마저도 불사한 신료의 등장은 두려운 법이다. 그때 그 말없는 이들의 따가운 시선을 한 몸에 받으며 그가 뚜벅뚜벅 앞으로 걸어 나왔다. 그러고는 고개를 뻣뻣이 치켜들고 왕후의 눈을 똑바로 쳐다보았다.

"이런 천하의 악독하고 요사스런 계집 같으니라구! 사특한 주술로 감히 주상 전하를 속여 능욕하는 것도 모자라 겨우 부국강병을 일궈낸 조선을 참혹하게 짓밟고 백성들의 눈에서 피눈물을 흘리게 한 네 년의 악행은 결코 용서받지 못할 것이다! 대소 신료들은 똑똑히 들으시오. 왕조 시대에 왕명을 거역하면 대역죄인이 된 것처럼 그대들은 주군인 주상 전하를 배반하고 스스로 저 사악한 계집의 개들이 되어버렸소! 언젠가 반드시 하늘의 노여움과 심판을 결코 피하지 못할 것이외다. 또한 그대들이 한 낱 목숨을 연명하고자 간신배가 된지 오래고 여전히 저 악랄한 계집에게 붙어서 종사를 더욱 위태롭게 하고 있으니 그대들이야말로 역적의 무리들이올시다."

죽음을 각오한 그에게는 쉽게 근접할 수 없는 위풍이 풍겼다.

그의 말 한 마디 한 마디에 대소 신료들마다 저절로 그의 기세에 눌려서 고개가 수그러질 지경이었다. 오직 좌의정 최복성과 호조판서 양정인 그리고 병조판서 조달구만이 분노에 찬 눈길로 그를 향해 총질을 하고 서 있었다.

정철이 왕후의 면전 앞에서 기습적으로 큰 소리로 외치자 당황한 내금위장이 그녀의 눈치를 힐끗 보면서 얼른 그에게 다가갔다. 뒤 따라 달려 온 여러 명의 금군들이 양쪽에서 정철의 어깨를 힘껏 짓눌렀다. 끝까지 서서 버티던 그는 결국 허리를 굽히며 맥없이 주저앉았다.

그 모습을 쭉 지켜 본 왕후가 어좌에서 벌떡 일어나 그가 있는 곳까지 내려왔다. 왕후는 무릎을 꿇린 채 분루를 삼키고 있는 정철의 뺨따귀를 사정없이 갈기었다. 머리에 쓴 관모가 저만치 날아가고 그의 메마른 입술 밖으로 피가 배어 나왔다.

"다시 한 번 지껄여 보거라. 그 잘난 네놈의 아가리를 찢어놔야 내가 얼마나 함부로 할 수 없는 무서운 존재라는 것을 알겠구나!"

왕후가 그렇게 말함과 동시에 내금위장의 칼집에서 칼을 빼내고는 그의 목에 바싹 겨누었다.

그 광경을 목도한 대소 신료들이 유령이라도 본 듯 공포에 질려 몸을 바들거렸다. 일부 신료들은 왕후의 행동에 몸서리가 쳐지더니 찔끔 오줌을 다 지리고 말았다.

"어서 죽이거라. 네 년이 살아 숨 쉬고 있는 이 땅에서 더 이상 함께 발붙이고 싶지 않다."

정작 그는 이미 마음을 결심한 듯 눈을 감고 담담하게 말했다.

"음, 아니지…… 이렇게 쉽게 죽이면 재미가 없지. 너 같은 놈은 아주 천천히 고통스럽게 죽여주마. 내금위장은 당장 이자를 금부옥에 가두 거라."

그녀는 무슨 꿍꿍이가 있는지 아주 여유만만하게 먼저 칼을 내려놓았다.

"네, 왕후마마."

그는 곧 금군들에게 멱살을 잡힌 채 사정없이 밖으로 질질 끌려나갔다.

"모든 대소 신료들은 들으시오. 방금 저자의 행동이 나를 깨우쳤소. 내 말뜻은 신전을 짓는 데 더 이상 머뭇거릴 이유가 없단 말이오. 이 시간 이후로 백성들에 대한 전세와 부역 그리고 공납을 더욱 강화하고 확대할 것이니 경들은 그리 알고 전국 관아에 관리 감독을 더욱 철저히 하도록 하시오."

온 몸에 화려한 귀금속과 보석으로 꾸며진 각종 장신구와 금실로 수놓아진 당의를 걸친 왕후는 악녀다운 매서운 눈빛과 독한 기운을 발산하며 조정 신료들을 압박했다.

"알겠사옵나이다. 왕후마마!"

가장 먼저 그녀의 눈치를 보던 좌의정의 선창에 이어 대소 신료들이 허리를 굽혀 복창을 했다.

조정의 모든 신하가 한자리에 모인 군신 회의가 모두 파한 후에 대소 신료들이 썰물처럼 빠져나갔다. 아까 전의 큰 소란으로 출렁거리던 그 시끌벅적함은 자취를 감추었다. 불이 꺼진 희정당은 마치 주검과도 같은 고요한 적막이 흘렀다.

달은 짙은 구름 뒤에 자취를 감추었고 하늘엔 별빛 한 점 없는 칠흑 같은 밤이었다. 왕후는 중궁전 나인 서너 명만 대동한 채 어딘 가를 향해 누가 재촉이라도 하는 것처럼 급하게 발걸음을 옮기고 있었다.

잠시 뒤에 궁궐 정전의 동쪽에 자리하고 있는 곳에 네 개의 기둥으로 이어진 건물이 모습을 보였다. 누가 보더라도 한때 세자와 세자빈이 생활하였던 주거공간의 모습은 아니었다. 한밤중에 죽은 혼령이라도 나올 것 같은 폐옥처럼 그곳은 무언가 음산하고 괴기한 분위기를 풍겼다.

왕후는 함께 온 나인들을 뒤로 물린 뒤 아무 불빛도 없는 그 건물 속으로 혼자 걸어 들어갔다.

나인들은 모두들 창백해진 얼굴과 굳어진 표정으로 서로의 얼굴을 마주 바라보고 서 있었다. 그도 그럴 것이 낮이나 밤이나 그 건물에 귀신이 나타난다는 소문 때문에 궁궐 사람들은 공포에 시달렸다. 해가 떨어지고 날만 어두워지면 그 근처에는 출입하는 사람이 한 명도 없었다. 실제로 궁궐 안에서 다수의 궁녀들과 내관들이 흔적도 없이 실종되는 사건이 연이어 발생하고 있었기에 이곳에 대한 나쁜 소문이 흉흉하게 퍼진 상태였다.

건물 안으로 들어 간 왕후가 발을 내딛자 오래된 마루에서 부두

둑거리는 소리가 났다. 건물 내부는 발밑을 분간 못 할 만큼 어두웠다. 길게 뻗은 복도 통로 좌우의 방문들이 모두 널부러져 자빠져 있었다.

희한하게도 그녀는 지금 가는 길이 발에 익어서인지 눈을 감고도 갈 수 있을 정도로 여유롭게 걸었다. 다른 궁궐 사람들처럼 숨이 멎는 것 같이 두려운 표정이 아닌 마치 이 분위기를 즐기는 것 같았다.

왕후가 복도 모퉁이를 돌아 막다른 길에서 걸음을 멈추었다. 더 이상 앞으로 나아갈 수 없는 벽에는 문 모양의 벽화가 삐뚤게 그려져 있었다. 그녀가 캄캄한 적막 속에서 허공에 손을 몇 번 휘젓자 뱀의 형상을 한 연무가 일어났다. 동시에 그녀가 입에서 주문을 내뱉는데 마치 굶주린 맹수의 소리 같았다. 공중에 맴돌던 뱀은 아가리를 벌려 혀를 날름거리다 벽에 그려진 문 속으로 감쪽같이 사라졌다.

잠시 뒤에 벽에 빗장이 덜걱하는 소리와 함께 그림으로 그려진 문이 저절로 열렸다. 왕후는 눈을 부릅뜨고 문 안쪽을 무섭도록 노려보았다. 지하로 내려가는 통로에는 갇혀 있던 악취와 습기가 연기처럼 밀려 나왔다.

왕후는 천천히 계단을 내려갔다. 다행인지 불행인지 지하 먼 곳에서 등불이 깜박하는 것이 보였다. 구불구불한 통로를 한 참 지나자 쇠창살로 된 감옥이 나타났다. 그 옆으로 작게 뚫린 구멍 사이로는 쥐들이 연신 들락거리고 있었다.

왕후가 쇠창살 앞으로 가까이 다가서며 조소와 경멸의 눈초리로 누군가를 노려보았다.

그때 쇠창살 안쪽 벽에 걸려있는 등불이 아슴푸레 깜박거리며 그 주변을 힘겹게 비추고 있었다.

발자국 소리가 들리자 쇠창살 안에 갇혀 있던 사람이 힘겹게 고개를 들고 눈을 떠보았다. 창백한 기색이며 그의 얼굴은 앙상하다 못해 그야말로 피골이 상접하였다. 푹 꺼진 눈언저리와 볼퉁이, 풀어져 내려 산발을 한 머리 때문에 영락없는 죽은 시체의 몰골이었다.

제6장 만남과 헤어짐

동이 터 올 무렵 왕후의 칙령을 알리는 파발이 전국 각지를 향해 지축을 흔들며 달렸다. 하지만 발 없는 말이 천 리를 간다고 왕후가 지금보다 세금을 더 올린다는 소식은 한양 도성은 물론이고 조선 팔도 방방곡곡에 쫙 퍼졌다.

왕후의 칙령이 각 관아에 통보되고 시행되자 백성들이 소문으로 들은 것보다 상황이 더 심각했다. 이제까지 사노비들은 자신의 상전에게만 신공을 바치면 됐었다, 그러나 왕후의 신전을 짓기 위한 재정 충당을 위해 모든 사노비들에게도 각종 세금과 부역을 부과

하면서 그들의 삶은 한층 더 피폐해져만 갔다. 일부 노비들은 도망을 가거나 또 어떤 노비들은 많은 환곡과 막중한 세금을 감당하기 어려워 자식을 단돈 열 냥에 팔아넘기는 천륜을 저버린 사건이 끊임없이 일어났다.

왕후의 칙령에 박해를 당하는 이들은 상민과 중인도 예외는 아니었다. 노비에 대한 소유욕이 유별나게 강한 양반들도 마찬가지였다. 노비들이 집단으로 도망가는 일이 빈번하게 일어나자 일손 구하기가 힘들어 전세나 부역 그리고 공납을 내는데 어려움을 겪었다. 왕후의 새로운 칙령 반포는 도성 안의 측근들을 제외한 전 계층의 백성들에게 격한 분노를 일으켰다.

조금 전 관아에 다녀 온 최낙훈 대행수의 얼굴빛이 몹시 어두워 보였다. 그는 고을에 속한 상단들의 대행수들을 소집한 현령을 만나고 오는 길이었다.

춘삼이가 그의 심각한 얼굴을 살펴보고는 먼저 조심스럽게 운을 뗐다.

"어찌 안색이 안 좋으신데…… 무슨 근심이라도 있으신지요?"

"왕후가 상단들의 숨통을 더욱 옥죄이려 하는구나."

대행수는 조금 전 관아에서 있었던 일을 떠올리며 신음처럼 긴 숨을 내쉬었다.

"아니, 그년이 이번에는 또 뭐랍니까?"

왕후의 이름이 나오자 춘삼이는 아무리 노한 감정을 감추려고 해도 눈에 천불이 나는 것을 어찌할 수는 없었다.

"이번에 행신고을에 수십 여종의 공물이 배정되었는데 현령은 이 모든 걸 상단들에게 떠넘기려고 아예 작정을 했더구나. 다른 고을보다는 적다면서 위로 아닌 위로를 건네는데 정말 기가 막히더군. 우리 상단에게는 조선 팔도에서 가장 질 좋은 인삼을 공납하도록 지시가 내려왔다."

대행수가 기막히다는 듯 헛웃음을 쳤다.

"아니, 현재 인삼은 거의 금보다 비싼 가격인데 이걸 공납하라는 것은 저희 상단보고 문 닫으라는 말과 같지 않습니까?"

그 사실을 듣고 춘삼이는 너무 놀라서 자빠질 뻔했다.

현령은 상단에 속한 사람의 수대로 팔십 근의 인삼을 열 근씩 여덟 꾸러미로 나누어 묶어 공납하게 했는데 열 근을 한 포라 칭했다. 여덟 포의 가치는 은 이 천 냥이었는데 쌀 천 삼백 섬에 해당하는 가치였으니 상단에 속한 사람의 숫자로 환산하면 꽤 큰 규모였다.

"우리가 매입 가격을 확 줄이는 수밖에 없어. 그러려면 인삼 상인들이 아닌 현지 재배지로 직접 가서 우리가 인삼을 사와야 할 듯싶네."

대행수는 고개를 기웃하게 하고서 무엇인가를 골똘히 생각했다.

"아니, 저희 상단은 애당초 인삼과는 아무 상관이 없잖습니까? 대체 왜 인삼을 그렇게 많이 필요로 하는지 모르겠네요."

춘삼이가 영문을 모르겠다는 듯 눈을 끔박 감았다 떴다.

"그거야, 큰돈이 되니까 그렇지. 왜인 상인들과 청나라 상인들은 오래전부터 조선의 인삼을 최고로 여기고 있다는 사실은 너도 잘 알고 있을 것이다. 현재는 두 나라 상인들이 인삼을 사고 싶어도 살 수 없는 상황이 되자 인삼의 가치가 천정부지로 올랐어. 왕후는 인삼을 비싸게 팔아 대금을 금과 은으로 받아서 그걸 다시 아라비아 상인들에게 신전에 들어갈 건축자재와 물품을 사려는 것이지."

대행수는 왕후의 계획을 환히 알고 있었다.

"가난한 백성들은 굶어 죽어가고 있는 판에, 왕후는 신전을 짓기 위해 고혈을 짜내는 일에만 열중하다니 참말로 분통 터지는 일이네요. 사람이면 인두겁을 쓰고 그럴 수는 없는 거 아닙니까?"

춘삼이의 분노에 찬 목소리는 온 대행수의 집무실에 저렁거렸다.

대행수는 하루 종일 너무 신경을 써서 그런지 머리가 몹시 지끈댔다. 하지만 하루빨리 상단에게 내려진 공납문제를 해결하는 것이 급선무였기에 자신의 몸 상태가 어떠한지 신경 쓸 여유가 없었다. 상단의 운명과 비밀 결사 조직의 대업을 완수해야만 하는 중압감이 양어깨에 진 짐처럼 같은 무게로 그를 짓누르기 시작했다. 잠시 뒤에 문 밖에서 낯익은 목소리가 들려왔다.

"대행수님, 저희들 왔습니다."

"어서 들어오너라."

대행수가 고개를 살짝 들고 문을 쳐다보았다.

문이 열리자 송철과 덕환이가 들어왔다. 대행수를 모시고 관아에 함께 들어갔던 두 사람은 상단이 매입할 인삼 재배지를 수소문하기 위해 일찌감치 움직였던 것이다. 덕환이는 키가 크고 삐쩍 마른 탓에 겉으로 드러나 보이는 모습이 초라하게 보였다. 그와는 달리 어떤 양반집 귀공자라도 송철의 외모에 비교한다면 그 뚜렷한 얼굴 윤곽과 슬기를 가득 채운 눈망울에서 뿜어져 나오는 분위기에

빛이 바랠 것 같았다.

"그래, 내가 알아보라고 한 일은 어찌되었느냐?"

대행수는 고운 빛깔의 차가 담긴 찻잔을 들어 한 모금 마신 후 두 사람의 얼굴을 유심히 들여다보았다.

"네, 그렇잖아도 지금 말씀을 드리려던 참이었습니다. 건넛마을 만수상단의 행수이신 칠보형님에게 어렵게 들은 정보를 가지고 왔습니다."

저렁저렁한 덕환의 목소리에서는 자신감이 묻어났다.

"만수상단이라면……인삼을 밀거래하다가 적발되어 큰 고초를 겪지 않았느냐?"

대행수는 조정의 눈에 찍혀 인삼 판매권을 박탈당한 만수상단과 관련된 이야기를 듣고 호기심이 당겼다.

"그렇습니다. 그 일이 터진 후에 그쪽 상단은 초상집 분위기가 되었죠."

덕환이가 고개를 끄덕였다.

왕후가 신전을 짓는데 큰 재정이 들자 인삼에 대한 조정의 규제는 더욱 강화되었다. 인삼은 이제 나라 곳간의 주요품목이 되었다. 이 전까지만 해도 비단이나 쌀과 같은 각종 곡물등이 주를 이루었지만 타국에서 귀한 취급을 받는 인삼은 현물조세나 왕실 수급품 중에서 가장 까다롭게 취급하는 물품의 하나가 되었다.

왕후의 개인 재정을 충당하기 위한 영리행위에 쓰인 인삼의 양도 갈수록 늘어났다. 인삼을 징발해 수입을 얻는 일이 편해지자 왕후뿐 아니라 세도가들도 은밀히 인삼을 구해 부를 축적하는 일도 늘어났다. 본래 선혜청의 허가를 받아야만 인삼을 매매 할 수 있는 자격이 주어졌는데 권력자들에게는 예외였다.

만수상단은 대행수 개인의 부를 축적하기 위해 밀거래를 했다는 명목으로 인삼 판매권을 박탈당한 상태였다. 한마디로 권력자들의 치부를 가리기 위한 희생양이었던 셈이다. 하지만 인삼과 관련 된 지식과 정보만큼은 당대의 송상, 즉 개성상인에 필적할 만 했다.

"그렇습니다. 인삼과 관련 된 모든 장사를 접어서 지금 만수상단은 초상집 분위기나 다름없습니다. 다행히, 저와 개인적인 친분이 있던 칠보형님께서 우리 상단의 어려움을 들으시고는 흔쾌히 방도를 알려주셨지 뭡니까."

덕환의 얼굴은 상기되어 있었고 목소리는 까랑까랑 힘찼다.

대행수는 그의 들뜬 태도에 그다지 신뢰감이 가지 않았다. 그렇지만 평소 만수상단의 행수는 취중에도 허튼소리를 하는 법이 없기로 정평이 나있었기에 은근한 기대감이 들었다.

"그래, 그가 어떤 방도를 알려주었느냐?"

"인삼이라면 개성에서 많이 재배가 되고 있잖습니까? 하지만 그곳은 이미 송상에서 관리하고 있기 때문에 저희 상단이 접근하기가 어려울 것이라 말했습니다. 또한 저희 고을과 비교적 가까운 강화도에도 인삼이 좋기로 유명하잖아요. 그런데 그곳 또한 조정의 규제가 더욱 엄격해진 터라… 역시 쉽지 않을 거라더군요."

덕환이는 더하거나 뺄 것이 없을 정도로 들은 대로 이야기했다.

"음, 그 두 곳은 내가 생각하고 있는 지역이었는데……이거 아주 낭패로구나. 그래, 만수상단 행수의 방도라는 게 대체 무엇이냐?"

최낙훈 대행수는 귀를 기울이며 그에게 또다시 되물었다.

"태룡산에 분지마을이라는 곳이 있다고 합니다. 그곳 인삼이 개성에서 나는 인삼보다 훨씬 질도 좋다고 하더라고요. 특히 마을 사람들의 인심이 좋아… 가격을 흥정하기가 아주 좋을 거라고 알려 주셨습니다."

덕환이의 의외로 차분한 음성은 대행수의 불안한 마음을 눅어지게 하였다.

"아니, 태룡산이라면 한양도성으로부터 수 백리 길이나 떨어진 곳이 아니냐? 그곳에 인삼이 나고 있다는 이야기는 난생 처음 듣는 구나."

최 대행수는 생각도 못 하던 태룡산 이야기를 듣자 회동그랗게 뜬 눈으로 덕환이를 쳐다보았다.

그때 대화중에 조용히 있던 송철이 뭔가 아는 것처럼 끼어 들었다.

"태룡산은 산세가 워낙 험하고 골이 깊어 아무나 들어갈 수 없는 곳이기도 하죠. 그렇다보니 그동안 그곳 분지마을에서 인삼이 나온다는 것을 아는 사람들이 별로 없었던 겁니다. 일부 지방 상단과 한양을 거점으로 활동하는 경강상인 가운데에서도 극소수만이 인삼을 거래했을 뿐이죠."

대행수의 집무실 안에 있던 사람들은 유난히 잘생긴 얼굴이며 조금도 머뭇거림 없이 말하는 그를 보고 있자니 한때 사대부 집안의 자손이었다는 사실이 실감이 났다.

송철은 풍채가 아름다운 것뿐만 아니라. 학문에 박식하고 문장력이 넓고도 깊었는데 그 중에서도 시에 가장 뛰어났다.

송철의 아버지는 정4품인 사헌부 장령의 관직을 갖고 있었다. 세도가들의 비행과 불법행위를 따져 살피는 동시에 어지러운 풍속을 바로잡았다. 또한 백성들이 원통하거나 억울한 일을 당했을 때 이를 해결해 주는 일에 누구보다 앞장섰다. 평생 그는 임금에게 충언을 드리는 것이 신하의 도리임을 신조로 여기고 살아 왔다. 그는 여기서 그치지 않고 왕후의 부당한 처사에 대한 상소를 올렸다. 결국 호조판서와 병조판서의 세력들에게 역적으로 몰려서 처참하게 죽고 말았다. 이 일로 아무 죄도 없는 송철의 어머니와 두 명의 형마저 멸문지화를 당했다. 때마침 지방에 있었던 송철은 재빨리 도망을 쳐서 가까스로 목숨을 건졌다.

"태룡산이라면 주상 전하의 정실 부인이셨던 육영왕후님의 생가가 있는 곳 아닙니까?"

지금까지 그들의 말을 듣고 있던 춘삼이가 최 대행수에게 물었다.

"네 말이 맞다. 태룡산 하면 가장 먼저 떠오르는 분이시지."

최 대행수는 육영왕후를 떠올리자 굳어 있던 표정을 약간 풀면서 말했다.

생전에 육영왕후는 백성들을 친자식처럼 사랑한 것은 물론 그들의 조그만 이익도 반드시 일으키고자 했다. 어떠한 위험과 해로움도 제거하고자 노력했던 그녀는 조선의 백성들에게 한결같이 자애로운 국모였다. 그토록 존경과 사랑을 한 몸에 받아 온 그녀의 갑작스런 죽음이 백성들에게 준 충격은 실로 대단하였다.

"아이고, 하늘도 무심하지. 아무 죄도 없으신 육영왕후마마님 같은 분을 억울하게 죽게 하시다니……지금도 그 분 생각만 하면…… 심장이 뛰고 억장이 무너집니다."

덕환은 고개를 저으며 아직까지도 육영왕후의 죽음을 믿을 수 없다는 듯 중얼거렸다.

17년 전 나라를 떠들썩하게 만든 그 사건을 끄집어낸 덕환이가 유독 분개하는 이유가 있었다. 그의 아버지는 변사자의 시체를 검사하던 관원인 검관이었는데 어느 날 그가 살고 있는 마을에서 죽은 시체가 발견 되었다. 알고 보니 그 죽은 사람은 마을의 최고 부자이자 높은 벼슬을 갖고 있는 양반집의 마름이었다. 평소 정직하고 성실했던 그는 집안일을 맡아 돌보며 종종 마을 사람들에게 소작료를 받으러 다녔다. 그러던 어느 날 그가 야산에서 죽은 시체로 발견 된 것이다. 덕환이의 아버지는 시신의 흔적을 샅샅이 살피고 검시를 해서 그의 죽음이 심하게 얻어맞아 죽은 것임을 밝혀냈다.

죽은 마름은 주인 대감의 외아들이 평소 여자 노비들을 빈번히 성희롱 하는 것을 알고 있었다. 또한 마을의 여러 유부녀들과 방탕하고 엽기적인 사생활을 일삼는 것을 지켜보았다. 참다못한 그는 자신의 주인 대감에게 모든 것을 솔직히 알렸다.

지방 관아에서 그 집에서 일하는 관련자들을 심문하여 알아보니 그러한 일들이 모두 사실이었다. 화가 난 주인 대감 아들이 마름을 심하게 매질하고 때려 죽였다는 증언을 확보했다. 하지만 어찌 된 영문인지 관아의 수령은 이 모든 사건을 없는 일처럼 덮어버렸다. 양반집 외아들은 사람을 죽이고도 여전히 악한 행동과 방탕한 짓을 서슴지 않았다. 마을 사람들은 더욱 불안한 마음으로 그를 피해 다녀야만 했다. 덕환의 아버지는 사건의 진상을 철저히 조사하여 죽음의 원인을 밝혀야 한다는 검관의 기본 책무를 잊지 않았다. 그래서 그는 결국 지방 관찰사를 찾아가 사건의 경위를 설명하기에 이르렀다.

관찰사는 해당 사건에 연류 된 세도가의 집안이 왕후의 비호를 받고 있는 인물임을 알아채고는 그의 보고를 묵살해버리고 말았다. 덕환의 아버지는 거기서 멈추지 않고 다시 한양으로 올라가 사헌부에 이 모든 사실을 고하였다. 하지만 그에게 돌아 온 것은 억울한 누명과 함께 전옥서에 하옥되고 만다.

결국 국법과 위계질서를 어겼다는 죄명으로 장형 백대에 처했다. 볼기를 단 몇 대만 맞아도 골병이 드는데 덕환의 아버지는 무려 백대를 맞았으니 몸이 만신창이가 되고 말았다.

관원의 자리에서도 쫓겨난 것은 물론 한 달 남짓 시름시름 앓다가 숨을 거두고 말았다. 아버지와 단둘이 살던 덕환은 졸지에 고아가 되었다. 그는 먼 친척의 집에 몸을 의탁하려 했지만 친척조차 그를 냉대하였다. 오갈 데 없 그는 겨울 내내 추위와 배고픔에 시달렸다. 그렇게 몇 날 며칠을 집도 없이 떠돌이로 지내다 우연히 최대행수를 만났던 것이다. 한 번도 본 적이 없는 대행수는 부모처럼 덕환을 따뜻하게 맞아 주었다.

그때로부터 지금에 이르기까지 대행수는 친아버지 못지않은 애정을 쏟았다. 그건 덕환 뿐만 아니라 송철도 마찬가지였다. 이곳 상단에서 함께 지내고 있는 동료들 모두가 같은 처지였다. 그들은 대행수를 부모님처럼 여기고 어떠한 역경 속에서도 변절하지 않고 지조와 절개로써 충성을 다해왔던 것이다.

"그러고 보니, 세령은 지금 어디에 있느냐?"

대행수는 잠시 입을 다물었다가 옆을 둘러보며 말했다.

"1시간 전쯤 상단 점포를 구경시켜주겠다고 삼손을 데리고 나갔습니다."

춘삼이가 남모를 웃음을 혼자 지으면서 입을 열었다.

"그래? 지금 현감이 죽은 일로 어수선하니 각자 몸가짐을 각별히 조심해야 된다. 알겠느냐?"

대행수가 춘삼이의 말에 고개를 끄덕이며 상단 단원들에게 몸조심할 것을 당부했다.

"네, 대행수님."

세 사람이 고개인사를 하며 동시에 대답했다.

행신시장 길목에는 사람들이 모여들었다. 거기에다 지게로 짐을 날라주는 날품팔이들과 농산물을 가득 실은 소달구지로 발 디딜 틈이 없었다. 안쪽으로 길게 줄지어 선 점포에는 옷감을 파는 포목상부터 각양각색의 한지를 파는 지전과 삼베를 파는 포전, 곡물을 파는 잡곡전, 각종 수산물을 파는 어물전이 자리 잡고 있었다. 그 와중에 시장바닥에는 유기 장수와 좌판을 벌여놓은 노점상들까지 제각기 물건을 사 달라고 외치며 시장 안을 시끄럽게 만들고 있었다.

각 상단에서 운영하고 있는 저마다의 점포들마다 사환들은 손님을 끄느라 분주하게 움직였다. 명주와 비단을 취급하고 있는 행신 상단에서는 이곳 시장에서 가장 큰 주단포목점과 각종 점포들을 여럿 운영하고 있는 중이었다.

세령은 삼손을 데리고 상단에서 운영하는 점포들을 차례대로 구경시킨 뒤 시장 안을 걷고 있었다. 삼손은 할아버지를 찾기 위해 한양의 육의전을 방문했을 때가 떠올랐다. 오가는 사람도 많은 복잡한 시장 안에서는 살아 움직이고 있다는 생동감을 느낄 수 있었다.

그때 떡을 만들어 파는 점포들이 한데 모여 있는 떡 골목 안에서 여러 명의 아이들이 모여들어 침을 게게 흘리고 있는 것이 보였다. 삼손이 그 아이들의 안색과 행색을 자세히 들여다보니 끼니를 굶는 것이 분명했다.

삼손은 어린 아이들이 배고파하는 것이 안쓰러웠다. 이 나라의 세손이라는 사실이 무색하게 할 만큼 이런 상황에 아무런 힘을 발휘할 수 없는 자신이 너무나 비참하고 괴로웠다.

"어찌 안색이 좋지 않아 보이십니다. 무슨 걱정이라도 있으셔요?"

세령은 삼손의 얼굴을 찬찬히 살펴보았다.

"저 골목 안에 있는 아이들이 안쓰러워 그렇습니다."

삼손은 아이들에게 시선을 고정시키고 있었다. 그의 눈에 꾹꾹 눌러 담은 분노가 가득했다.

"아……저 아이들 때문에 그러셨군요."

"저 아이들을 가엾이 여긴다 해도…… 내게 도와줄 능력이 없으니, 그저 괴로울 뿐입니다."

"음, 그런 생각을 한다는 것 자체가 이미 옳은 일을 할 준비가 되었다는 뜻 아닐까요?"

"낭자는 실의에 빠진 사람에게 용기를 북돋아 주는구려. 근데 시장에 아이들이 제법 많은 것 같소. 자식이 배를 굶으면…… 부모들도 걱정이 많을 텐데 말이오."

"음, 아이들은 일찍이 질병과 가난 때문에 부모를 잃은 경우가 대부분이죠."

그녀는 삼손의 마음 씀씀이가 느껴워 순간 가슴이 뭉클해졌다.

"제가 살던 볏골마을과 상황이 비슷하군요."

삼손이 채석장에서 죽어간 사람들이 떠오르자 마음이 괴로웠다.

"예로부터 나라님께서는 양반들에게 진휼미를 풀게 하여 가난한 백성들을 도우라 하셨죠. 하지만 지금의 조정은 헐벗고 주린 백성들을 외면한지 오래에요. 단지 왕후의 개인 신전을 짓는데 온통 혈안이 되어 있으니……저 역시 그런 현실이 뼈에 사무치도록 원통할 뿐입니다."

세령은 그동안 마을에서 보고 겪은 일들이 주마등처럼 눈앞을 스쳐지나가자 눈빛이 드러나게 달라지기 시작했다. 왕후의 횡포가 너무도 심하여 백성들의 분노도 하늘을 찌를 듯 했다.

찍소리 않고 잠자코 있기만 하다고 반항할 줄을 모르는 백성이 아니었다. 착하고 온량한 백성이기에 두 눈을 꾹 감고 참아 두는 것뿐이었다.

삼손은 자신을 물끄러미 쳐다보는 골목길의 한 어린아이와 눈이 마주쳤다. 햇빛 때문이었는지 눈이 부셨다. 동틀 무렵 볏골 마을 뒷산에 떠오르는 눈부신 햇살처럼 따듯하고 포근했으며 눈부시도록 아름다웠다. 삼손의 시선과 아이의 시선이 중간에서 딱 맞부딪쳤다. 순간 삼손은 긴장이 되고 호흡이 가빠졌다. 이상스레 가슴이 타서 견딜 수가 없었다. 이내 눈에서는 뜨거운 눈물이 주르륵 흘러내렸다. 아이를 바라보는 그의 눈빛에서 반드시 이 백성들을 사악한 왕후의 손에서 구해내고 말겠다는 결연한 의지가 엿보였다.

그가 떡 골목 안에 모여 있는 아이들에게 자꾸만 신경 쓰고 있다는 것을 알아차린 세령은 그를 안심시키려는 듯 빙긋 웃음까지 지어 보이며 말했다.

“도련님, 너무 걱정하지 마세요. 저희 상단에서는 저 아이들을 포함해서 오 갈데없는 사람들에게 잠자리와 끼니를 챙겨주고 있어요. 쟤들도 밥 먹을 시간이 되면 알아 서들 움직일 테니 이만 가시죠.”

“아니, 저 아이들도 적지 않은 무리인데……그보다 더 많은 사람들을 돌봐주고 있단 말씀이오?”

삼손은 자신의 귀를 의심했다.

“그렇습니다.”

세령이 해맑게 웃으며 삼손을 바라보았다.

“아니, 누가 그런 생각을 하셨소?”

그녀의 대답에 삼손은 잠시나마 내면의 모든 걱정과 불안이 사그라들었다.

"호호, 당연히 아버지시죠. 평소 돈은 헐벗고 굶주린 백성들을 위해 쓰는 것이라 강조하셨어요. 오랫동안 배고픈 이들이 끼니를 해결 할 수 있는 방법을 고심하셨죠. 행신시장에 있는 모든 장국밥집과 주막에서 식사를 할 수 있도록 매달 그 값을 대신 지불하고 있어요. 그러다 보니 소문이 인근 마을에까지 쫙 퍼졌죠. 행신시장에는 매 끼니때마다 사람들이 구름떼처럼 몰려온답니다."

세령은 애써 표정을 바꾸어 침착한 음성으로 말했다. 그 말이 끝나기도 무섭게 골목 안에 들어찼던 아이들이 무슨 신나는 일이라도 생긴 듯이 어딘가를 향해 달려가기 시작했다. 조금 전 삼손과 눈을 마주쳤던 사내아이가 별안간 그에게 꾸벅 인사를 하고는 무리 뒤를 좇아갔다. 삼손은 아이들의 천진스러운 뒷모습을 바라보며 얼굴 가득 웃음이 피었다. 아이들이 배고픔을 해결할 수 있다는 생각에 절로 기분이 좋아졌던 모양이다.

"낭자, 내 궁금한 것이 있소. 대행수님께서는 상단을 무리 없이 이끌어 나가기만 하면 여생을 편히 사실 수도 있을 텐데…… 왜 굳이 비밀 결사 조직을 결성하시게 된 거요?"

삼손은 그간 참고 있던 말을 물었다.

"그건…… 오랜 전, 이 나라의 충신이었던 삼정승들과 그들을 보좌하던 좌참찬 대감의 죽음이 계기가 되었어요. 왕후의 심기를 건드렸다는 죄목으로 본인들은 물론 온 집안이 멸문지화를 당했던 사건이었죠."

세령은 본능적으로 몸을 움츠리고 주변을 살폈다. 뒤에서 걸어오던 사람들이 걸음이 느린 두 사람을 앞지르고 지나갔다. 잠시 걸음을 멈칫하더니 그녀는 다시 입을 열기 시작했다.

"아버지께서는 소신과 배치가 되는 일은 목에 칼이 들어와도 하지 않는 분이세요. 음, 어찌 보면 한번 마음먹으면 끝까지 하고야 마는 황고집쟁이시죠. 새 왕후가 등장한 뒤 무죄한 백성들이 억울하게 형벌을 받아 비명횡사하는 경우를 수없이 봐 온 아버지는 뭔가 나라가 잘 못 가고 있다고 생각하셨어요. 이미 보셔서 아시겠지만 저희 상단에 들어 와 있는 식솔들은 모두가 새 왕후가 즉위한 뒤 벌어진… 여러 사건에 의해 직간접적으로 피해를 당한 사람들이랍니다. 아버지는 왕후가 살아있는 한 이 나라 백성들의 불행은 계속될 것임을 아셨죠. 그걸 누군가가 끝내야 한다고 판단하셨고 본인 스스로가 나선 것이에요."

세령은 목소리를 차분하게 가라앉히고 부드럽게 말문을 떼었다. 그간의 사정에 대해 조목조목 설명하던 그녀가 중간에 손가락을 들어 눈가를 눌렀다. 눈물은 소리도 없이 흘러내렸다.

"대부분의 사람들은 자기 목숨을 부지하려고 애를 쓰죠. 대행수께서는 죽음을 무릅쓰고 큰 뜻을 품었으니 하늘도 감복을 하지 않을 수 없을 겁니다. 저도 조선을 바로 세우려는 대의에 뜻을 함께 하겠소."

그는 이 세상에 혼자가 아니라는 갑작스럽고 묘한 기분에 가슴 속이 뿌듯하게 찼다.

"정말이죠?"

세령이 초롱초롱한 눈빛으로 되물었다.

"하하, 그렇소."

삼손은 그녀의 놀란 표정을 보고 하얀 이를 빛내며 활짝 웃었다.
“도련님이 저희와 함께 하신다니 천군만마를 얻은 것 같네요.”
그녀가 쌩긋쌩긋 웃으며 기뻐했다.
그녀는 갸름한 얼굴에 흰자위 검은자위가 꽃같이 선연한 두 눈이 매력적이었다. 곱게 땋은 댕기 머리에 옥빛 저고리와 옅은 노란색 치마를 입은 자태는 단아하면서 아름다웠다.
뚜렷한 이목구비에 몸매는 간드러지게 가냘프고 유연한 세령은 뭇 남성들의 마음을 단박에 설레게 하는 꽤 예쁘게 생긴 여인이었다.
“대쪽 같은 성격이신 대행수님이 이런 규모의 상단을 일궈 내기까지 우여곡절도 아주 많으셨을 것 같소.”
시장 안을 둘러보던 삼손이 무엇인가 생각이 났는지 얼굴에 웃음을 띠우며 말했다.
“대개의 장사꾼은 말주변이 좋아서 손님들은 그 말을 듣다 보면 생각하지 않았던 물건을 사게 되는 일이 많아요. 하지만 아버지는 다른 분이셨죠. 수지 타산을 먼저 계산하려 하지 않고 정직을 신조로 평생을 일이관지 해오셨어요. 그러다 보니 손해를 보는 경우가 많았죠. 오죽 답답했으면 밑에서 일하던 행수들마저 이러다 망한다고 울고불고 난리를 쳤지만 눈 하나 깜짝하지 않고 버티신 분이에요. 하지만 시간이 흐르면서 상황이 확 바뀌게 되었죠. 당시 일부 상단들이 자기들끼리 담합을 해 물건과 가격에 장난을 친 게 드러난 거죠. 상인들 사이에서는 우리 상단과 거래를 하면 물건이나 가격 면에서 절대 속을 이유가 없다는 소문이 자자해졌고 결국 이렇게 큰 성공을 거두게 된 거에요."

세령은 이야기를 마친 후 마음이 뿌듯하고 기뻤다. 하지만 이내 사람들의 표정을 보자 절로 입이 앙 다물어졌다.

한낮에 시장 거리에는 여전히 헤질 대로 헤진 옷을 입고 궁핍한 모습으로 배회하는 백성들 천지였다. 뱃가죽이 등에 달라붙은 듯 허기가 극심한 여인의 등에 기대어 잠든 아이, 술에 취한 상태로 몸을 제대로 가누지 못해 비틀거리며 걷는 사내, 두 눈에는 광기인지 분노인지 슬픔인지 모를 눈을 번들거리며 뭔가를 찾고 있는 포악한 들개 같은 인간들……. 잔혹한 폭정과 문제투성이의 뒤숭숭한 세상의 단면이 그대로 펼쳐져 있었다.

바로 그때였다. 일진의 군사들이 먼지를 일으키며 시장 안으로 들이 닥쳤다. 순간 세령은 당황한 기색을 감추지 못했다. 군사들이 한꺼번에 시장에 난입한 것은 난생 처음 보는 광경이었기 때문이었다. 대략 서른 명이 넘는 군사들이 손에 칼과 창을 지닌 채 시장통 거리를 위협적으로 걸었다. 그러자 사람들이 양 갈래로 확 나뉘어져 고개를 움츠리며 멈춰 섰다. 그녀가 얼핏 보니 이곳 관할 관청인 좌포도청의 군사들이 아니었다. 그들은 하나같이 검은 색 고깔모자를 쓰고 흑반비에 흰색 선을 바둑판처럼 덧붙인 까치등거리를 차려 입은 의금부 나장들이었다.

"게 물렀거라!"

나장 하나가 앞서가며 갈도성을 외치자 사람들은 종종걸음으로 양 길옆에 비켜서서 머리를 조아렸다.

그들은 불시에 수십 명씩 무리를 지어 마을 곳곳에 나타나 현감을 죽인 범인을 색출하기 위해 미친 듯이 사람들을 괴롭혔다. 시장에서는 상인들의 점포를 찾아가 사환들의 숫자를 확인하고 부재중인 사람의 행처를 다음 날 일일이 확인하는 방식으로 조사가 이뤄지고 있었다.

칼을 찬 의금부 군사들은 절도 있는 빠른 걸음으로 시장 곳곳을 누비며 다녔다. 군사들이 지나가는 행인마다 붙잡고 검문을 하자 사람들이 벌벌 떨기 시작했다.

"사내들은 모두 호패를 꺼내 보이 거라!"

의금부 나장의 위세 당당한 고함 소리에 놀란 행인들이 주섬주섬 호패를 찾았다. 삼손도 긴장한 눈초리로 허리춤에 있는 호패를 만지작거렸다.

"누군가 감히 이 마을에서 현감을 살해했다. 조금이라도 수상한 자는 모조리 가두고 문초한다. 누구의 소행인지 우리가 반드시 밝혀낸다. 알겠느냐?"

군사들의 우두머리로 보이는 덩치 큰 사내가 뒤쪽에서 걸어 나왔다. 두 눈을 딱 부릅뜬 금부도사 기동명의 부리부리한 눈에는 일종의 위협 비슷한 것이 내비쳤다.

금부도사의 명이 떨어지자마자 나장들이 행인들의 호패를 확인하려 서둘러 움직였다.

삼손은 마을 현감의 죽음과 관련하여 포도청의 군사들이 아닌 의금부 군사들이 파견 나온 것을 보고 왕후의 속마음을 알아차렸다. 중앙에 있는 군사들을 동원해 일반 백성들에게 왕실에 대한 공포감을 조성하기 위해서라는 것을 말이다.

"도련님…… 괜찮을까요?"

세령은 겉으로 태연한 척 해도 마음속의 불안까지 숨길 수가 없어보였다. 기동명의 매서운 눈을 보자 그만 까무러칠 정도로 몹시 놀라 온몸이 떨려 왔다.

"낭자, 일단 여기서 나갑시다."

삼손은 안색까지 변하며 안절부절 못하는 세령을 바라보았다. 그가 갑자기 그녀의 손을 채어 잡아 이끌었다.

저들이 신경이 쓰이는 것은 삼손도 마찬가지였다. 나장들이 호패를 소지하지 않고 있는 사람들을 모조리 앞으로 끌어냈다. 시장 여기저기서 아주 기세등등한 나장들의 호통 치는 소리가 들려왔다. 얼마 지나지 않아 시장통은 살려달라고 울고불고 애원하는 통곡과 절규로 가득 찼다.

삼손은 세령을 데리고 재빨리 인파속으로 숨어 들었다. 평소 사내 못지않은 기백과 담력이 넘쳤던 세령은 금부도사 기동명의 기세에 눌려 움츠러든 자신이 한없이 초라해서 견딜 수가 없었다. 삼손이 옆에 없었더라면 부끄러움이 덜했을 텐데 라는 생각을 되뇌었다. 그와 동시에 그녀의 촉각은 전에 없이 민감해져 있었다. 그가 자신의 손을 꼭 거머잡고 걷고 있단 걸 깨닫고 난 뒤 가슴이 사정없이 콩닥거렸다.

세령은 아무렇지 않은 듯 삼손의 손을 맞잡고 있기가 너무나 힘들었다. 아버지가 아닌 남자의 손을 잡은 것은 이번이 처음이었다. 그녀는 이제껏 남녀 간의 진지한 관계에 대해 단 한 번도 생각해 본 적이 없었다. 지금 이 순간이 이성에 대해 처음 느껴 본 감정이었다.

'설레이는 이 마음은 뭘까.'

세령은 자기 자신에게 물어보았다. 그와 손을 잡고 급하게 달음질을 하면서도 마음의 흥분은 그저 가라앉지 않았다.

미로처럼 얽히고설킨 시장 골목길의 끝이 보이기 시작하자 두 사람은 비로소 숨을 돌릴 수 있었다.

그때 어딘가에서 사내의 차갑고 날카로운 목소리가 들려왔다. 삼손과 세령이 서있는 골목 옆길이었다. 사람들이 몰려서니 두 사람은 무슨 일인지 궁금했다. 삼손과 세령이 천천히 다가가자 험악하게 생긴 나장 하나가 어느 남자아이를 질질 끌고 가고 있었다. 아이는 잔뜩 겁먹은 얼굴로 끌려가지 않으려고 안간힘을 쓰고 있었다. 시장 길을 가던 사람들이 아이와 나장을 지켜보며 웅성거렸다. 그러나 아무도 어린 아이를 건장한 체구의 나장에게서 떼 놓으려 하지 않았다.

"어휴, 도대체 어쩌자는 거여?"

"또 끌고 가겠다는 거지. 제기랄, 요즘 어른이고 아이고 백성들 잡아가는 게 어디 한두 번인가?"

"아니, 뭘 잘못했길래 그런다냐?"

"저 놈들에게는 죄 없는 사람 잡아다가 억지 죄명 뒤집어씌우는 것은 식은 죽 먹기보다 쉬운 일이야."

이렇게 수군대는 사람들의 말이 가을바람에 실려 똑똑하게 들렸다. 나장의 너무도 과격한 난행에 삼손은 눈살을 찌푸렸다. 남자아이는 본능적인 두려움과 거부감으로 발버둥을 치며 끌려가지 않으려 몸부림을 쳤다.

“이거 놓으세요! 나 잘못한 거 없어요.”

“이놈아, 죄가 없으면 왜 도망을 쳐! 그리고 가자면 갈 것이지 왜 그리 말을 안 들어!”

“가기 싫어요.”

“에끼, 이런 염병할 놈이 다 있나!”

나장의 듣기 싫고 거북한 소리는 더 똑똑히 들렸다. 삼손이 아이를 자세히 바라보자 조금 전 떡 골목에서 봤던 남자아이였다. 삼손이 앞으로 발걸음을 옮기려고 할 때 세령이 슬며시 손을 뻗어 삼손의 팔을 잡았다. 그녀는 적잖이 놀랐다. 삼손의 팔의 단단한 근육과 힘줄이 요동치듯 꿈틀거리고 있었다. 세령은 고개를 들어 삼손을 바라보았다. 삼손은 분노에 찬 눈빛으로 세령을 마주보았다. 자신이 아이를 당장 도와주지 않는다면 분명 그 아이는 죽을 것이며 반드시 구해야 한다고 말하는 것 같았다.

남자아이가 순순히 따라오지 않으려 하자 나장이 아이의 등짝을 육모 방망이로 내리치며 욕설을 퍼부었다.

“어린놈이 따라오라면 따라 올 것이지. 뭔 그리 잔 말이 많아!”

“아야!”

고통에 찬 비명을 지른 아이가 고꾸라지듯 앞으로 넘어졌다. 삼손은 자신도 모르게 두 주먹을 불끈 쥐었다. 나장은 넘어진 아이의 몸을 발로 무자비하게 걷어찼다. 그러나 사람들 가운데 선뜻 말리려 나서는 자는 아무도 없었다. 아이의 입에서 피가 뿜어져 나왔다.

"안 돼!"

세령이 너무 놀라 손으로 입을 막으며 소리를 질렀다.

의금부 나장은 남자아이를 윽박지르며 또다시 손에 쥔 육모방망이를 내리칠 기세였다.

"당장 일어서지 않으면 네 놈의 뼈가 으스러질 것이다."

나장의 호통에 사람들이 겁을 먹고 슬금슬금 뒤로 물러섰다. 이런 심한 매질을 당하기에는 남자아이는 너무나 어려 보였다.

"어떡하나, 저 어린 것이 무슨 죄가 있다고?"

지켜보는 사람들의 눈에 걱정과 염려가 가득했지만 그 누구도 나서지 않았다. 함부로 나섰다가 엄한 불똥이 자기들한테 옮겨 붙을까봐 엄두조차 못 내고 있었다. 어려운 사람을 보면 도와주고 챙겨주는 인심 좋기로 소문난 조선의 백성들은 온데간데없이 자기 목숨보전하기에 급급한 세상이었다.

그때였다. 세령이 말릴 새도 없이 삼손이 앞으로 나왔다. 그는 한걸음도 지체하지 않고 사납게 인상을 쓰고 서있는 나장을 향해 똑바로 다가갔다. 아무도 예상하지 못한 일이었다. 삼손은 재빨리 나장의 목을 잡아챘다. 그러고는 한 손으로 그를 높이 번쩍 들어올렸다. 허공에 붕 떠 있는 나장이 사색이 되어 벌벌 떨고 있자 그 광경을 지켜 본 행인들이 너도나도 박수를 치며 탄성을 질렀다.

"네 이놈! 나라의 녹을 먹고 사는 관군이 되어 어찌 힘없고 죄 없는 백성을 괴롭히느냐! 이 나라의 주인이 백성인 것을 정녕 모르겠느냐?"

삼손은 표정하나 흐트러지지 않는 당차고도 위엄있는 목소리였다. 삼손은 나장의 얼굴을 당당하고 근엄한 낯빛으로 마주보았다.

"으윽, 압…니다…….제발… 한번만 살려……주…십시오."

나장의 얼굴이 잔뜩 겁을 집어 먹은 표정이었다. 삼손이 손으로 목을 서서히 조여가자 나장은 숨을 쉴 수가 없는지 킹킹거리며 신음소리를 토했다.

"금수만도 못한 새끼! 할 짓거리가 없어서 어린아이를 저리 만들어 놓다니, 네 놈도 어디 한번 똑같이 당해 보거라."

삼손은 만신창이가 된 아이를 보면서 끓어오르는 울분을 주체할 수 없었다. 나장의 목을 비틀 듯 점점 세게 움켜쥐었다. 나장이 허공에서 할 수 있는 거라고는 팔과 다리를 내저을 뿐이었다.

"참으세요, 도련님, 제발요."

세령은 마치 숨을 넘기는 사람처럼 삼손에게 간절한 목소리로 부탁을 했다. 현감에 이어 의금부 나장마저 잘못되게 된다면 상단은 물론 행신마을 사람들 전체가 위험에 빠질 수 있었기에 어떻게든 삼손을 진정시켜여만 했다.

그녀의 간곡한 간청에 이제껏 격한 분노에 휩싸여 있던 삼손도 마음이 흔들리는 듯했다. 삼손은 얼굴이 하얗게 질려 덜덜 떨고 있는 나장을 곧바로 시장 땅바닥에 메다꽂았다. 눈앞에서 삼손의 괴력을 본 행인들이 믿기지 않는다는 표정으로 하나같이 입을 벌렸다.

"또다시 백성들을 괴롭히면 네 놈은 반드시 내손으로 죽일 것이다. 알겠느냐!"

삼손은 겁에 질려 부들거리고 있는 나장에게 버쩍 다가서며 꾸짖듯이 호통을 쳤다.

"예……여부가 있겠습니까?"

나장은 기어들어가는 목소리로 어물댔다.

그사이 세령이 침착하게 남자아이를 일으켜 세웠다. 한 숨 돌린 나장의 얼굴이 붉으락푸르락했다. 그때 삼손이 나장을 쳐다보며 다시 위엄 있는 목소리로 말했다.

"이 아이는 내가 데려가겠다."

"알겠……습니다요."

나장이 어정쩡한 표정을 지으며 애써 고개를 돌렸다.

세령은 남자아이의 손을 놓지 않았다. 난처한 입장이었지만 어쩔 수 없이 함께 데려가야만 했다. 삼손과 세령이 아이와 함께 자리를 뜨자 악에 받친 고함을 내지르는 나장의 목소리가 텅 빈 공중에 울렸다.

"얘야 많이 아프지? 조그만 참아, 곧 의원을 불러 줄게."

세령은 남자아이를 바라보며 걱정스런 표정으로 물었다.

"고맙습니다."

아이가 눈물을 글썽이며 겨우 말했다.

"너 괜찮니? 입에서 아직 피가 흐르는구나."

세령은 아이의 얼굴을 살핀 뒤 주머니에서 무명천으로 만든 손수건을 꺼내 입술을 닦아주었다.

옆에서 아무 말 없이 걷고 있는 삼손이 한 참 만에 입을 열었다.

"그자와 대체 무슨 일이 있었던 게냐?"

"국밥집에서…… 밥을 얻어먹고 나서 집으로 갈 때였어요. 아까 그 아저씨가 저를 보더니 다짜고짜 실컷 배불리 먹게 해 줄 테니까 도성으로 데려다 주겠다고 했어요. 전 싫다고……진짜 가기 싫다고 했거든요. 근데 그때부터… 막무가내로 때리고…… 절 가만 나두지 않겠다고 겁박을 하지 뭡니까."

남자아이는 여전히 겁에 질린 표정이었지만 자초지종을 다시 더듬거리며 삼손에게 설명하기 시작했다.

"뭐라고? 그자가 도성으로 너를 데려가려 했다는 거니?"

세령은 아이의 말을 듣자 갑자기 생각난 듯 주춤하고 걸음을 멈추었다.

"왜 그러시오? 낭자. 무엇 때문에 그러시는 게요?"

삼손은 표정이 더없이 진지했다.

"다름이 아니라, 요즘 들어 저희 마을뿐만 아니라 인근 마을에서도 어린 아이들이 하나둘씩사라지고 있다는 이상한 소문이 돌고 있었어요. 이제 생각해보니…… 없어진 아이들 모두 이 아이와 같이 비슷한 또래들이였던 것 같아요. 어쩌면…… 아이들이 사라지는 사건이 오늘 일과 무관치 않아 보입니다."

세령은 놀란 기색이 역력했다.

"아니, 그게 사실이오? 어린아이들이 사라지다니…… 어찌 그런 끔찍하고 해괴한 일이 벌어진단 말이오?"

삼손은 그녀의 말뜻을 얼른 알아차리지 못했다.

"그러잖아도 저희 상단과 비밀 결사 조직에서도 이 사태에 대해 예의주시하고 알아보던 중이었어요. 그런데……곰곰이 생각해보니 아이들이 사라진 시기가 현감이 죽고 난 이후부터 더 심해진 것 같아요. 도성에 있는 군사들이 마을에 들어오고 나서부터 말이에요."

"아니, 아무리 그래도 잘 이해가 가질 않소. 그 많은 아이들이 실종되는 동안 주위에 사람들은 대체 무얼 하고 있었던 겁니까?"

"음, 나라가 혼란한 상황에서 벌어진 일이잖아요. 우선은 제 몸 간수하고자 호신부터 챙기려 는 사람들의 나약한 본성 때문이죠. 남이야 어쩌건 전혀 관심이 없는 거죠."

세령은 가뜩이나 어려운 현실에 아이들이 사라지는 사건이 꼬리에 꼬리를 물고 발생하자 그저 답답한 생각이 들었다. 벌써 사라진 아이만 행신마을에서 여섯이나 되었다. 이웃마을인 고산에서만 아홉 명, 파진리에서 열두 명의 아이들이 갑자기 어디론가 사라졌다. 그런데 한 가지 이상한 점은 사라진 아이들 모두가 부모의 사랑을 모르고 자라난 천애의 고아들이었다는 사실이다. 오늘 나장에게 죽도록 얻어맞고 강제로 끌려갈 뻔한 남자아이 역시 일찍이 고아가 되어 집도 없이 떠돌이로 자랐다.

이미 사라진 아이들의 사건과 조금 전 의금부 나장에게 끌려가던 남자아이의 일이 삼손의 눈에 예사롭지 않게 보였다. 그 두 가지 사건을 상관하여 생각해보니 어떤 공통점이 발견되었다. 그 가운데에서도 왕명으로만 움직이는 의금부 군사들이 이곳 행신마을까지 내려왔다는 것에 주목하였다. 현재의 왕은 아무런 힘도 없는 빈껍데기 일뿐이라는 사실은 백성들이라면 누구나 알고 있는 일이었다. 결국 의금부를 움직인 사람은 단 한 사람뿐이었다. 왕후 추씨였다. 그것은 부인할 수 없는 사실이었다.

그렇다면 갑작스럽게 아이들이 사라지게 된 이 사건의 배후에는 왕후가 관련 된 커다란 음모가 숨어 있음을 삼손은 본능적으로 직감했다. 남자아이는 뭔가 불길한 생각이 들었는지 갑자기 겁먹은 얼굴로 세령한테 착 달라붙었다. 그러고는 무언가 말하고 싶은 듯 입술을 달싹였다.

"왜 그래? 이젠 안심해도 돼. 누나 따라서 같이 가자. 어서 상처도 의원에게 보여줘야 하고 말이야. 그런데 너 이름이 뭐니?"

세령이 불안해하는 아이를 안심시키려고 환하게 미소를 지으며 말했다.

"제 이름은 길상이에요. 근데 드릴 말씀이 있어요. 그게……실은… 제 누이가 오늘 낮부터 보이질 않아요. 그래서 동생을 찾기 위해 시장에 왔다가 아까 그 아저씨에게 붙들린 거예요. 동생은 저 없이는 사람들과 의사소통을 할 수도 없어요. 어렸을 때 심한 열병을 앓고 난 뒤부터 말을 못하거든요. 제 동생을 꼭 찾아야만 해요. 제발…… 도와주세요!"

남자아이는 손을 대기만 해도 눈물을 쏟아 낼 듯이 눈물이 가랑가랑 맺혔다.

"정말 네 동생이 없어졌다는 게냐?"

문득 삼손의 눈빛이 변했다.

"동생은 저 없이는 하루도 못 살아요."

남자아이는 소매로 눈시울을 훔쳤다.

"저런, 그런 일이 다 있었어? 동생 이름이 뭐야?"

아이의 예상치 못한 뜻밖의 말에 세령은 가슴이 덜컥 내려앉았다. 불길한 예감이 갑자기 머리에 지나갔다. 그녀는 사라진 아이들이 위험하다는 낌새를 본능적으로 느꼈다.

"정월이예요. 이정월……."

동생의 이름을 부르는 아이는 목이 메어 말을 채 마치지 못했다.

그때였다. 저만치서 누군가 세령을 반갑게 부르는 목소리가 들려왔다. 곧바로 세령이 고개를 돌리자 나타난 이는 다름 아닌 춘삼이였다. 상단 본원으로 돌아올 시간이 넘었는데도 돌아오지 않자 걱정이 되어 찾아 나선 것이다.

"세령아! 대행수 어르신께서 찾으신다. 삼손 자네도 말일세. 그런데 이 아이는 누군가?"

두 사람이 함께 있는 모습을 본 춘삼이는 멋쩍은 듯 어색한 미소를 띠었다. 그러다가 콧물을 훌쩍거리며 울고 있는 남자아이를 발견하고는 그리로 시선을 옮겨 갔다.

"조금 전 의금부 군사에게 끌려가던 아이일세."

삼손의 표정은 여전히 풀리지 않았다.

"의금부 군사라고?"

춘삼이가 화들짝 놀라며 물었다.

"그뿐만이 아니야. 이 아이의 누이가 오늘 갑자기 사라졌데. 뭔가 심상치 않은 일이 벌어지고 있는 게 분명해."

세령은 뭔가 의심스러운지 고개를 갸우뚱 기울이고는 심각한 표정을 지었다.

정말 이상한 일이었다. 그동안 비밀 결사 조직의 단원들이 사라진 아이들의 행방을 찾고자 백방으로 수소문해 보았으나 끝내 찾지 못했다. 잠시 춘삼이는 아이를 유심히 살펴보았다. 상단에서 거래하는 국밥집에 자주 들락거리던 아이가 분명했다. 온 몸에 상처를 입은 아이를 보자 마음이 아파왔다. 여동생이 사라졌다는 말에 심장이 덜컥 내려앉았다. 현감에게 여동생을 잃은 자신의 처지와 비교하면서 그 아이에게서 동병상련을 느꼈다.

본원으로 돌아온 삼손과 세령은 최낙훈 대행수에게 오늘 시장에서 있었던 일의 자초지종을 세세히 보고하였다. 상황을 전해들은 대행수의 표정도 이전과는 전혀 달랐다. 자신이 생각했던 것보다 아이들의 실종 문제가 더욱 심각한 양상으로 전개되자 깊은 시름에 젖어갔다. 한양에서 파견 되어 온 의금부의 군사가 남자아이를 강제로 데려가려 했다는 것만으로도 예삿일이 아니게 보였다. 의금부는 개인의 영달을 위해서가 아닌 오직 왕명을 받들어 움직이는 기관이다. 그러기 때문에 오늘 사건이 보잘것없는 한 낱 나장이 독단적으로 벌인 일이라고 섣불리 단정을 내릴 단계가 아닌 것이다. 대행수는 끈끈하게 땀이 배어나는 손바닥을 천천히 비비적거리며 한참만에 입을 열었다.

"실종된 아이들을 찾기 위해서라도 반드시 궁궐 안으로 들어가야만 한다. 그러기 위해서는 이번에 우리 상단에게 할당된 인삼 공납문제가 오히려 기회가 될 수도 있어. 조정에서는 인삼과 같은 아주 귀한 진상품에 한해서만 상단 상인들이 직접 궁 안으로 갖고 들어올 수 있게끔 정했다. 그동안 인삼을 조달하던 공인들이 파산하자 궁여지책으로 그런 방법을 생각 해낸 게지."

"저희 상단에 인삼을 떠넘겼다고요? 어찌 인삼도 한번 취급하지 않은 상단에…… 그것도 요즘 금값보다 더 비싼 인삼을 지들한테 갖다 바치라는 겁니까? 아버지! 이게 말이 된다고 생각하세요?"

세령은 버럭 화를 냈다. 그게 될 법이나 한 얘기냐고 펄쩍 뛰었다. 세령은 날벼락을 맞은 기분이었다. 처음엔 잘못 들은 줄 알았다. 하지만 대행수의 침묵은 그것이 사실임을 반증하고 있었다. 분위기가 순식간에 어색해졌다. 그때 꾸어다 놓은 보릿자루처럼 한쪽 구석에 얌전히 있던 박화룡이 토라진 아이를 달래듯 대화에 끼어들었다.

"아따, 세령아! 오늘 대행수님이 관아에 들어갔다가 오셨잖냐. 송철형님과 덕환이가 함께 모시고 갔다 왔는데 현령의 작태가 여간 가관이 아니었다고 하더라. 대행수님께서 인삼공납의 어려움에 대해 아무리 설명을 해줘도 이놈은 귓구멍이 막혔는지 들을 생각도 안했다지 뭐냐. 아이고, 이 썩을 놈이! 적반하장으로 정해진 기일 안에 인삼을 공납하지 않으면 우리 상단의 문을 닫게 하겠다며 생다지로 겁박까지 했다지 뭐여."

"그게 사실이에요?"

세령의 얼굴이 순식간에 굳었다.

"왕후의 칙령을 받은 현령이 제 아무리 인삼을 구할 방도를 궁리해도 뾰족한 수가 없자, 자기 목숨을 보전하기 위해 간사한 꾀를 낸 것이지."

대행수는 대단히 심란한 기색으로 읊조리듯 말했다.

"결국 일이 뜻대로 되지 않으면 아버지와 저희 모두를 희생양으로 내몰겠다는 거군요."

그동안 감당할 수 없을 만큼 억울했던 인생을 살아왔던 상단 사람들을 찬찬히 훑어보자 분통이 터질 것만 같은 원통함이 그녀를 무겁게 짓눌렀다.

"이제 인삼을 어디서 구하실 겁니까?"

문득 삼손의 음성에 비장함이 서렸다. 그의 머릿속에 복잡한 생각이 스쳐가고 있었다. 지금이라도 대의를 위해 뜻을 같이 하기로 한 상단 사람들에게 솔직하게 자신의 신분을 밝히고 싶었다. 조선의 적통을 이을 세손이라고. 하지만 작금의 현실은 이름 석 자 내걸고 행세할 처지도 아니어서 그럴 수도 없었다. 그도 그럴 것이 친할아버지인 왕은 어리석게도 요망한 계비에게 홀리어 삿된 길로 빠져 착한 세자를 죽음으로 몰아넣었다. 그뿐만 아니라 임금으로서 제구실을 하지 못하는 허수아비였기에 백성들의 손가락질을 받았다. 더욱이 조정의 신료들과 지방의 관리는 무능하다 못해 한심하기가 짝이 없고 썩어 문드러지기가 한이 없었다. 거기에다 백성은 가난과 궁지에서 매일 허덕이고 있는 상황에서 삼손은 자괴를 금할 길이 없었다. 이 모든 것을 바로잡기 위해서라도 그는 위기에 처한 나라를 구하고 도탄에서 허덕이고 있는 백성을 구제하는 일을 바삐 서둘러야만 했다. 그러기 위해서는 폭정과 혹세무민의 원흉인 왕후를 반드시 죽여야만 한다는 것을 그가 다시 한 번 깨달았다.

"태룡산으로 갈 걸세."

대행수는 점잖게 턱밑 수염을 어루만지며 말했다.

"태…룡산이요?"

삼손은 놀랐는지 눈을 똥그랗게 떴다.

"아니, 왜 그리 놀라는가? 혹 무슨 문제라도 있나?"

대행수는 삼손의 어깨가 움찔거리는 것을 놓치지 않았다. 아무도 그에게 그렇게 물어온 사람이 없었다. 그의 시선이 잠시 삼손에게 머물렀다. 그러고 보니 볏골마을에서 할아버지와 단둘이 살았다는 말만 들었을 뿐 삼손에 대해 정작 아는 것이 별로 없었다.

삼손은 순간 말문이 막혔다. 태룡산이라는 이름을 들었을 뿐인데 여태껏 한 번도 본적이 없는 어머니에 대한 그리움이 절로 솟구쳐 올랐기 때문이었다. 삼손은 짧은 동안 머뭇거리다 평정심을 되찾고는 차분하게 말했다.

"태룡산은 산세가 워낙 험하고 골이 깊어 아무나 들어 갈 수 없는 곳이라 들었습니다. 그런 곳으로 인삼을 구하러 가신다고 하니 당황스러워 그랬습니다."

"자네가 태룡산을 잘 알고 있다니 의외로군 그래."

대행수의 말투에서 긴장감이 느껴졌다.

"할아버지에게 들은 이야기가 생각이 나서요."

삼손은 마음이 찔렸지만 미리 준비한 답변을 꺼내들었다. 그는 여러 가지 생각이 얽혀서 지금 머리가 복잡했다. 조금 전 의심의 눈빛으로 쳐다보는 대행수에게 자신의 신분을 언제까지 숨길 수 있는지와 또한 이 나라의 세자빈이신 어머니가 현재 태룡산 깊은 곳에 은둔 중이라는 사실이 혼란스레 교차했다. 삼손은 생각할수록 이번 상단의 공납문제로 인해 아주 오래전 헤어졌던 어머니를 만날 수도 있다는 가능성이 생기자 이것이야말로 정말 운명의 장난인 것만 같았다.

"아하, 그런 것이었구먼."

대행수는 삼손의 대답에 고개를 끄덕이며 동조하는 태도를 보였다.

"조금 전에 데리고 온 아이의 말대로 의금부에서 아이들을 납치하고 있다면 이건 보통 심각한 문제가 아닌 것 같아요. 아이들을 데려다가 무얼 하려고…… 도대체 왕후가 무슨 일을 꾸미고 있는 건지 도무지 감이 잡히질 않아요."

세령이 심각하게 말했다.

"혹시, 신전과 관련 된 일이 아닐까요?"

삼손은 이렇게 말하며 한숨을 내쉬었다.

"신전이요? 아이들이 어른보다 힘도 약하고 그런데… 아무리 잔인무도한 악인일지라도 고된 노역을 시키기에는 큰 무리일 것 같은데요."

미소를 지으면서도 조금은 걱정스러운 얼굴로 세령이 말했다.

"아니요. 제가 말한 것은 그게 아니라 뭔가 더 큰 다른 이유가 있지 않을 까 싶습니다."

삼손은 자신이 내뱉은 말에 눈을 크게 뜨고 불안한 표정을 지었다.

궁에서 벌어지고 있는 일들에 대해 그는 어떤 좋지 않은 느낌을 받았다. 말로는 설명할 수 없는 감정이었다. 그것을 생각할수록 무언가가 가슴을 짓누르는 듯했다. 숨을 쉬기도 어려웠다. 아이들에게 불길한 일이 생길 것만 같은 예감이 적중할까봐 두려움이 엄습하고 있었다.

"음, 그걸 확인하기 위해서라도 하루빨리 궁에 들어가야겠어요."

세령은 스스로를 달래듯 중얼거렸다.

대행수의 집무실에 모여 있던 단원들도 이들의 대화를 말없이 애끓는 표정으로 지켜보았다. 마을에서 사라진 아이들의 문제가 남의 일이 아닌 것 같아 모두 침통한 얼굴로 굳어 들고 있었다. 대행수는 하루빨리 궁궐로 들어가기 위해서라도 태룡산으로 단원들을 보내야만 한다고 결심했다. 그 길만이 왕후를 죽일 수 있는 유일한 방법이었기 때문이었다.

"기왕 말이 나왔으니 이야기하마. 춘삼이는 단원들과 함께 지금 당장 태룡산으로 떠날 채비를 서두르거라."

최낙훈 대행수의 눈빛에 결의가 담겨있었다.

"네. 알겠습니다. 대행수님."

춘삼이의 대답은 의외로 간결했다.

하지만 그의 염려는 깊어만 갔다. 태룡산은 일찍이 산세가 깊고 험준한 걸로 치자면 조선 팔도에서 으뜸이었다. 봉우리마다 깎아지른 절벽들이 치솟아 있는 것이 마치 천연의 요새와도 같은 곳이었다. 숱한 심산계곡을 누비며 산삼을 찾아다닌 심마니들조차 함부로 올라가지 않는 곳이 기도 했다. 하지만 그가 걱정하는 것은 그것뿐만이 아니었다. 덕환이가 아직 아무에게도 말하지 않은 태룡산과 관련된 풍문 때문이었다. 덕환이는 이와 관련 된 내용을 최 대행수가 알게 될 경우 태룡산으로 가는 것을 취소할 것이라 염려되어 말하지 못하고 있었다. 대의를 이루지 못하게 될까 걱정이 된 그는 춘삼이에게만 모든 이야기를 사실대로 털어놓았다.

덕환이가 말한 내용은 이랬다. 태룡산으로 가기 위해 필히 거쳐야 하는 한 마을에서 기이한 소문이 떠돌았다. 그 내용인즉, 억울하게 죽은 원귀가 마을 전체를 휩쓸면서 수많은 사람들이 죽어 갔다. 마을 사람들이 원귀를 달래기 위해 위령제를 지냈지만 모두 허사였다. 새로 부임한 사또가 하루가 멀다 하고 비명횡사를 했다. 조선에서 내로라하는 이름난 검객들이 자신의 뛰어난 검술실력과 명성을 증명하기 위해 마을에 들어갔다가 피골이 상접한 처참한 모습으로 죽어서 돌아왔다. 지금까지 이천 명에 가까운 생명들이 제명대로 살지 못하고 죽었다는 소문이 꼬리를 물었다.

춘삼이는 이러한 사실을 아직 다른 단원들에게 알리지는 못했다. 태룡산으로 떠나기도 전에 그들이 크게 동요할까봐 그랬다. 그러나 언제나 예외는 있기 마련이었다. 그는 최 대행수에게만 사실 그대로 고했다. 가장 큰 이유는 세령을 이번 장삿길에서 빼내기 위함이었다. 춘삼이는 평소 세령을 친누이처럼 대하며 지냈지만 실은 그녀에게 애틋한 연모의 정을 느끼고 있었다. 그녀가 위험에 처하도록 그냥 내버려 둘 수는 없었기에 춘삼이는 최 대행수에게 간곡하게 부탁했다. 사실을 알게 된 최 대행수는 비록 소문에 불과한 일이었지만 단원들 전체의 안전을 위해서 태룡산행을 없었던 일로 하기로 하고 다른 대안을 찾기로 결심했다. 하지만 조선 전역에서 인삼을 구하기가 하늘의 별따기처럼 어려웠다. 결국 최 대행수는 고심 끝에 대의를 위해 단원들을 태룡산에 보내기로 결정을 내린 것이다.

"아버지, 저도 어서 준비를 할게요."

세령은 스스로에게 다짐하듯 단호한 말투로 말했다.

"세령이 넌, 이번 상단 일에서 빠지거라."

최 대행수의 걱정스러운 목소리가 허공으로 흩어졌다. 딸을 바라보는 그의 눈빛이 소중한 누군가를 잃은 사람의 그것처럼 애처로워 보였다.

"아버지! 그게 무슨 말씀이세요? 저보고 가지 말라는 말씀이세요?"

세령의 놀란 눈을 보고 최 대행수가 가만가만 손을 내저었다. 더 이상 물어보지 말라는 뜻이었다.

"넌 여기 남아서 나를 좀 도와줘야겠다. 그건 그렇고 조금 전에 심하게 다친 아이를 네가 데려왔으니 끝까지 책임을 져야 할 것이 아니냐?"

최 대행수는 조금도 표정을 흩트리지 않은 채 세령을 지그시 바라보았다.

대행수는 택언에 신중한 사람으로 함부로 말할 사람이 아니었다. 상단을 따라 나서지 말라는 말을 예사로 할 사람도 아니었다. 단원들 누구도 그 말에 토를 달지 않았다. 세령은 처음으로 상단 단원들과 함께 하지 못한다는 생각에 화가 치밀어 올랐지만 겨우 참았다. 문득 지난 번 인왕산에서 호랑이에게 물려 죽을 뻔한 아버지의 놀란 모습이 떠올랐다. 차라리 이곳에 남아 아버지의 곁에 있는 것이 나을 것 같단 생각이 들었다.

"으음, 알겠어요. 그런데 제가 빠지면 누가 저 대신 가게 되는 거죠?"

세령의 격한 표정이 조금은 수그러들었다.

"이보게, 삼손. 자네가 같이 가주게."

최 대행수의 목소리가 더욱 낮고 은밀해졌다.

"아버지! 도련님은 아직 우리 상단의 손님이세요."

세령은 자기 귀를 의심했다.

"치, 아직 상단 일도 잘 모를텐데……."

정길이가 혼잣말처럼 중얼거렸다.

다른 단원들도 어리둥절하기는 매한가지였다. 그 가운데 춘삼이만 최 대행수의 의중을 이해하고 있는 듯 보였다.

"너희들도 잘 알다시피 태룡산으로 가는 길은 멀고도 험하기로 널리 알려져 있다. 지난 십여 년 동안 내리 흉년이 들어 조선팔도에는 인심이 흉흉해졌을 뿐만 아니라 곳곳에 도적떼가 들끓고 있어 항시 장사꾼들을 노리고 있는 형국이다. 지난 번 인왕산에서 내가 겪은 일을 다들 기억하고 있겠지? 그때 삼손은 굶주린 호랑이를 맨손으로 잡을 정도로 용맹무쌍할 뿐만 아니라 힘이 장사다. 그런 그가 너희들과 함께 떠나는 것이 도움이 되면 되었지 결코 손해 보는 일은 없을 것이다."

최 대행수는 삼손을 신뢰하는 듯한 눈빛을 보내고 있었다.

싸늘하게 식은 차를 한참 내려다보며 잠시 머뭇거리던 삼손이 뭔가를 결심한 듯 자리에서 일어섰다.

"네. 그리하겠습니다."

삼손이 조금은 미묘한 표정을 지으며 대꾸했다.

독심술을 익힌 삼손은 춘삼이와 최 대행수가 무엇을 염려하는지 환히 꿰뚫고 있었다. 할아버지에게서 태룡산에 대한 이야기를 익숙히 들어 온 터라 그들이 걱정하고 있는 소문에 대해서도 별반 신경을 쓰지 않았다. 삼손이 태산같이 꿈쩍도 않는 이유는 제 나름대로 믿는 구석이 있어서였다. 그는 어려서부터 도술에 능한 할아버지에게서 번개와 비바람을 불러일으키는 술법과 몸을 마음대로 숨기고 변할 수 있는 둔갑술, 먼 거리를 단박에 달려 갈 수 있는 축지법, 악귀를 분별 할 수 있는 안력은 물론 퇴치하는 축사의 능력을 모두 전수 받았다.

삼손은 타고난 힘장사로 초인적인 힘을 갖고 있을 뿐만 아니라 어릴 적부터 도술까지 익혀둔 터라 별로 겁나는 게 없었다. 단지 주위 사람들에게 자신의 신분과 능력을 속이는 것과 상대의 속마음을 다 알면서도 모르는 척 새침을 떼고 있자니 마음이 영 무겁고 불편했다.

저녁노을이 하늘을 온통 붉게 물들이고 있는 즈음에 삼손은 단원들과 함께 짐을 꾸려 행신마을을 나섰다. 머리에 목화솜 뭉치 두 개가 달려있는 패랭이를 쓴 그는 한동안 묵묵히 걷기만 했다. 한편으론 태룡산에 가서 어머니를 만날 수 있다는 사실이 그를 조바심치게 만들었다. 삼손은 그동안 살아오면서 지난일은, 그것이 어떠했든지 간에 이제는 지나간 것이라 여겼다. 몇 해만 지나면 그런 일은 없었던 것처럼 될 것이고 슬픈 기억은 세월이 흐르면서 자연적으로 잊혀지게 마련이라고 생각했다. 하지만 이상하게도 삼손은 길을 걸으며 어머니라는 존재를 떠올리자 가슴속에서 뜨거운 그 무엇이 가득 차오르는 것이 느껴졌다. 일행과 함께 마을 고개를 넘어가는 순간 자기도 모르는 사이 덧없이 눈물이 흘렀다. 세자빈이 자신의 어머니란 사실을 알고부터 내내 생각했었다. 처음에는 왜 자신을 끝까지 곁에 두지 않고 떠나보내야만 했는지 따져 묻고 싶었다. 하지만 모든 사정을 이미 알고 있는 터라 그럴 수도 없었다. 어머니를 만나면 무슨 말을 어떻게 해야 할지, 뭘 어떻게 해야 할지, 그의 머리 생각은 오로지 어머니에 대한 부푼 기대감 한 가지로 가득 채워져 있었다.

제7장 오해와 진실

허름한 옷차림을 한 백발의 노인이 태룡산에 나타났다. 헝클어진 머리칼과 날카로운 눈매 때문에 성질이 괴팍하게 보이기도 했다. 이곳 지형을 잘 알고 있는 것처럼 마치 훨훨 나는 듯이 수풀을 헤치고 지름길로 좁은 산길을 올랐다. 한 손에 자기 키보다도 크고 굵다란 지팡이를 든 노인은 별로 힘을 들이지 않고 여러 험한 고개를 넘었다. 조금 뒤에 높고 가파른 절벽에 둘러싸인 계곡에 가까워지자 그가 이번에는 학 다리 주법으로 바닥을 치는 소리를 내며 더욱 빠른 속도로 움직였다.

이윽고 산의 한쪽 골짜기에 노인이 도착하자 좌우로 치솟은 암벽 사이로 거대한 소리를 내며 폭포가 쏟아지고 있었다. 그는 익숙한 솜씨로 외나무다리를 발디딤으로 하여 절벽 사이를 사뿐히 건넜다. 맞은편 숲속으로 들어가자 곧 커다란 동굴이 나타났다. 노인은 곁에 있던 바싹 마른 나무막대기를 집어 들고는 다른 한 손에 들고 있던 지팡이로 쉽게 불을 붙였다.

노인이 동굴 내부로 들어가는 순간 찬 기운이 온몸을 뒤덮었다. 동굴 안쪽으로 더 들어가자 천장에 달린 석주에서 큰 물방울들이 머리며 등허리에 툭툭 떨어져 내릴 때마다 몸을 오싹거렸다. 동굴 천장과 벽면에 불빛을 비추자 마치 금가루를 뿌려놓은 듯 반짝이는 빛이 반사됐다. 노인이 한참 길을 걸어가니 제법 넓은 공간이 나왔다. 사방으로 불빛을 비추니 거미줄처럼 얽힌 넓은 통로가 여러 갈래로 뻗어 있었다. 그때 멀리 어둠 속에서 까물까물 다가오는 불빛이 보였다. 점점 사방이 환해지는 동시에 거대한 뭔가가 떡떠그르르하며 다가오고 있는데 흡사 천둥이 고막을 때리는 듯했다. 조금 뒤 낯익은 여자의 목소리가 들려오자 노인은 반가운 마음을 감출 수 없었다.

"어, 할아버지?"

"내 예상이 맞았구나. 공주 네가 여기 있을 줄 알고 찾아왔다."

노인의 굳은 얼굴이 금세 환해졌다.

"우아, 할아버지 언제 돌아오셨어요? 이번에는 꽤 오래있다 오실 줄 알았죠."

공주는 할아버지를 보고 좋아서 싱글벙글했다.

"음, 어떻게 되다 보니 일이 그렇게 된 것뿐이다. 어허허, 공주는 할아버지가 일찍 돌아와 실망했느냐?"

노인은 그녀를 보며 장난스레 웃었다.

"호호호……. 할아버지도 참, 너무 기뻐서 그런 걸요."

그의 농담에 그녀는 호호 웃었다.

"영감이 어쩐 일로 공주를 다 찾으러 오셨소?"

공주 바로 옆 바닥에 나부죽이 엎드린 탄닌은 거센 콧김을 내뿜으며 뒷발로 돌부리를 툭툭 차고는 풀 죽은 목소리로 말했다.

"허허, 이 고얀 녀석 보게. 어른한테 말버릇이 그게 뭐냐?"

노인은 농담 섞인 말을 던졌다.

"내 비록 동굴 속에서 이리 숨어 지내고 있기는 하지만 거 말은 똑바로 합시다. 17년 전 내가 영감을 처음 만났을 때에도 지금의 영감보다 나이가 더 많았으면 많았지 적지는 않았을 거요."

탄닌도 지지 않고 노인에게 맞대꾸하며 얼굴을 쳐들어 보였다.

공주가 팔짱을 끼고는 노인과 탄닌을 번갈아 보며 못 말리겠다는 듯이 고개를 절레절레 저었다. 예전부터 그들은 만나기만 하면 아무 일도 아닌 것을 가지고 옥신각신하며 티격태격 하였다.

"왠지 둘 사이가 오늘은 좀 조용하다 싶었더니 또 시작이에요! 자, 다들 그만 멈춰요!"

그녀는 어깨가 들썩댈 만큼 숨을 씩씩거리며 할아버지와 탄닌을 흘겨보았다.

"으하하! 농담이야, 농담. 그러니까 너무 속상해 하지 마, 공주야. 너도 그렇지 탄닌아?"

노인은 너스레를 떨기 시작했다.

"그렇고말고. 그건 영감 말이 맞아. 기분 풀어 공주야."

탄닌이 코를 벌렁거리며 콧김을 세게 내뿜었다.

"그래, 알았어. 할아버지도 너도 또 한 번 다시 그러면 절대 용서하지 않을 거야."

공주가 그런 생각은 한 번도 해본 적이 없다는 듯 눈을 크게 뜨며 말했다.

공주에게 있어서 할아버지와 탄닌은 월령아줌마와 함께 가장 소중한 존재였다. 오래 전 탄닌을 집으로 데리고 온 사람이 바로 할아버지였다. 탄닌은 태룡산 분지에서 처음 발견 된 당시에 도룡뇽처럼 몸집이 아주 작은 상태였다. 공주가 커가면서 외로움을 느끼자 할아버지는 그녀에게 탄닌을 선물로 주었다. 어린 공주는 탄닌을 보고는 너무나 기뻐했다. 크기가 손바닥만한 탄닌도 공주를 무척 잘 따르며 구름에 달 가듯이 둘은 꼭 붙어 다녔다. 그러던 어느 날부터인가 탄닌은 하루가 멀다 하고 몸의 형태가 변하기 시작했다. 하루는 두꺼운 갑옷과 같은 비늘이 온 몸에 생기더니 다음날은 몸이 길어지고 꼬리가 굵어졌다. 삼일 후에 날카로운 송곳니와 입은 커져만 갔고 어느새 탄닌의 귀여운 눈은 파충류와 같은 눈으로 바뀌었다. 닷새가 지나자 네 다리의 발에는 독수리 같은 발톱이 자라났으며 칠일이 되자 뒷다리로 걷고 앞다리는 팔처럼 쓸 수 있게 되었다. 며칠이 더 지나고 난 뒤 탄닌은 상황에 따라서 땅을 짚고 사족 보행을 할 수도 있었다. 보름이 채 되기도 전에 등에 날개도 생겨났는데 새와 같은 깃털날개가 아니라 박쥐와 같은 뼈대와 막으로 된 몸보다 훨씬 큰 날개였다.

이전과 몰라보게 달라진 탄닌의 모습을 보고 공주는 두려워하고 놀라기보다는 무척 놀라워하며 신기해했다. 이전보다 더욱 신이 난 공주는 탄닌의 등에 수시로 올라타 실컷 놀았고 가끔 하늘을 날아 오르기도 했다. 탄닌은 공주를 등에 태우고 태룡산 꼭대기 위를 여러 차례 돌기도 했다. 하지만 할아버지는 탄닌이 세상에 공개되는 것을 절대 원치 않았다. 드래곤이 세상에 정체를 드러내게 되면 큰 혼란이 일어남과 동시에 탄닌을 죽이려는 사냥꾼들이 몰려들 것이 분명했기 때문이었다. 사실 그보다는 공주가 다치는 것을 원치 않았던 것이 크게 작용했다.

할아버지는 탄닌의 존재를 분지마을 사람들도 모르고 있었기에 더 이상 곁에 머물게 할 수 없었다. 결국 태룡산 계곡 숲 속 동굴에 탄닌을 숨기게 되었던 것이다. 아무 영문도 모르는 공주와 탄닌은 너무나 슬퍼했고 할아버지를 원망하기도 했다. 그러나 얼마 뒤 진정한 드래곤으로 성장해가던 탄닌은 할아버지의 결정에 대해 모든 것을 이해하게 되었다. 그리고 얼마 뒤에, 드래곤의 능력인 직관과 통찰을 포함한 예지력이 생기자 탄닌은 새로운 사실들을 알게 되었다.

공주를 키워 준 할아버지의 정체를 알게 된 탄닌은 너무나 큰 충격을 받았다. 셋이 한 가족처럼 지내 온 많은 시간들이 후회가 들 정도로 슬펐다. 처음에는 아무런 의심도 하지 않았다. 태룡산 분지에서 자기를 발견했다는 그의 말이 사실이라고 믿었다. 하지만 그의 이야기는 모두 거짓이었다. 탄닌은 과거와 현재 미래를 볼 수 있는 능력이 원망스러웠다. 이런 재주가 없었다면 예전처럼 아무것도 모른 체 지낼 수 있을 것이라 생각했기 때문이었다.

그때로부터 공주의 할아버지를 전과 같이 대할 수 없게 되었다. 아무리 드래곤이라고 하지만 감정이 있었기 때문이었다. 하지만 공주를 생각하면 너무나 마음이 혼란스러웠다. 탄닌에게 있어서 공주는 아주 특별한 존재였다. 자기의 유일한 친구였다. 만일 영원한 형벌에 자기의 몸을 던져서라도 지키고 싶은 사람이 있다면 바로 공주라는 사실을 잘 알고 있기에 그녀의 마음을 결코 다치게 하고 싶지 않았다. 하지만 비밀은 그리 오래가지 못했다.

"공주야, 어서 집으로 가자. 먼 길을 걸어왔더니 배가 고프구나."

노인이 슬며시 미소를 지으며 말했다.

"아…시간이 벌써 그렇게 되었네요. 탄닌 오늘은 이만 가볼게."

공주가 아쉬운 듯 탄닌을 쳐다보며 말했다.

"그래 알았어. 잘 가. 내일 또 보자."

탄닌이 고개를 끄덕이면서 대답했다.

그렇게 공주는 할아버지를 따라 동굴 밖으로 나갔다. 계곡을 벗어나 숲길을 따라 집으로 향하는 두 사람의 곁에서 온갖 새들이 재잘재잘 노래를 불렀다. 집이 가까워지자 갑자기 할아버지가 공주에게 말을 건넸다.

"아이고, 내 정신 좀 봐라. 공주야 너 먼저 집으로 가 있거라. 할애비는 월령아줌마에게 잠시 할 이야기가 있으니 얼른 다녀오마."

"아줌마에게요? 그럼 저도 같이 가요."

공주가 의아한 표정을 지으며 말했다.

"아니야. 넌 집에 가서 있어. 할애비가 아줌마에게 긴히 할 말이 있어서 그래."

노인은 애써 표정을 바꾸며 어서 가라는 듯이 손짓해 보였다.
"알겠어요. 그럼 다녀오세요."
공주가 단정한 목소리로 대답했다.
노인은 공주가 집으로 가는 뒷모습을 바라보다 뒤로 돌아서 조금 전 왔던 계곡 쪽으로 발걸음을 옮겼다. 그가 뭔가 실수를 저질렀을까 걱정이 되는지 약간 근심스러운 표정으로 좌우를 두리번거렸다. 다시 동굴 앞에 도착한 노인이 안으로 들어갈 듯 말 듯 망설이며 서있었다. 노인은 한참 만에 숨을 길게 내쉬고는 동굴 속으로 들어갔다. 불이 꺼진 동굴 안은 한 치 앞도 안 보일 정도로 아주 새카맸다. 노인이 오랫동안 쓰고 매만져서 길이 든 흔적이 있는 지팡이를 앞으로 몇 번 내어 휘두르자 지팡이가 빛을 내기 시작했다. 암흑 같은 어둠이 어느새 온데간데없고 노인이 지팡이를 짚을 때마다 환한 빛줄기가 동굴 속을 장대처럼 이리저리 훑고 있었다.
대낮 같이 환해진 동굴 속으로 노인은 능숙하게 더 깊숙이 들어갔다. 그때 바람 소리가 진동을 일으키며 무언가 거대한 물체가 다가오는 소리가 들려왔다.
"영감, 왜 다시 오셨소?"
탄닌은 노인이 되돌아 올 줄 알고 있었다는 말투였다.
"네가 공주에게 세자빈마마님의 이야기를 해주었다고 들었다. 그런데…왜 나에 대한 말은 그 아이에게 안한 것이냐?"
노인은 그 이유를 탄닌에게 물어보려 했다.
"영감의 정체를 밝혔다가 괜히 공주가 상처를 입게 될까봐 그랬소."

탄닌은 노인의 얼굴을 보며 말했다.

탄닌의 말을 들은 노인은 양심에 가책을 느껴 얼굴 표정을 심하게 일그러뜨리며 고개를 푹 숙였다. 지난날에 대한 미안함과 회한이 범벅이 되어 전신을 옥죄어 왔다. 노인은 탄닌이 성장하기 전까지는 그럭저럭 견디며 살 수 있었다. 하지만 세월이 가고 해와 달이 바뀌자 노인은 자신에 대한 과오를 언제까지고 숨길 수는 없었다.

"탄닌……너에게 하고 싶은 말이 있어서 찾아왔어. 너의 어미에 대한 이야기야."

노인은 무언가 말하고 싶은 듯 입술을 달싹였다.

"내 엄마에 대한 이야기라면 나도 다 알고 있소. 괜히 쓸데없는 말을 해서 분위기 망치지 마슈."

노인의 말에 아픈 곳을 건들린 듯 탄닌의 움직임이 굳어졌다.

"행여 내가 하는 이야기를 곡해하지 말고 들어 주었으면 좋겠구나. 너도 알다시피 난 지난 한 세기 동안 드래곤 사냥꾼으로 살아왔어."

노인은 스스로에게 다짐하듯 단호한 말투로 말했다.

"드래곤 슬레이어……. 우리 드래곤들은 당신들을 그렇게 부르지."

탄닌은 눈 하나 까딱 않고, 고개를 똑바로 쳐들었다.

드래곤 슬레이어는 태어나면서부터 드래곤을 잡는 데 특화된 존재에게 붙이는 일종의 칭호였다. 그들은 조상 대대로 드래곤을 사냥하여 죽이거나 생포했는데 그 수법은 아주 잔인하고 극악무도했다.

"그래 네 말이 맞아. 그 이름…… 참으로 오래 간만에 들어보는 이름이구나. 우리 가문은 대대로 드래곤 사냥꾼들을 배출한 집안이었지. 수천 년 세월 동안 조상들은 손에 드래곤들의 피를 묻히며 살아왔어. 나 역시도 예외는 아니었다. 하지만 어느 때부터인가 지금 하고 있는 일에 대해 회의가 들기 시작했어."

과거를 떠올리자 노인의 눈빛이 몹시 고통스러웠다.

"풋, 학살을 자행하고 나서 미안하다 하는 꼴이군."

지팡이에서 나오는 불빛에 눈을 번득대며 탄닌은 큰 소리로 답했다.

"난 원로들에게 이제 그만 칼날을 거두고 평화를 가져와야 한다고 주장했어. 하지만 내 말은 전혀 먹혀 들지 않았지. 그 이후로 나는 이단아처럼 유약무한 존재로 따돌림을 당했단다. 후후, 그들은 드래곤 사냥에서도 날 완전히 배제시키고 말았어."

무언가를 바라보는 노인의 눈빛에서 안타까움이 비어져 나왔다.

"나 원 참, 그래서 지금 나보고 같이 슬퍼해달란 거요?"

탄닌은 흰 콧김을 길게 내뿜고는 노인의 이야기에 관심을 보였다.

"남의 말을 삐딱하게 듣는 버릇은 안 좋아. 결국 살던 고향을 떠나게 된 난 외톨이처럼 거의 혼자 지내게 되었지. 그러다 오게 된 곳이 바로 이곳 태룡산이었단다."

노인의 음성이 무겁게 갈라졌다. 흰 머리에 길게 난 하얀 수염, 이마에 세월의 흔적이 깊이 파인 노인은 마치 신선과 같은 모습이었다.

"정말, 눈물 없이는 들을 수 없는 얘기로군."

탄닌의 얼굴에도 그늘이 짙게 드리웠다. 예전에는 노인과 이런 이야기를 나누게 될 줄은 상상도 못했기 때문이다.

"난 이곳에 머물며 바깥세상하고 완전히 단절된 채로 살아갔지. 악몽 같았던 사냥꾼 생활도 끝이나니 마음이 조금은 홀가분해졌어. 말하자면 나는 태룡산에서부터 새로운 삶을 시작한 셈이었다."

노인은 차분한 목소리로 말했다.

허리를 꼿꼿이 세우고 서있는 노인은 나이를 가늠하기 어려울 정도로 건강해 보였다. 드래곤 사냥꾼들은 장수는 기본이고 술법에도 능통했다. 드래곤들을 사냥하기 위해 여러 가지 모습으로 변신하는 둔갑술을 사용하기도 하였는데 수많은 드래곤들이 이에 속아 많은 희생을 당했다. 탄닌은 과거 태룡산에서 자신을 길러주고 돌봐 준 노인의 모습을 떠올렸다. 그가 지금 하고 있는 말들은 모두 사실이었다. 드래곤의 완전한 능력이 생기기 전까지 그를 인정 많고 마음씨 좋은 평범한 사람처럼 느꼈기 때문이었다. 탄닌이 어느 정도 자란 후 노인의 과거를 우연히 알게 되었을 때 충격이 컸던 것도 그런 이유 때문이었다.

"허허허. 그래서 악랄한 드래곤 사냥꾼에서 남들 보기에 평범한 약초꾼과 의원으로 행세하며 살아왔던 거군."

노인을 보며 탄닌은 혼잣말처럼 중얼 거렸다.

탄닌은 한때 자신의 종족을 처참히 짓밟은 사냥꾼이었던 노인을 용서할 수 없을 것만 같았다. 상극과도 같은 둘의 운명도 언젠가는 비극처럼 끝이 날 것이라 생각했다. 드래곤은 남의 운명은 훤히 볼 수 있어도 자신의 미래는 내다 볼 수 없었다. 은연중에 배어 있는 그렇게 되지 않겠냐는 생각이 그런 추측을 낳게 한 것이다. 조금 전 노인의 말을 들으면서 탄닌은 그때와 마찬가지로 깊은 번민과 고뇌에 빠져들게 되었다.

"그래, 탄닌. 네 말이 옳아. 난 이전처럼 살 수가 없었다. 하루라도 빨리 드래곤 사냥꾼의 흔적을 모두 지우고 싶었어. 태룡산에서 내가 할 수 있는 거라고는 약초를 캐는 일과 산 밑 마을에 사는 병든 사람들을 의술로 도와주는 일 뿐이었다."

노인은 씁쓸하게 웃었다.

"그런데 영감. 우리 엄마에 대한 이야기를 해준다고 하지 않았소. 그 분은 어떻게 알게 된 거요?"

탄닌이 날개를 퍼덕거리려다 말고 불쑥이 고개를 내밀었다.

"그러잖아도 지금 막 그 이야기를 하려던 참이었어. 음, 네 어미는 드래곤 중에서도 용감하고 착했단다. 다른 드래곤들과 달리 사람들을 좋아하고 끝까지 지켜주려고 했지. 마치 너처럼 말이야."

노인은 탄닌 바로 앞에 놓여 있는 움폭 패인 바위에 털썩 주저앉았다. 그러고는 누군가를 생각하려는 듯 눈을 끔벅끔벅하며 머뭇거리다가 씩 웃었다.

"영감은 뜬금없이 왜 나를 갖다 붙이는 거요?"

탄닌은 자신이 미처 보지 못한 과거의 얘기를 듣고 호기심이 당겼다.

"네가 공주를 아끼고 좋아하는 것처럼 네 어미도 너랑 똑같았다는 뜻이야. 어느 날 산에서 약초를 캐고 있는데 별안간 천둥소리 같은 것이 울리면서 지축을 흔들었어. 하늘에는 구름 한 점 없는 화창한 날씨였기에 난 본능적으로 드래곤이 땅에 떨어지며 크게 부딪힌 소리라는 것을 직감했지. 그리고 결과는 내 예상대로였어. 바로 네 어미였단다."

노인이 눈을 들어 탄닌을 올려다봤다. 탄닌의 눈이 뻘겋게 충혈되어 있었다. 한 번도 본 적이 없는 어미에 대한 그리움으로 눈물이 글썽거렸다. 곧바로 생각에 잠긴 듯 두 눈만 끄먹대고 몸을 웅크리고는 목석처럼 미동도 하지 않았다.

"그건 내가 전혀 예상하지 못했소. 어쩌다 그리 된 것이오?"

탄닌은 고개를 살짝 숙이고는 앞다리를 가지런히 모았다.

"음, 누군가에게 쫓기다 그리 되었다."

노인은 조용하고도 엄숙한 음성으로 말했다.

"보나마나 영감과 같은 드래곤 슬레이어들이었겠군."

탄닌은 섣불리 이 대화를 시작한 것이 후회스럽다는 듯 날카로운 이를 드러내며 쓴웃음을 지었다. 드래곤은 유독 같은 종족의 과거와 현재 그리고 미래를 볼 수 없었다. 다만 자신이 노인을 통해서 본 기억의 일부가 전부였다. 그가 드래곤 슬레이어였다는 것을 안 것도 탄닌이 노인의 기억 속을 우연히 들여다보았기 때문이다. 그러기에 탄닌은 사정을 다 알아보기도 전에 속단을 내리는 우를 범하고 말았다. 드래곤 무리와 동떨어져 살아야만 했던 탄닌이 하나 모르고 있었던 사실이 있었다. 드래곤 슬레이어들은 자신들의 사냥 계획이나 생각을 드래곤들이 알아내는 것을 방지하기 위해

특단의 조치를 취했다. 그것은 바로 산 채로 포획한 드래곤들의 피를 마시는 것이었다. 드래곤 슬레이어들이 드래곤들의 약점을 잘 알고 있었기에 가능한 일이었다.

노인도 한 때 드래곤의 피를 마시고 살아왔기 때문에 탄닌이 그의 생각을 전부 읽을 수는 없었다. 사실 탄닌이 노인의 일부 기억만을 읽은 것만 해도 대단한 능력이었다. 드래곤의 피를 마신 사람은 초인적인 능력을 갖게 되는 것뿐만 아니라 초시간적인 영원불멸의 존재로 살 수 있게 된다. 드래곤 슬레이어들이 수 세기에 걸쳐 장수하며 사는 것도 이런 이유에서였다.

“아니, 네가 틀렸어. 네 어미를 죽인 건 사냥꾼들이 아니었어. 바로 네피림들이었다.”

노인의 얼굴에 그늘이 지나가고 있었다.

“뭐요? 그게 사실이오?”

탄닌은 웅크리고 있던 몸을 벌떡 일어선 채 잠시 멍한 표정으로 자기 귀를 의심했다.

“그래. 불로장생을 원하는 왕후의 짓이었어. 그녀가 네피림이란 사실은 아마 너도 알고 있었겠지?”

노인은 조금 진지한 얼굴로 탄닌을 바라보았다. 노인의 말은 모두 사실이었다. 일찌감치 탄닌도 왕후의 정체가 네피림이라는 것을 간파하고 있었다. 그래서 공주에게 왕후의 정체를 말할 수 있었던 것이다.

“맞소. 난 왕후의 내면에 감춰져 있는 사악함과 정체를 꿰뚫고 있었다오. 그런데 우리 엄마를 죽인 게 그 여자였다니……내가 왜 그걸 미처 몰랐을까."

탄닌은 갈라지는 음성을 가다듬으며 입을 뗐지만 더는 말을 잇지 못했다. 그때 동굴 속에서 갑자기 박쥐 여러 마리가 날아가자 노인의 어깨가 반사적으로 움칫하였다. 동시에 음산한 동굴 벽을 할퀴는 바람 소리가 매웠다.

"그건……."

노인은 차마 말을 꺼내지 못하고 두 눈을 감았다.

"영감. 왜 또 그러는 게요? 그 악랄한 여자가 드래곤의 피라도 마신 게요?"

탄닌이 의아한 눈으로 노인을 바라봤다. 노인은 여전히 말이 없었다. 고개를 숙이고 있던 그가 고개를 들고 상체를 앞으로 갸우듬히 기울이며 조심스럽게 말문을 열었다.

"지금의 왕후는 드래곤의 피뿐만이 아니라 이보다 더 한 짓도 서슴지 않고 저질렀어. 탄닌 너는 다른 드래곤들과 달리 상대가 아무리 드래곤의 피를 마셨다고 해도 어느 정도 꿰뚫어 볼 수 있는 안력이 뛰어나단다. 그럼에도 네가 그 여자를 보지 못하는 건……다른 이유가 있어서야."

노인의 눈썹이 꿈틀거렸다.

"아휴… 명확한 말을 하지 않고 시간만 질질 끄는 버릇은 예나 지금이나 여전하시오. 도대체 다른 이유라는 게 뭐요?"

탄닌이 으르렁대듯 한 마디를 내뱉은 뒤 고개를 돌렸다.

"거 참, 급한 성미하고는… 그래 속 시원히 말해 주마. 네가 왕후의 기억을 꿰뚫어보지 못하는 이유는 다름이 아니라 어린 아이들을 자신이 숭배하는 악마에게 재물로 바치기 때문이야. 오래 전 한양 도성 인근 산에서 발견된 아이들의 유골에서 누군가의 매우 체계적이고 의도적인 훼손 흔적이 발견됐어. 유골은 모두 흉골을 따라 긴 자국이 났고 갈비뼈가 망가져 있었지. 유골이 그렇게 된 이유는 신전 제단에서 왕후가 살아있는 아이들의 심장을 꺼내 악마에게 제물로 바쳤기 때문이었어. 그녀는 인신공양 의식을 통해 악마에게서 힘을 공급받고 있는 거야."

노인은 갑자기 자기 얼굴을 탄닌의 얼굴에 바짝 갖다 대고, 그를 정면으로 바라보면서 속삭이듯 말하기 시작했다. 노인의 태도나 말투가 너무 심각해졌다. 이번에는 탄닌도 몸을 부르르 떨지 않을 수 없었다.

"진짜요? 사악한 것은 잘 알고 있었지만…… 아무리 그래도 어떻게 그런 짓을……근데, 영감은 그걸 어찌 잘 아시는 게요?"

탄닌은 자기 자리에서 귀를 기울이다가 놀란 듯이 물었다.

"실은 네 어미를 통해서 알게 되었다. 이런 사실을 알게 된 나도 처음 얼마 동안 미칠 것만 같았어. 후유, 왕후에게 희생 된 아이들을 생각만 해도……."

노인은 되도록 태연하게 말하려 했으나, 목소리는 말을 듣지 않고 계속 갈라지며 떨리기 시작했다.

"근데 영감! 참으로…… 이상하구려. 우리 엄마가 왕후의 악행을 어찌 알게 된 거요?"

탄닌은 의아한 눈빛으로 노인을 자세히 쳐다보았다. 탄닌은 그동안 사람들의 기억을 통해 본 것들이 극히 일부분에 지나지 않았음을 깨닫는 데에는 긴 시간이 필요하지 않았다.

"탄닌아! 혹 너는 용족이라는 이름을 들어 본적이 있느냐?

노인은 잠시 말이 없다가 심각하게 물었다.

"용족이라면…… 용의 혈통을 갖고 태어난 종족이 아니오."

뜬금없는 노인의 질문에 탄닌이 겨우 대답했다.

"네 어미가 바로 용족 출신이었다. 평생을 드래곤의 모습이 아닌 인간의 모습으로 살아왔지. 한양 도성에서 아니… 그것도 궁궐에서 말이야. 너희 어미는 궁녀였어."

노인이 생각에 잠겨 말했다.

"아니, 뭐요? 우리 엄마가 용족이라고요? 더구나 궁녀라니……."

탄닌은 하도 기가 막혀서 말문이 막혔다.

드래곤의 혈족인 용족은 사람의 형태로 변신할 수 있었다. 외모로 볼 때 상당히 젊어 보이지만 사실은 수천 년 이상을 살아온 종족이었다. 위기에 처했을 때는 가공할 만한 능력을 발휘하게 되는데 그때 본래의 모습인 드래곤의 형체로 변하게 된다. 탄닌의 엄마는 자신의 엄청난 힘을 사용하다가 드래곤의 모습으로 돌아왔던 것이다.

"착실하게 궁녀의 삶을 살고 있던 네 어미는 왕후의 악랄한 짓을 보고는 그냥 두고 볼 수는 없었다. 그녀는 혼자서 붙잡혀 온 아이들을 구해내고자 행동을 개시하였어. 궁궐은 이미 세자와 세자빈이 금부옥에 하옥을 당한 터라 몹시 혼란스러운 상황이었지. 네 어미는 왕후가 방심한 틈을 타 신전 지하에 있는 밀실에서 붙잡혀 온 여러 명의 아이들을 빼내 오는 데 성공했단다."

노인은 자신이 알고 있는 이야기를 탄닌에게 모두 들려주기로 마음먹었다.

자신의 엄마가 용족 출신이었다는 것을 새롭게 알게 된 탄닌은 머리가 혼란스러웠다.

"영감, 그래서 그 후로…… 어떻게 됐소?"

탄닌은 자신의 행동에 대하여 혐오스러움을 느꼈다. 항상 자신이 본 것만을 옳다고 여겼을 뿐만 아니라 모든 인간보다 드래곤이 월등히 뛰어난 존재라 여겼던 우월감이 처참히 무너졌기 때문이었다. 지금은 오히려 노인의 말 한마디에 가슴을 들었다 놓을 정도로 무력하고 우유부단하기만 한 자기 자신을 향한 때늦은 분노가 가슴 속에서 들끓고 있었다.

"이에 당황한 왕후는 누구의 소행인지 밝히기 위해 일부러 함정을 파놓았어. 또다시 갓 태어난 아기를 재물로 받치는 의식을 치르려 한다는 이야기를 여기저기 흘리면서 유인책을 썼던 거야. 네 어미는 이번에도 그 어린 생명을 구하기 위해 신전에 잠입했단다. 소문에 듣던 대로 제단 위에는 어린 여자 아기가 네 어미를 쳐다보고는 방긋방긋 웃고 있었지. 그런데 그때였어. 미리 숨어있던 왕후가 가공할 힘으로 네 어미를 공격하기 시작했어. 거기에다 네피림들로 구성 된 왕후의 군사들도 가세했지. 이미 기습을 받아 큰 부상을 당한 데다 왕후를 상대로 싸우기에는 역부족이었어. 상황이 불리해지자 네 어미는 제단 위에 놓여 있던 아기를 데리고 급히 신전을 빠져 나왔던 거였어. 하지만 왕후의 명령을 받고 신전 밖에서 대기 중이던 금군들이 일제히 불화살을 쏟아 부었다. 품에 안고 있는 아기를 끝까지 지키기 위해 네 어미는 날아오는 화살들을 온몸으로 막아내었어. 겨우 궁을 빠져 나온 네 어미는 도성 밖으로 나가기 위해 다친 몸을 움직이며 필사적으로 아기를 안고 뛰었지. 다행히 궁밖에 미리 준비해 두었던 말에 올라탄 그녀는 말채를 휘두르며 바삐게 말을 몰았다."

노인은 자신이 알고 있는 이야기를 줄줄 쉬지도 않고 토해 내고 있었다.

"거 참, 엄마도 오지랖은 겁나게 넓었군."

엄마의 운명이 무척이나 궁금했던 탄닌은 콧구멍에서 연기를 푸우 내뿜으며 혼잣말처럼 뱉었다.

"말을 타고 도성 밖으로 무사히 빠져나간 네 어미는 사력을 다해 도망쳤다. 하지만 악랄한 왕후는 쉽게 포기할 리가 없었지. 네 어미는 위험을 벗어나 이제 안전하다고 생각했을 때 갑자기 성루에서 빠르게 날아오는 화살에 맞아 이내 땅 위로 굴러 떨어지고 말았어. 다행히도 품안에 안겨있던 아기는 무사했지. 하지만 네 어미는 왕후가 직접 쏜 화살에 그만 치명상을 당하고 말았다. 최대 위기의 순간, 그녀는 인간의 모습에서 드래곤으로 각성되고 말았던 거야. 그 광경을 본 왕후는 자기 눈을 의심할 수밖에 없었지. 그토록 간절히 원했던 드래곤의 피가 궁녀의 몸속에 있었다는 것을 말이야. 순간 왕후는 지금이야말로 드래곤의 피를 얻게 될 기회가 왔다고 뛸 듯이 기뻐했지. 왕후는 어찌나 급했던지 하늘로 높이 솟은 성루에서 뛰어내려 쓰러져 있는 네 어미에게로 곧장 달려왔다. 마치 굶주린 맹수처럼. 그때 아기의 울음소리에 겨우 정신을 차린 네 어미는 무거워진 몸을 겨우 가누고 다시 아기를 품에 안았어. 그러고는 날개를 솟구쳐 허공을 가르며 날아올랐어. 다잡은 드래곤을 눈앞에서 놓쳐 버린 왕후는 화가 머리끝까지 치솟아 눈에 보이는 게 없어졌지. 그 때문에 그 악랄한 왕후는 더욱 악행을 서슴지 않고 저지르고 말았어."

노인은 한참 열을 올려 말했지만 탄닌이 대꾸하지 않자, 그 상황이 무안쩍었는지 말을 멈추었다. 대신 탄닌은 꼬리에 빳빳하게 힘을 주어 동굴 바닥에 있는 돌을 위로 쳐 냈는데, 마치 사람이 거추장스러운 물건을 퉁겨 버리는 것 같았다.

어린 아이들의 신변을 보호하기 위해 사실상 자기를 희생한 엄마 생각이 자꾸만 탄닌의 머리에서 떠나지 않았다. 외형적으로 드래곤과 인간은 가까울 래야 가까 울 수 없는 사이였다. 오랜 세월에 걸쳐 그들은 불구대천의 원수처럼 서로 죽고 죽이는 싸움을 벌였다. 하지만 엄마의 선택은 달랐다. 인간을 위해서 목숨을 기꺼이 내놓았기 때문이었다. 조금 전 노인의 말대로 인간을 좋아하는 엄마와 자신이 많이 닮았음을 인정할 수밖에 없었다. 한참 말하고 있는 노인을 바라보던 탄닌은 문득 궁금한 것이 생겼는지 겨우 입을 열었다.

"궁궐에서 일할 때…… 엄마의 이름은 뭐였소?"

"어이구, 내 정신 좀 봐. 너한테 말해준다고 하고서 깜빡 잊고 있었구나. 네 어미의 이름은 소이였다."

노인은 손바닥으로 자기 이마를 한 번 딱 쳤다.

"소이……참으로 예쁜 이름이구려."

탄닌은 북받쳐 오르는 감정을 이기지 못해 눈물을 글썽였다.

"음, 얼굴도 정말 예뻤지."

노인은 생각에 잠긴 얼굴로 대답했다.

"영감. 그동안……오해해서 미안하게 됐소. 그리고 정말 고맙소."

탄닌이 슬픔에 잠긴 목소리로 말했다.

탄닌은 오랫동안 엄마의 모습을 보기위해 나름 애를 썼으나 헛수고였다. 하지만 지금은 달랐다. 이미 십칠 년도 더 지난 과거의 기억을 떠올리는 노인의 눈을 바라보자 어렴풋이 사람의 윤곽이 보였다. 수풀 속에서 몸을 잔뜩 움츠리고 앉은 여자가 울음을 터뜨린 아기를 품에 안고 등을 토닥토닥 두드리고 있었다. 그녀의 몸은 칼에 깊게 베인 상처와 여러 개의 화살을 맞은 자리에서 피가 멈추지 않고 흘러내렸다. 정신이 점점 혼미해져 갈 즈음 노인이 그녀에게 다가왔다. 노인이 그녀의 상처를 치료하려고 했지만 이미 손을 쓸 수 없을 정도로 심각한 상태였다.

그녀는 노인에게 품에 안고 있던 아기를 건네주었다. 노인이 안으니 아기는 언제 그랬냐는 듯 울음을 뚝 그쳤다. 그 모습을 본 여자는 그제야 안심이 된 듯 두 눈을 감았다. 이 장면을 본 탄닌은 말할 수 없는 그리움과 슬픔이 가슴에 솟아올랐다. 그런데 유독 자신의 모습은 볼 수 없었다. 엄마와의 추억을 되살리기 위해 노인의 눈을 유심히 들여다보았지만 탄닌은 아무것도 발견하지 못했다. 순간 자기도 모르는 이상한 감정이 무럭무럭 떠올랐다.

드래곤은 서로의 생각을 읽을 수 없기에 현재의 상태로는 자신의 출생의 비밀을 알 길이 없었다. 하지만 엄마가 용족 출신이라는 사실을 떠올리자 수많은 의구심의 끝이 보이기 시작했다. 엄마가 인간의 몸으로 변할 수 있는 용족이었다면 자신도 인간과 똑같은 얼굴과 똑같은 말과 똑같은 음식을 먹고 똑같은 옷을 입을 수 있다는 생각이 든 것이다. 그런 탄닌의 생각을 읽었는지 노인이 차분한 목소리로 말문을 열었다.

"으음, 탄닌아. 네가 이 동굴 속에서 나갈 때가 다 된 것 같구나. 넌 용족의 후예다. 그동안은 비록 네가 각성을 하지 못해서 드래곤의 모습으로 계속 살아왔지만 이젠 너에게도 기회가 온 거야. 네 어미가 너를 세상에 혼자 남겨 놓고 간 것은 안타까운 일이나 왕후의 손아귀에서 어린 아이들의 생명을 구한 네 어미의 마음을 헤아려 주었으면 좋겠구나. 내가 널 다시 찾아 온 이유 중의 하나가 이 말을 해주기 위함이었어."

"내가 인간처럼 살 수 있게 될 줄은 꿈에도 몰랐소. 그건 그렇고, 우리 엄마가 구해낸 아기는 어찌 되었소? 어찌 된 영문인지 내가 태어나게 된 일과 그 아기에 대해…… 내 능력으로는 좀처럼 볼 수가 없으니 말이오."

잠깐 침묵이 흐른 뒤 탄닌이 말했다.

"허허허, 아주 잘 지내고 있지. 너와 함께 말이야."

노인은 그런 질문이 나올 줄 알았다는 듯이 고개를 끄덕였다.

"예? 뭐라고요? 아니, 그게 무슨 소리요? 내가 아는……사람이라니?"

탄닌이 흥분에 들떠서 움츠리고 있던 몸을 갑자기 일으키며 소리쳤다. 순간 탄닌의 몸이 동굴 벽과 세게 부딪히자 충격이 얼마나 켰던지 동굴 전체가 울리며 흙더미와 함께 돌멩이가 하나둘씩 떨어지기 시작했다. 당황한 노인은 탄닌을 진정시키기 위해 자리에 다시 앉으라는 손짓을 보냈다.

“어어, 제발 좀 진정하거라! 이러다가는 우리 모두 다 돌에 깔려 죽게 생겼구나.”

노인이 덩달아 소리쳤다.

“아니, 대체 그 아기가 누구요?”

흥분한 탄닌이 이를 딱딱 맞부딪치며 물었다.

“으이그, 이 눈치도 없는 녀석아! 그게 누구긴 누구겠냐? 세상에 단 하나뿐인 네 친구인 공주다!”

노인이 가슴을 졸이다 못해 고함을 버럭 질렀다.

“뭐! 공……주라고요? 아니, 어떻게……이럴 수가.”

탄닌이 깊은 신음 소리를 내며 말했다. 자기 엄마가 목숨을 바치면서까지 지키려했던 아기가 바로 공주였다는 사실에 탄닌은 콧김까지 내뿜으며 놀라워했다.

“푸하하하하, 암만해도… 너희 둘은 떼려야 뗄 수 없는 운명인가 보다.”

완전히 얼빠진 얼굴을 한 탄닌을 보자 노인은 참지 못하고 푸하하 웃음을 터뜨렸다.

“아니, 원 세상에 그 아기가 공주였다니……난 아직도 믿어지지 않소. 무엇보다 17년 전 왕후에게 죽을 뻔한 공주의 운명을 바꾼 게 내 엄마였다는 사실이 그저 놀랍기만 하오.”

탄닌이 거듭 놀란 듯이 말했다. 그때 뒤에서 누군가가 말하는 소리가 들렸다.

"그게…… 무슨 소리야? 네 엄마가 내 운명을 바꾸었다는 게."

"아니, 공주야! 네가 이 시간에 여긴 왜 왔어?"

노인이 공주를 보자 당황해하는 모습이 역력했다.

"공주야……."

갑자기 나타난 그녀 때문에 탄닌은 금세 그 자리에 뻣뻣이 얼어 붙어 버렸다.

"조금 전 네가 했던 말 그게 무슨 뜻이냐고?"

공주가 다가오는 걸음을 멈추고 물었다.

"공주야! 언제부터 와있던 거니? 그게 말이야……."

탄닌이 말끝을 흐리고 생각에 잠기는 듯 하더니 곧이어 대답했다.

"이런 제기랄! 이왕 이렇게 된 거……솔직히 말하는 수밖에 없네. 방금 네가 들은 그대로야. 왕후가 오래 전부터 어린 아이들을 납치해 자신이 섬기는 악마에게 산 제물로 받치는 의식을 치러왔는데…… 그 아이들 가운데 한 명이 바로 너였어. 우리 엄마는 용족 출신의 소이라는 궁녀였는데…왕후의 손에서 너를 구하고…… 죽었어."

"할아버지! 지금 탄닌이… 한 말…… 모두 사실이에요?"

공주가 얼마 안 가서 비틀거리더니 얼굴이 하얗게 변색하며 목소리가 떨렸다.

공주는 자신이 그저 부모를 일찍 여의고 할아버지와 단둘이 살아온 것이라 생각하고 있었다. 월령 아줌마를 통해 들은 궁궐에 대한 슬픈 이야기도 그다지 나와는 상관이 없는 일이라 여겼다. 하지만 할아버지와 탄닌의 대화를 의도치 않게 모두 들은 공주는 겁에 질린 듯이 얼굴은 핏기가 없이 되었고 죄책감에 두 손은 가늘게 떨리기 시작했다.

"공주야. 이리 와 보렴. 그건 네 잘못이 결코 아냐. 넌 피해자야. 악랄한 왕후로부터 널 구하려 한건 어디까지나 그녀의 결정이었어. 그만큼 널 아주 소중하고 귀하게 여겼다는 뜻이지. 탄닌의 어미는 공주 너를 구하고 나서 얼마나 기뻐했는지 모른단다. 자신은 고통스럽게 죽어가면서도 너를 바라보는 그 눈빛이 얼마나 애틋했는지…… 아직도 생생하게 기억하고 있어. 언젠가는 너에게 모든 이야기를 들려주어야겠다고 생각하고 있었는데 그 날이 오늘이 될 줄은 상상도 못했구나."

노인이 팔을 뻗어 그녀의 손을 넌지시 잡으며 말했다.

"흑흑, 탄닌아……너 괜찮은 거지?"

공주가 흐느끼며 물었다.

"공주야. 난 괜찮아. 만약 엄마가 지금의 공주를 보았다면 아주 기뻐하셨을 거야. 그건 나도 마찬가지고."

탄닌은 목을 길게 빼고 귀를 쫑긋거리며 말했다.

"미안해……탄닌. 정말 미안하단 말 밖에 할 수 없는 게 속상해. 나 때문에 너희 엄마가 돌아가셨다는 게 너무 슬퍼."

공주는 그동안의 탄닌이 겪었을 아픔을 되새기기나 하려는 듯이 부둥켜 안고 엉엉 울었다.

"공주야…난 괜찮아. 오히려 우리 엄마가 너를 살려주셨다는 사실이 너무나 기뻐."

탄닌은 공주가 슬퍼하지 않기를 바라는 마음뿐이었다.

차가운 암석에 둘러싸인 동굴이 갑자기 따뜻해지기 시작했다. 노인의 지팡이에서 나오는 불빛에 비추인 천장에는 가늘고 짧은 종유관이 마치 별이 쏟아지는 것처럼 촘촘히 매달려 있었다. 또 다른 천장에서 내려온 종유석과 바닥에 굳어진 석순이 서로 만난 모습이 마치 공주와 탄닌처럼 매우 닮아 보였다.

제8장. 악연을 맺다

오색 단풍이 조선 팔도의 산과 들을 물들이자 어김없이 행신마을도 가을색으로 옷을 갈아입었다. 본원 앞마당 나무에 달린 노란 은행잎과 붉은 단풍잎의 농도가 유독 짙어진 것을 물끄러미 바라보던 세령은 문득 삼손 생각에 목이 메었다. 장터에서 삼손의 손을 잡고 뛰었던 설레임과 애틋함이 여전히 생생하게 느껴졌다. 그런 생각을 잊으려고 그녀는 간간이 허리를 펴고 숨을 돌리기도 하고 바람에 헝클어진 머리를 손으로 쓰다듬거나 옷매무새를 고쳤다. 하지만 아무런 소용이 없었다. 오히려 그에 대한 연정은 좀체 지워지지 않았다.

상단의 단원들이 떠나고 난 뒤 본원이 텅 빈 듯했다. 의금부 나장에게 심하게 매질을 당했던 길상이는 몸이 빠르게 회복되었다. 집 안에만 있는 것이 답답했던지 길상이는 하루 종일 그녀를 졸졸 쫓아다녔다.

"누나! 그 형은 언제 여기로 돌아와요?"

길상이의 목소리가 뒤쪽에서 들렸다.

"아휴, 깜짝이야. 언제 왔어?"

세령은 후유 하고 놀란 가슴을 쓸어내렸다.

"난 아까부터 기다리고 있었어요. 누나가 딴 생각을 해서 그렇지."

길상이는 미소를 지으며 그녀에게 시선을 향한 채 꼼짝도 하지 않고 있었다.

"딴 생각이라니? 내가 무슨 생각을 했다고 그래? 난 아무 생각도 하지 않았거든."

그녀는 속마음을 들킨 듯 화들짝 놀랐다.

"누나는 지금… 얘 좀 봐라. 요것이 나이가 어리다고 우습게 봤더니 남의 속을 훤히 꿰뚫고 있네… 라고 생각하고 있죠? 제가 이래 봬도 눈치가 얼마나 빠른데요."

길상이는 세령이 뭐라 대답 할지 기대하며 호기심으로 눈알이 반짝였다.

"요 녀석 보게, 어린 녀석이 못하는 말이 없어. 쓸데없는 소리하지 말고 누나하고 나갈 준비나 해."

세령은 기가 막힌 표정으로 고개를 설설 저었다.

“우아, 저 나가도 되는 거예요?”

길상이는 밖으로 나가기만을 기다렸다는 듯이 신이 나서 마당을 뛰어 다녔다.

“얘야, 조심해! 그러다 넘어질라.”

세령은 아이가 돌부리에 툭 걸려 넘어지지 않을까 걱정하면서도 들뜬 아이의 뒷모습을 보며 흐뭇해했다.

일찍이 부모도 없이 여동생을 돌보며 살아 온 길상이를 바라보자 세령은 딱하고 측은하게 여기는 마음을 가질 수밖에 없었다. 그녀는 마음 한편으로 어머니가 일찍 돌아가시자 아버지가 홀로 자신을 애지중지 키웠던 추억들이 문득 떠올랐다. 이 세상에서 가장 소중한 것이 있다면 그건 바로 가족이라는 사실을 그녀는 잘 알고 있었다.

유일한 피붙이인 여동생이 사라져 홀로 남게 된 길상이의 속마음을 누구보다도 잘 알고 있기 때문에, 세령은 한창 개구쟁이 짓을 할 나이인 아이가 전혀 밉지 않았다.

세령은 상단이 운영하고 있는 포목점에서 길상이의 옷을 지어 줄 천을 고르러 나갈 생각이었다. 아이의 해질 대로 해진 옷은 때가 잔뜩 낀 것뿐만 아니라 여기저기 구멍이 숭숭 나서 마치 시커먼 거적때기와 같았다. 거기에다 여기저기 헝클어진 머리에 구멍 난 짚신을 신고 있는 길상이의 모습은 거지가 따로 없었다. 세령은 옷을 만들기까지 꽤 긴 시간이 걸리기 때문에 먼저 시장에 있는 의전가게에 들러 길상이에게 맞는 헌 옷을 고를 참이었다. 지금 그 아이가 입고 있는 너덜너덜한 옷보다는 훨씬 낫기 때문이었다.

본원을 나선 세령과 길상이가 행신시장에 가까워지자 왁자지껄 시끄러운 사람들의 웃음소리가 바로 옆에서 들리는 것 같았다. 길상이는 호기심이 발동했는지 사람들이 모여 있는 곳으로 먼저 뛰어 갔다. 뒤늦게 도착한 세령이 궁금해서 다가가보니 흰옷을 입고 탈을 쓴 광대들이 춤과 노래를 부르며 사람들의 흥을 돋우려고 시장판을 휘젓고 있었다.

까강까강 울리는 꽹과리와 징소리가 귓전을 울리는 가운데 사람들은 광대들의 재주넘기와 같은 재미난 묘기에 박수를 쳤다.

탈을 쓴 광대들 중에 하나가 두 손으로 땅을 짚고 공중제비를 넘는 땅재주를 선보이며 사람들 앞으로 툭 튀어나오더니 갑자기 목청을 높였다.

"잘하면 살판이요 못하면 죽을 판이라! 이러나저러나 오늘 한번 신명나게 놀아 봅시다!"

"에헤야, 좋다! 얼씨구, 좋다!"

오랜만에 시장통에서 구경하던 모든 사람들이 일제히 환호했다.

"지금 이 나라 조선에서 내가 인간답게 사는 것을 배 아파하며 눈꼴사납게 쳐다보는 게 누군지 아시오?"

사람들을 한번 빙 둘러보며 광대가 물었다.

"사촌! 옆집 사람! 도둑놈!"

사람들은 모두 틀에 박힌 말을 이구동성으로 외쳤다.

"아이고, 아이고! 이러니 허구한 날 당하면서 살지!"

광대가 무척 서럽다는 투로 꺼이꺼이 우는 시늉을 냈다.

"그럼 그게 누구요? 아휴, 답답해 죽겠네. 어서 알려 줘야 할 것 아니여!"

구경하던 사람들이 답을 알려달라고 성화를 부렸다.

다시 울리는 장구소리 장단에 맞추며 광대가 어깨춤 엉덩이춤을 덩실덩실 추기 시작했다. 광대가 엉덩이를 오른발에 씰룩, 왼발에 쌜룩 보기 좋게 춤을 추자 신명이 난 사람들도 들썩들썩 엉덩이춤을 따라 추었다. 시간이 지날수록 장구와 악기 소리는 절정을 향했다. 그러다가 장구 소리가 멈추자 광대도 사람들도 동시에 춤을 멈추었다.

"좋소. 오늘 살판나게 놀아봤으니 내 그 답을 말해주겠소."

광대는 손으로 어딘가를 가리켰다. 그가 손으로 가리킨 방향은 한양이었다. 구경하던 사람들이 동시에 손이 가리키고 있는 곳으로 고개를 돌렸다. 그러고는 광대가 계속 말을 이었다.

"저기 저 너머에 살고 있는 악질 중의 악질! 악녀 중의 악녀! 바늘로 찔러도 피 한 방울 안 나올 인간! 그가 바로 왕후 추씨요!"

"옳소! 옳소!"

사람들의 박수와 환호성이 터져나왔다.

"누나! 왕후님이 그렇게 나쁜 사람이에요?"

어느 틈엔가 길상이는 세령이 곁에 와서 자못 궁금한 표정으로 물었다.

"저 광대가 한 말 모두 사실이야. 왕후는 나쁘다 못해 사악하기 짝이 없는 존재야. 그뿐만이 아니라……."

세령은 거기까지 말하고 망설이다가 긴 숨을 뱉었다.

"동생에게 이다음에 꼭 궁에 들어가 살게 해주겠다고 제가 입버릇처럼 말하곤 했었어요. 궁 안에는 여기보다 맛난 음식을 배불리 먹을 수 있을 것 같아서요. 그런데……그곳에 사악한 왕후님이 살고 있다는 것을 알면 동생이 아마 크게 실망하겠죠. 아……그나저나 제 동생이 너무 보고 싶어요. 누나, 정월이를 꼭 찾을 수 있겠죠?"

길상이는 궁궐에서 살게 해주고 싶었던 어린 동생이 생각나자 목이 메어 왔다.

"동생은 우리가 반드시 찾아낼 거야. 그러니까 너도 힘내야 돼. 알았지?"

세령은 울먹이는 길상이의 어깨를 가만히 안아 주었다.

그녀는 자기 몸 하나만 보신하면 그만이라는 일부 어른들과 달리 난세에 지금까지 혼자의 힘으로 동생을 돌봐주던 길상이가 무척 대견스러웠다. 세령은 하루라도 빨리 실종 된 길상이의 여동생을 찾아주고 싶었다. 그러기 위해서는 태룡산으로 인삼을 구하기 위해 떠난 단원들이 무사히 돌아오기를 바랄 수밖에 없었다.

광대들의 신나는 놀이가 절정을 향해 갈 때쯤 시장 한복판으로 여러 명의 군사들이 한꺼번에 들이 닥쳤다. 이런 일이 세상천지에 또 어디 있을까 싶을 정도로 너무나 갑작스러웠다. 칼과 창을 빼어 들고 나타난 군사들은 마치 이때만을 기다렸다는 듯이 구경꾼들을 이중 삼중으로 에워싸기 시작했다. 모든 악기소리가 멈추고 장내는 순식간에 아수라장으로 변했다. 군사들을 보고 무서워서 겁에 질린 사람들은 하나같이 실성한 듯이 인제는 죽었다고 울고불고 야단을 피웠다.

사람들 틈에 끼어 선 채로 무망중에 당한 일이라 세령은 매우 당황스러웠다. 바로 그때 맞은편에서 날카로운 눈빛으로 자신을 뚫어져라 쳐다보고 있는 군사 한 명과 눈이 마주쳤다. 세령은 화들짝 하며 얼른 고개를 돌렸다. 그와 동시에 그녀는 길상이의 손을 꽉 싸쥐었다. 그 사람은 다름 아닌 지난 번 길상이를 강제로 끌고 가려했던 의금부 나장이었다. 악연이나 다름없는 그 사람을 보자마자 너무나 긴장한 나머지 등줄기에서 땀이 주르르 흘러내렸다. 그 나장은 세령과 길상이에게서 잠시도 눈을 떼지 않고 움직임을 주시하고 있었다.

길상이도 뒤늦게 나장을 알아보고는 세령의 손을 붙잡은 채 부르르 몸을 떨었다. 곧이어 걷잡을 수 없는 불안감이 길상이의 전신을 엄습해왔다.

잠시 뒤 군사들 틈에서 육중한 체구의 군사 하나가 철퇴 같은 병장기를 들고 나타났다. 매서운 눈빛에서 독기를 뿜으며 위협적으로 쩌벅쩌벅 광대들이 서있는 곳으로 다가갔다. 그러더니 그는 겁에 질려 웅성거리는 사람들의 반응에 신경 쓰지 않고 거리낌 없이 자신의 신분을 밝혔다.

"나는 의금부에서 나온 금부도사 기동명이다. 네 놈들이 감히 이 나라의 국모이신 왕후마마를 욕보이다니 도저히 용서받을 수 없는 중죄를 저질렀다. 하찮은 광대 놈들 주제에 왕후마마를 능멸하고도 살성싶으냐! 지금 당장 네 놈들 얼굴에 쓴 탈을 벗어라!"

육척의 장신인 기동명은 사납게 인상을 쓰며 큰 소리로 고함을 쳤다. 순간 주변 분위기가 살얼음판으로 변해 가며 사람들이 쥐 죽은 듯이 숨을 죽이고 벌벌 떨었다. 세령은 어서 빨리 아이와 함께 이곳에서 빠져나가고 싶을 뿐이었다. 지난번의 일로 원한을 품고 복수의 기회를 노리고 있는 나장을 다시 만나게 될 줄은 몰랐다. 그런데 마침 키가 작은 광대 하나가 적막에 가깝던 장내 분위기를 깨는 소리를 내며 뒷짐을 진 채 거드럭거드럭 걸어 나왔다.

"어험! 이 녀석, 어디서 굴러먹던 개뼈다귀야. 이런 배라먹을 놈, 썩 꺼져 버려라!"

그 모습을 지켜 본 사람들이 웃음을 참지 못하고 손으로 얼굴을 가린 채 어깨를 들썩이고 있었다. 이번에는 광대가 금부도사를 향해 엉덩이를 살며시 들고는 방귀를 터뜨렸다. 개중에는 결국 터져 나오는 웃음을 참지 못하고 크게 소리를 내어 웃고 말았다.

"네 놈이 정녕 죽고 싶은 게로구나!"

광대의 행동에 화가 난 기동명의 얼굴이 붉으락푸르락 달아올랐다.

"허허, 이 고얀 녀석 보게. 죽긴 누가 죽는다고 그래? 네놈이 실성을 한 게로구나."

기동명을 바라보던 광대는 어깨를 들썩이며 말했다.

세령은 기세등등한 금부도사에 맞서 한 치도 물러서지 않는 광대가 누구인지 궁금해졌다. 부하들 앞에서 수모를 당한 기동명이 순간 기다란 주먹을 휘둘렀다. 탈을 쓴 광대는 주먹이 날아오자 그대로 몸을 회전하며 그것을 피했다.

"어라, 이놈 봐라? 제법 제주를 좀 부리는구나. 그럼 어디 이것도 피해 보거라!"

상대가 자신의 기습 공격을 피하자 기동명은 어이가 없는 표정으로 철퇴를 휘두르기 시작했다. 손에 들고 있는 무기를 사용해 단번에 끝장을 내버릴 생각이었다.

막대 끝에 매달린 철로 된 뾰족한 돌기가 보는 이들의 간담을 서늘하게 했다. 거대한 체구의 기동명이 기세등등하게 철퇴를 빙빙 돌리며 소리쳤다.

"그럼 잘 가거라!"

무섭게 바람을 가르는 웅웅거리는 소리와 함께 막대의 줄이 점점 길어지더니 돌기가 달린 추가 광대의 몸을 향해 빠르게 날아갔다. 동시에 사람들의 눈길이 모두 그리로 쏠렸다.

광대는 두 팔로 땅을 짚고 공중으로 몸을 솟구쳐 뛰어 올랐다. 곧이어 철퇴가 날아오며 쿵 하고 땅바닥에 내리꽂혔다. 광대는 어느새 기동명의 뒤쪽에 사뿐히 착지했다.

"와아!"

이 광경을 본 사람들은 일제히 쌍수를 들고 함성을 올려 우렁차게 환호했다.

사람들과 일부 군사들도 동요하자 기동명은 당황해하는 모습이 역력했다. 검술이면 검술, 창술이면 창술, 궁술이면 궁술, 무술이면 무술이라든지 모든 병장기와 무예에 능통한 기동명으로서는 부하들과 사람들 앞에서 순간적인 수치심 때문에 입술을 꽉 물었다. 지금까지 일대 일 싸움에서 단 한 번도 진 적이 없었기 때문에 그는 자존심이 크게 다쳤다.

"야, 이놈아! 꼴을 보아하니 매일 같이 밥도 잘 처먹고 다니는 것 같은데 이렇게 힘이 없으면 네 주인 왕후의 충견노릇은 어떻게 하려고 그러냐?"

광대가 아주 근엄히 기동명을 훈계하였다.

"이런 육시랄 놈을 봤나! 에잇, 죽어라!"

화가 머리끝까지 솟은 기동명이 광대를 잡아먹을 듯이 철퇴를 던져놓고 달려들었다.

"그래 오너라. 왕후의 개야!"

광대는 재빨리 몸을 낮추어 기동명의 한 다리를 걸고 다시 한 바퀴를 돌면서 오른손으로 그의 등을 공격하고 다른 발로 가슴을 걷어찼다. 광대는 최후의 일격을 가하기라도 하는 듯 기동명의 관자놀이를 굵은 손가락으로 정확히 찔렀다. 그 순간 기동명은 영혼이 스르르 빠져나가는 걸 느끼며 고목이 쓰러지듯 그 자리에 폭삭 고꾸라졌다.

"와아! 만세! 만세!"

금부도사 기동명이 눈앞에서 쓰러지자 구경하던 사람들은 일제히 만세를 부르며 환호성을 질렀다. 우렁찬 만세 소리에 군중이 응집하기 시작했다. 그 많은 사람들이 짧은 시간 안에 한곳으로 모여들었다. 구경꾼들을 에워싸고 있던 의금부 군사들이 겁을 먹고는 칼과 창을 버리고 뿔뿔이 흩어져 도망가기 시작했다. 개중에는 도망가는 병사들의 팔을 부여잡고 반죽음이 되도록 몰매를 때렸다. 왕후와 조정의 거듭되는 학정에 노도와 같은 불만을 품은 백성들은 민란을 일으키지 않을 수 없었다.

그곳 분위기가 심상치 않게 돌아가자 세령은 길상이를 데리고 사람들로 들끓는 시장을 빠져나왔다. 지난 번 현감에 이어 조정에서 파견한 금부도사마저 이 마을에서 죽었다는 소식이 왕후의 귀에 들어갈 때 장차 무슨 일이 닥칠지 전혀 모르는 상태였다.

세령은 길상이의 손을 가만히 잡고 상단 본원으로 가는 길을 천천히 걸었다. 갑작스럽게 벌어진 사태에 그들은 아무 말 없이 마냥 걷기만 하였다. 그녀는 처음 보는 광대들이 어떤 의도로 어떤 반응을 사람들에게서 이끌어 내려 했는지 시장 안에서 벌어진 일을 떠올리자 알 것만 같았다. 그것은 폭정 아래서 신음하고 있는 백성들을 침묵에서 깨우려고 한 행동이었던 것이다.

“누나. 아까 전에 키 작은 광대가 거인 같은 금부도사를 때려눕힌 것 굉장하지 않았어요? 이다음에 저도 꼭 그 광대처럼 싸움도 잘하고 백성들을 도와주는 용감한 사람이 될 거예요.”

한동안 좀 조용하나 싶었더니 길상이가 갑자기 무슨 용기라도 얻은 듯 표정을 환하게 그리며 말문을 열었다.

“그래, 너라면 반드시 할 수 있을 거야.”

세령은 신나하는 길상이의 모습을 보는 것만으로도 긴장감이 저절로 풀렸다.

바로 그때였다. 본원으로 휘어드는 길목에 이르렀을 때, 무엇이 못마땅한지 잔뜩 인상을 쓰고 있는 사내 하나가 떡하니 서 있다가 그들을 막았다. 짐승 같은 사나운 얼굴에 이를 갈고 분을 가누지 못하는 사람은 다름 아닌 의금부 나장이었다. 상대의 얼굴을 확인한 길상이는 겁을 먹었는지 그녀의 품속으로 재빨리 파고들었다. 나장을 만난 길상이의 숨이 씨근벌떡씨근벌떡 가빠졌다. 세령은 마침내 기다리는 것이 오고야 말았다는 듯 의외로 침착하게 굴었다.

"이 망할 놈의 새끼! 오늘 같은 날이 오기를 학수고대했다."

그는 분에 못 이겨 버럭 언성을 높였다.

"이보시오! 지난 번 그렇게 혼이 나고도 아직 정신을 차리지 못한 것이오!"

세령은 근엄한 목소리로 나장을 꾸짖었다.

"이런 썅년을 봤나. 죽고 싶지 않으면 네 년은 빠지거라!"

나장의 살기 어린 눈빛이 예사롭지 않았다. 입에 게거품을 물고 설치는 꼴이 꼭 무슨 일을 낼 것만 같은 상황이었다.

"이 아이에게 손끝 하나라도 건드린다면 네놈을 가만두지 않겠다!"

세령은 결연하게 물러설 뜻이 없음을 분명히 했다.

"이런 미련한 년! 그 아이만 내게 넘겨주면 살려주겠다고 선심을 베푸는 데도 스스로 죽음을 자초하는구나. 보아하니 얼굴도 아주 반반한 계집인데……이리 가게 되다니 안됐구나."

나장은 숨을 한번 들이키고는 등 뒤에 차고 있던 칼집에서 검을 뽑아 들었다.

그 순간 길상이가 칼을 꺼낸 사내를 보고 얼른 길바닥에서 흙을 주워 그의 얼굴에 확 뿌렸다.

"으악, 내 눈!"

얼굴에 온통 흙이 튄 나장은 눈에 흙이 들어가자 눈꺼풀을 씸빽씸빽 움직였다. 그러면 그럴수록 눈을 더욱 뜰 수가 없었다. 입에 거품까지 물고 고래고래 욕을 퍼붓고 있는 나장은 한쪽 손으로 눈의 흙을 닦아 내며 다른 한 손으로는 바로 앞 허공에 대고 칼을 마구 휘둘렀다.

워낙 갑작스러운 상황인지라 세령은 나장과 맞붙기 보다는 급히 길상이의 손을 붙잡고 도망가는 길을 선택했다. 사실 세령은 어려서부터 상단 단원들과 무예를 익혀왔기에 자신의 몇 가지 장점만 이용한다면 일대일의 싸움에선 절대 지지 않을 자신이 있었다. 하지만 그녀는 손에 아무런 무기도 없었고 아무래도 상대가 칼을 지녔기 때문에 맨 손으로 맞서 싸우기가 불리했다. 자신이 비겁해서가 아니라 길상이의 안전이 우선이었기에 어쩔 수 없는 선택이었다. 길상이도 그녀의 마음을 눈치채기라도 했는지 아무런 말없이 순순히 잘 따라와 주었다.

“이 생쥐 같은 놈의 새끼! 내 손에 걸리기만 해봐! 널 가만 안 둘 테야!”

나장은 여전히 고통스러운지 제자리에서 몸을 버둥거리면서 소리를 고래고래 질렀다.

잠시 뒤 왕후는 물러나라고 외치며 거리로 쏟아져 나온 백성들의 함성이 거리 곳곳에 울려 퍼지기 시작했다. 행신마을에는 의금부 군사들을 포함하여 5군영 소속 관군들도 흔적도 없이 자취를 감춰버렸다. 한양 도성의 상황도 심상치가 않았기 때문이었다. 대신 그 자리에 포도청에서 나온 포졸들이 왕후의 하야를 요구하는 백성들을 추포하려고 시도했다. 하지만 백성들의 숫자는 수그러들기는커녕 점점 불어나기 만했다. 그날 이후 행신마을은 물론 여러 마을에서도 민란이 그치지 않았다. 오히려 민란의 불길은 들불처럼 번져나가 순식간에 조선 전역을 휩쓸고 말았다.

제9장. 귀 곡 성

여러 날을 걸려 남해 바다를 항해하던 배가 무인도를 지나 어느 조그만 포구로 접근하기 시작했다. 삼손은 줄곧 뱃전에 서서 건너편의 낯선 땅을 바라보고 있었다. 그곳 땅의 분위기는 매우 음습하고 을씨년스러워 보여 괴이한 느낌마저 들게 해 주었다.

"어험, 자네는 태룡산에 대해 들어 본적이 있는가?"

춘삼이가 어느샌가 삼손 옆으로 다가와 헛기침을 했다.

"할아버지에게 몇 번 들은 적이 있었네. 아주 신비스러운 곳이라고 하셨지."

삼손은 주변을 살피며 낮은 목소리로 말했다.

"우리가 태룡산에 가야만 하는 것은 그렇다 치고 그 소문 말일세. 날마다 사람들이 죽어 나가는 그 마을을 떠올리니 기분이 영 뒤숭숭하고 언짢은 게… 왠지 이상하기만 하네."

삼손의 이야기를 듣고 있던 춘삼이는 무심코 속에 있는 말을 내뱉었다. 그 순간 그는 하지 말아야 할 말을 했다는 듯 아차 하는 표정을 지었다.

잠시 뒤 작은 포구에 미끄러지듯 배가 닿자 삼손과 일행들이 짐을 챙겨 일제히 배에서 내렸다. 한편 선창에는 피란을 가는 사람들이 잔뜩 몰려 그야말로 아수라장이었다.

"이보시오! 전란이라도 일어난 게요? 이렇게 많은 사람들이 어찌 도망가는 것처럼 포구에 몰려든 것이오?"

그 광경을 본 송철이 지나가는 한 사내를 급히 붙들고는 자초지종을 물어보았다.

"아니, 보면 몰라서 묻소? 다들 살려고 도망치는 것 아니오! 바빠 죽겠는데… 에잇, 저리 썩 비키시오!"

그는 송철을 보며 한심하다는 듯 혀를 쯧쯧거렸다.

저만치 앞서가던 덕환이도 어떤 여인네를 붙잡고 뭔가를 물어보는 중이었다. 그런데 곧장 무엇에 놀랐는지 얼굴이 하얘져서 한참 동안 그는 멍하니 있기만 했다. 포구에서 배를 타려는 피난민 행렬은 흩어진 가족을 부르는 소리로 뒤범벅이 되어 아비규환이었다.

"이보게 덕환이! 자네 왜 그러는가?"

조승수가 걱정스런 눈빛으로 바라보았다.

삼손을 비롯한 일행들이 선두에서 길을 이끌던 덕환이 곁에 모여들었다. 덕환이는 겁에 질린 얼굴로 상단 단원들의 눈치를 살폈다.

"괜찮으니 어서 말해 봐. 이 사람들 왜 그러는 거야?"

구척이 훨씬 넘는 큰 키에 얼굴은 구릿빛같이 붉고, 몸집과 어깨는 떡 벌어진 왕호가 궁금한 듯 쳐다보았다.

"저거시기, 그러니까… 그게 뭐냐면 말이야……."

덕환이는 어제의 그 패기는 간데없이 겁에 잔뜩 질린 모습이었다.

"요괴들을 피해 마을에서 도망치는 사람들인가 보군 그래."

삼손은 제법 무거운 짐을 멨는데 아무렇지 않은 듯 성큼성큼 가볍게 걸어갔다.

"이봐, 삼손! 혼자 가면 어떡하나?"

춘삼이가 급히 불렀지만 삼손은 못 들은 척을 하며 앞장서서 나아갔다.

"저 친구 보면 볼수록 마음에 든단 말이야. 다들 뭐해? 장승처럼 서 있지 말고 빨리 따라 나서야지."

왕호가 미소를 지으며 고개를 끄덕였다.

삼손의 발이 얼마나 빠른지 벌써 저만치 앞서 가고 있었다. 어느새 시야에서 사라지는 뒷모습을 넋을 놓고 바라보던 일곱 명의 단원들이 급하게 뒤를 쫓아갔다.

한 시진이 지날 무렵 해가 산 너머로 기울면서 하늘빛이 서서히 검은빛을 띤 어두운 붉은색으로 변해 갔다. 삼손과 단원들이 비스듬히 경사진 굽잇길을 몇 돌아 산 고개를 넘어가니 마을이 보였다.

먼발치에서 보기에도 인적마저 끊어진 마을은 무척 삭막해 보였고 사람 사는 마을 같지 않게 휘휘했다.

조금 뒤에 마을로 내려온 삼손과 단원들은 하룻밤을 묵을 집을 찾아다녔다. 하지만 길거리에는 인적은 커녕 개나 고양이와 같은 동물들의 흔적도 찾아 볼 수가 없었다. 흡사 역병이 쓸고 간 마을 같이 사방은 쥐죽은 듯 고요했다.

"이건 뭔가…… 잘못된 게 틀림없어. 개미 새끼 하나 볼 수 없잖아."

일행 가운데 유난히 키가 작은 정길은 어찌나 긴장이 되었는지 저도 모르게 몸을 곧추세우더니 마른 침을 꼴깍 삼켰다.

"휴, 행신마을보다 더 큰 마을에서 사람 한 명을 볼 수가 없다니 이건 뭐, 도깨비 마을이 따로 없네."

화룡은 주변을 살피느라 눈알을 굴리고는 수상하다는 듯 갸웃 고개를 돌렸다.

사람들이 모두 떠난 마을은 무척 황량해 보였다. 삼손과 단원 일행은 한참을 걷다 이곳 마을 번화가로 보이는 시장 어귀로 들어가고 있는 중이었다. 사람들로 꽉 차있어야 할 시장 안은 적막만이 일행들의 주위를 감돌았다.

삶의 터전인 고향을 버리고 도망칠 정도로 그동안 마을 사람들이 극심한 공포를 느꼈을 것을 생각하자 삼손의 마음은 찢어질 듯 아팠다.

"대장! 저길 좀 봐. 누군가 있는 것 같아."

송철이 급히 춘삼이를 불렀다.

"뭔데 그래?"

춘삼이가 고개를 돌렸다.

다른 일행들도 송철이 손으로 가리킨 방향으로 일제히 시선을 고정한 채 묵묵히 제자리에 서있었다. 주변에는 서늘히 부는 바람만 피부에 닿아 느껴질 뿐 숨소리가 들릴 만큼 조용했다.

"있긴 뭐가 있어? 자네가 허깨비를 본거로구먼."

정길은 투정을 부리듯 낯을 째푸리는 시늉을 했다.

"분명 내 두 눈으로 저기 앞에 있는 주막에서 누군가 움직이는 걸 봤네."

송철은 어이가 없다는 듯 고개를 갸우뚱 기울였다.

마을에 들어온 지 30분이 지나자 달이 구름 속에 들어가고 주위가 더욱 어둑어둑해졌다. 단원들은 먼 길을 오는 동안 많이 지쳤고 더 이상 움직인다는 것은 무리였다. 어쩔 수 없이 이 마을에서 짐을 풀어 놓고 잠자리를 구해야만 했다.

삼손은 누가 시키지도 않았는데 조금 전 송철이 말한 주막을 향해 뒤도 돌아보지 않고 뚜벅뚜벅 걸어갔다. 곧바로 그는 주막 이곳저곳을 샅샅이 살폈다. 또 주막에 딸린 여러 개의 방문을 일일이 열고서 아무도 없음을 확인한 뒤 큰 눈을 능청스럽게 움직여 보이고는 단원들을 향해 어서 오라고 손짓을 했다.

텅 빈 주막에 짐을 푼 삼손과 단원들은 끼니를 해결하려고 부엌에서 밥을 짓기 시작하였다. 다행히 주막 안에 마실 물과 땔감으로 쓸 마른 장작이 있어서 손쉽게 쌀을 씻고 불을 지필 수 있었다.

산전수전을 다 겪은 상단 단원들답게 낯선 장소에서도 각자 맡은 일에 여념이 없었다. 삼손은 손발이 착착 맞게 일하는 그들의 모습을 지켜보면서 감탄을 금하지 않을 수 없었다.

송철과 화룡이가 주막 곳곳에 초롱불을 밝히자 주변이 대낮처럼 밝아졌다. 하지만 단원들의 웃고 말하는 소리를 빼고 나면 장터 분위기는 고요하다 못해 을씨년스러웠다.

"이렇게 큰 마을에서 사람을 찾아 볼 수 없다는 게 도저히 믿기지 않아. 대체 덕환이가 포구에서 들었던 말이 뭔데 그래? 설마 삼손이 한 말이 모두 사실인거야?"

상단에서 눈치 빠르기로 이름 난 정길은 예리한 눈초리로 덕환을 바라보며 물었다.

춘삼이가 숟가락을 집어 들다 마음에 찔리는 데가 있어 그만 멈칫하고 말았다.

"아……그건…말이야. 별거 아니야."

덕환은 두 눈이 똥그래져서 춘삼이의 눈치만 보았다.

춘삼은 세령을 이번 장삿길에서 제외한 이유가 바로 이 마을에서 들려오는 해괴한 소문 때문이었다. 믿어야 될지 안 믿어야 될지 모르는 소문 중 가장 무섭고 괴기한 느낌을 받았다. 밤새도록 잠을 못 자고 생각을 거듭한 끝에 스스로 내린 결단이었다. 다른 단원들에게도 이러한 소문에 대해서 미리 말을 하려고 했지만 사기가 크게 떨어질까 봐 걱정되었다. 춘삼과 최낙훈 대행수 그리고 덕환 세 사람은 이 마을에서 들리는 소문에 대하여 함구하기로 단단히 약속을 했다.

하지만 삼손은 모든 내막의 자초지종을 꿰뚫고 있었다. 다른 단원들도 삼손의 말에 신빙성이 있다고 믿는 눈치였다. 낮에 포구에서 보았던 사람들의 피난 행렬과 지금 마을에서 벌어지고 있는 이어이없는 상황에 단원들은 벌써 마음의 동요를 보이기 시작했다.

"덕환이, 너 조금 수상쩍다. 그 여인네에게서 들은 대로 말하는 게 뭐 그리 어렵다고 우물쭈물 망설이는 거냐? 야단치지 않을 테니 어서 말해 봐라."

정길이는 덕환이의 둘러대는 말이 영 미심쩍었는지 재차 다그쳐 물었다.

"에이, 별 거 아니라니까……얼른 밥이나 드셔."

덕환이는 선뜻 대답이 나오지 않아서 일부러 딴청을 부렸다.

"그만하게. 덕환이가 말하기 어려운가 보네. 대신… 삼손에게 물어보지. 자네 낮에 포구에서 했던 말 기억하는가? 백성들이 저렇게 혼비백산이 되어 도망가는 이유가…… 요괴 때문이라 한 것 말일세."

송철이 두 사람의 대화 속에 자연스레 끼어들었다.

춘삼이와 덕환이는 물론 단원들 모두가 삼손의 얼굴을 바라보았다. 느긋하게 식사를 끝마친 삼손은 잠시 무언가 궁리하는 듯한 표정으로 아주 딴사람 같은 시무룩한 얼굴을 하고 있었다. 그러자 단원들은 그가 무슨 말을 하게 될지 더 궁금해지기 시작했다. 그가 한참 만에 무거운 음성으로 말을 내뱉기 시작했다.

"으음, 자네들……요괴족이라고 들어 본 적이 있는가?"

"요괴족? 혹 원귀를 말하는 건가?"

송철이 몹시 궁금해하면서 조심스럽게 되물었다.

"음……그 보다 더 세고 악랄한 존재들이네. 요괴족들은 시간을 셀 수 없을 만큼 아주 오래전부터 인간들을 괴롭혀왔지. 건강하게 살던 사람이 하루아침에 원인모를 병을 앓거나 무탈히 잘 살던 명문집안이 풍비박산이 되기도 하지. 그 뿐만이 아닐세. 요괴들은 사람들의 생각과 마음에 틈타 온갖 더러운 생각을 불어넣지. 예를 들면 탐욕, 음욕, 살인, 시기, 혈기, 분열과 같은 죄를 짓게 만들어 종국에는 파멸로 이끌어 간다네. 나도 할아버지에게서 들은 이야기인데 새 왕후인 추씨가 궁 안에 신전을 지어 악마를 숭배하고 난 뒤부터 이 나라에 요괴들이 더욱 기승을 부리기 시작했다고 하셨지. 바로 이 마을처럼 말일세."

삼손은 앉은 자리에서 미동도 하지 않은 채 단원들을 보며 말했다.

"뭣이요? 그럼 자네 말은 포구에 몰려든 사람들이 도망치던 것도…… 지금 우리가 머물고 있는 이 마을에 개미 새끼 한 마리도 안 보이는 것이 모두 요…괴들 때문이라는 말인가?"

승수는 너무 놀라 벙긋하게 벌어진 입을 다물 수가 없었다.

"그렇네."

삼손이 고개를 끄덕였다.

그의 말에 충격을 받은 듯 겁에 질린 단원들은 얼굴이 하얗게 변색되어가고 있었다. 춘삼과 덕환이 만이 아무것도 모르는 양하며 시치미를 뗐다. 춘삼은 이곳에 도착하기 전까지는 마을에 대한 흉흉한 소문이 그저 풍문이기를 간절히 바랐다. 하지만 여러 가지 상황이 심각해 보이자 무슨 일이라도 생기지 않을까 은근히 걱정이 되었다.

“아니, 그게 사실이라면 우리가 이곳에 계속 머물고 있으면 안 되지 않는가? 지금이라도 어서 이 마을을 떠나세.”

정길은 밥을 먹던 숟갈을 내려놓으며 수선을 떨었다.

“지금 당장 여길 떠나는 것은 무리야. 일단 날이 밝는 대로 움직이세.”

왕호가 양팔을 펼치며 단원들을 진정시켰다.

“음, 어째서 우리 대장은 한 마디도 없는 걸까? 덕환이 너도. 가만, 이미 두 사람은 알고 있었지?”

마루에 걸터앉아 있는 송철은 의아한 눈빛으로 그 두 사람을 주시하였다.

순간 찬물을 끼얹은 듯한 침묵이 감돌았다. 갑자기 사래라도 걸렸는지 덕환이가 벌겋게 달아오른 얼굴로 헛기침을 연달아 해댔다. 한 동안 입을 꾹 다물고 있던 춘삼이가 심적으로 힘들고 답답했던지 길게 한 숨을 내쉬었다. 두 사람에게 심한 배신감을 느껴 당황해하는 단원들과 달리 유일하게 삼손만이 추호의 동요도 하지 않는 침착한 모습을 보였다.

“저기, 그러니까 그게…… 처음부터 숨길 의도는 아니었어. 너희가 마을에 대한 소문을 알게 될 경우 지금처럼 마음이 흔들릴까봐 말하지 못했던 거야. 다들 알다시피 이번 장삿길은 상단과 우리에게 어떤 의미가 있는지 잘 알고 있을 거라 믿어. 많은 양의 인삼을 구해야만 우리가 직접 궁에 들어 갈 수가 있고 그래야만 왕후를 죽일 수 있는 기회가 생기니까. 무엇보다 인삼이 풍부하게 있는 태룡산에 가기 위해서는 이 마을을 반드시 거쳐 가야만 해. 우리에게 다른 선택의 여지는 없어. 휴우, 진작 말하지 못해 기분이 상했다면…… 모두에게 정말 미안하다."

춘삼은 진심 어린 목소리로 단원들에게 자기 생각에 대해 입을 열었다.

"그러게 왜 진작 말하지 않았어? 설마 우리가 무서워서 줄행랑이라도 칠 줄로 생각했던 건 아니겠지."

왕호가 분위기에 어울리지 않는 웃음을 호탕하게 터뜨렸다.

"와, 이건 뭐. 아무런 반박도 못하게끔 확실한 핑계를 대다니 역시 대장답네."

화룡이 자리에서 일어나더니 갑자기 손뼉을 쳤다.

"그래 인생 까짓 거 뭐 있어? 왕후하고 싸우다 죽나, 요괴들 하고 싸우다 죽나 어차피 사람들을 핍박하고 괴롭히는 것들인데 별반 다를 것이 없지 않은가."

왕호가 무언가 결심한 듯 일어섰다.

"이런 젠장! 내 이럴 줄 알았다니까. 하여간에 이런 일을 당하고도 바로 꼬리를 내리다니 우리는 아무튼 배알도 없다니까."

정길은 못마땅한 표정을 지으며 바로 앞에 앉아 있는 춘삼과 덕환이가 들으라고 투덜투덜 볼멘소리를 냈다.

춘삼의 진심 어린 호소가 단원들의 마음을 단단히 뭉쳐 주었다. 이를 지켜 본 삼손의 입가에서 흐뭇한 미소가 피어올랐다.

"이보게 삼손. 요괴들이 우리가 온 것을 알고 있을까?"

시종일관 침묵을 지키던 덕환이 삼손을 불렀다.

"아마 그럴 걸세."

삼손이 고개를 끄덕였다.

"이런 젠장. 그럼 우리는 어떻게 해야 하는 건가? 사람도 아닌 귀신들과 싸워야 한단 말인가?"

이번엔 신경을 곤두세운 승수가 자못 궁금한 표정으로 물었다.

"결코 쉽지 않은 싸움이 될 거야."

삼손은 문득 자신이 어깨에 메고 다니는 커다란 짐 보따리를 쳐다보았다.

달빛 한 점 별빛 한 점 없는 밤이 깊어가면서 마을은 깊은 정적으로 빠져들었다. 밤 11시가 되자 까마귀 우는 소리가 멀찍이서 울려 퍼졌다. 정말 희한한 일이었다. 까마귀는 낮에 활동하는 새인데 이렇게 야심한 시간에 운다는 것은 무엇에 크게 놀랐거나 포식자의 공격이 있었기 때문이었다. 주막에 딸린 빈 방에서 자고 있던 단원들이 계속 된 까마귀 울음소리에 놀라 잠에서 깨어났다.

"우리 엄니가 그러셨는데 밤에 까마귀가 울면 큰 변고가 일어날 징조라고 하셨어."

잠이 깬 정길은 바로 옆에 누워있는 송철을 보며 말했다.

"이거 정말 고문이 따로 없구나. 내 생전에 저렇게 까마귀가 밤에 우는 건 처음 들어 보네."

덕환은 귓전을 때리는 까마귀의 울음소리에 잠을 못 이루자 짜증 섞인 말투로 중얼거렸다.

밤은 새벽으로 넘어가고 주변은 어둠침침히 깊어 갔다. 새벽의 찬 기운이 뼛속 깊숙이까지 밀려 들어왔다. 단원들은 두 명씩 짝을 이루어 주막 입구에 불침번을 섰다. 춘삼과 왕호가 손에 검을 지닌 채 주의 깊게 주변을 살피고 있는 중이었다.

시간이 꽤 지났음에도 까마귀 울음소리는 그치지 않았다. 단원들은 등골이 오싹하고 머리카락이 쭈볏쭈볏 서는 느낌이 들어서 제대로 잠을 이룰 수가 없었다.

"거기……누구요?"

춘삼이가 무엇을 보고 놀랐는지 소스라치게 놀라 소리를 질렀다.

"방금 자네도 보았는가?"

왕호도 뭔가를 뚫어지게 보고 있었다.

갑자기 들린 큰 소리에 단원들이 허둥지둥 밖으로 뛰쳐나왔다.

"대장, 무슨 일이야? 뭘 보고 그렇게 놀랐는데?"

화룡은 부스스한 머리를 손으로 긁어내리며 흙 위를 맨발로 다가왔다.

"조금 전 마당 뒤편의 우물에서 철버덩 소리가 났네. 바로 고개를 돌렸더니 머리를 풀어 치렁치렁하게 늘어뜨리고 있는 키 작은 여인을 보았네."

얼이 빠진 사람처럼 춘삼이는 멀거니 우물을 바라보았다.

"뭐요? 우물에서 처녀 귀…신을 봤다는 건가?"

순간 정길은 등덜미에 찬물을 끼얹은 듯이 소름이 끼쳤다.

"아까 내가 뭐라고 했는가? 이 주막에 누군가 있다 하지 않았나."

송철이 할 말이 있다는 듯 앞으로 걸어 나왔다.

"자네는 참… 이 상황에서 그걸… 굳이 따지자는 건가?"

겁에 질려있는 화룡이가 다달다달 더듬으면서 말을 했다.

이전과 달리 단원들은 두려움 앞에 갈피를 잡을 수 없을 만큼 우왕좌왕 어찌할 바를 몰랐다. 그 와중에 삼손의 모습이 보이지 않았다. 삼손이 무리 중에 없다는 것을 제일 먼저 눈치 챈 왕호가 걱정이 되어 주막이 떠나가라 할 정도로 소리쳤다.

“이보게 삼손! 어디 있나?”

단원들은 그제야 왕호를 따라 이구동성으로 삼손을 애타게 부르기 시작했다. 그때 어디에 선가 낯선 사람들의 목소리가 웅얼웅얼 들려왔다. 조금 뒤 왁자지껄 떠드는 소리와 함께 여러 명의 아이들이 삼손에게 이끌려 주막 뒷문으로 들어섰다. 개중에 춘삼이와 왕호가 어렴풋이 보았던 풀어져 내린 산발 머리가 영락없는 귀신 몰골인 남자아이도 무리 중에 껴 있었다.

“아니, 이 아이들은 대체 누군가?”

송철이 놀란 얼굴로 삼손을 쳐다보았다.

“모두가 이 마을에 살고 있는 아이들일세.”

네댓 먹어 보이는 여자아이의 손을 잡고 있는 삼손의 입가에는 미소가 담겨 있었다.

단원들은 어안이 벙벙하여 어디서부터 말을 끄집어내어야 좋을지 갈래를 잡을 수 없었다. 마을에 어른들도 한 명 볼 수 없는 형국에 어린 아이들만 남겨져 있다는 것이 이해가 가지 않았기 때문이다.

“너희들 부모님은 어디 계시느냐? 왜, 마을에 너희만 남아 있는 거지?”

춘삼이가 졸려서 눈을 게슴츠레 뜨고 있는 아이들을 빙 둘러보며 물었다.

"아버지……어머니 두 분 모두 돌아가셨어요. 여기 있는 아이들 부모님도요."

아이들 가운데 키가 제일 큰 소녀가 대답했다.

그때 삼손의 손을 꼭 잡고 슬픈 표정을 하고 있던 여자 아이는 결국 울음을 터뜨리고 말았다. 삼손이 얼른 자신의 옷소매로 아이의 눈에서 흘러나오는 눈물을 닦아 주었다.

"요괴들…… 짓이었구나?"

송철이 자애롭고 온화한 얼굴로 아이들을 바라보았다.

아이들이 약속이나 한 듯 동시에 고개를 끄덕였다. 자초지종을 알게 된 단원들은 서로의 얼굴을 마주보며 무언의 눈빛을 주고받았다. 바로 그때 왕호가 아이들 가운데 한 명과 눈이 마주쳤다.

"설마 조금 전 우물에 서있던 처녀 귀신이 바로 너였구나?"

얼굴을 가릴 정도로 덥수룩하게 머리가 자란 남자아이를 보자 왕호가 너무 어이가 없어 웃음만 나왔다.

"저는 복순이가 목이 마르다 해서 두레박으로 물을 퍼 올리고 있었어요. 근데 형들이 갑자기 소리를 지르는 바람에……저도 모르게 그만 깜짝 놀라서 도망친 거예요."

남자아이는 입을 삐쭉삐쭉하며 억울하다는 표정을 지었다.

"나는 잠이 오지 않아 주막 주변을 산책하고 있었네. 마침 이 아이가 서둘러 뛰어 가는 걸 보고 바로 뒤를 쫓아가 아이들을 발견했어. 자네들의 기겁한 소리가 아니었다면 하마터면 이 아이들을 찾지 못할 뻔 했지 뭔가. 하하하."

삼손이 이 새벽의 촌극에 웃음기마저 띠었다.

남자아이와 삼손의 말에 모든 일의 정황이 드러나자 뻘쭘한 표정으로 서있는 춘삼이와 왕호를 쳐다보던 단원들은 모두 웃음을 터트렸다.

"자, 밤이 깊었으니 얼른 아이들은 방안에서 재우고 우리들은 앞으로의 계획에 대해 이야기를 좀 더 나누세."

제법 냉랭한 밤공기가 코끝을 자극하자 송철은 아이들이 걱정되었다.

"그래, 너희들은 방으로 들어가거라. 이불은 펴져 있으니 그냥 눕기만 하면 된다."

화룡이가 안타까운 빛으로 아이들을 방으로 안내했다.

주막 마당에 놓여 있는 커다란 대청마루에 모여 앉은 단원들 사이에 무겁고 긴 침묵이 흘렀다. 그들의 얼굴에는 하나같이 자신들의 안위보다 방안에 있는 아이들 걱정뿐이었다. 그러한 단원들의 속마음을 꿰뚫어 보고 있던 삼손은 아직 이 나라에도 한 가닥 실오리만 한 희망이 있음을 느낄 수 있었다. 조금 전까지 멀찍이서 들리던 까마귀 울음소리가 이제는 아주 가까이에서 들리기 시작했다. 그때 침묵을 깨고 덕환이가 속마음을 털어놓았다.

"저 소리 들리나? 내 생전 기분 나쁜 까마귀 울음소리를 밤새 듣게 될 줄은 몰랐네. 조금 전 아이들이 한 말 무슨 뜻인지 알지? 요괴가 사람들을 잔인하게 죽이고 있다는 말일세. 당장 우리들 제 몸 간수하기도 힘들 텐데…… 저 아이들을 어떻게 하면 좋겠는가?"

"어떻게 하긴 죽기 살기로 싸워야지. 솔직히 나도 두렵고 무서운 건 사실이지만……우리는 나이들도 더 많으니 동생 같은 저 어린 아이들을 지켜줘야 할 것 아닌가. 설령 우리 모두가 다 쓰러진다고 해도 끝까지 버텨보세. 우린 이미 나라를 위해 목숨을 내놓기로 한 비밀 결사 조직원 아닌가."

춘삼이의 목소리는 높고 결기도 있어 보였다.

단원들은 춘삼이의 고백과 같은 말을 듣고 난 후 괜스레 눈시울이 붉어졌다. 오래 전 그토록 지키고 싶었던 자신들의 죽은 가족들이 떠올랐기 때문이었다. 자신들의 궁극적인 목표를 상기한 단원들의 얼굴에 차츰차츰 실망과 두려운 빛이 허물어지기 시작했다.

"처음부터 태룡산에 오르는 것이 결코 쉽지 많은 않을 거라고 생각했어. 막상 이런 일을 겪게 되니 겁이 나고 여기에 온 것을 후회하기도 했었네. 전에는 귀신이니 요괴니 하는 것들을 믿지 않았지만 이 마을에 오고 보니 평소 나답지 않게 두려움에 사로잡히고 말았어. 삼손의 말대로 그 놈들이 벌써 우리의 생각과 마음을 빼앗으려 한 건 아닌지 의심이 드네."

승수가 밤하늘을 올려다보며 한숨인지 탄식인지 모를 긴 숨을 토했다.

조용히 눈을 감고 있던 삼손은 어려서부터 할아버지에게서 귀에 못이 박히도록 들어 온 말이 문득 떠올랐다. '이 땅에 악이 아무리 힘이 세고 강할지라도 삼라만상을 통치하고 있는 하늘의 힘을 이길 수는 없다' 지금 상황에 딱 필요한 말이었다.

삼손은 옆에 둔 짐 보따리에 온통 신경을 썼다. 유독 그가 평범하게 보이는 보따리에 관심을 기울이고 있는 까닭은 그 속에 들어 있는 특별한 물건 때문이었다. 고향이나 다름없던 볏골 마을을 떠나오기 전 할아버지가 물려준 검이 들어 있었다. 세상에 하나 밖에 없는 검으로 할아버지의 조상 대대로 대물려 내려왔다.

평소 할아버지는 공씨 집안에 대하여 자세히 알려 주지는 않았지만 조상대대로 특별한 능력과 재주가 있다는 것을 삼손은 직감적으로 알 수 있었다. 유독 할아버지가 목숨보다 더 소중하게 지켜온 검은 사악한 어둠의 영들이 가장 두려워하는 무기였다. 주변에 마귀와 악령이 나타나면 검이 진동과 빛을 일으키어 가장 먼저 주인에게 알려준다. 상황이 위급할 시에는 거대한 화염을 일으키어 스스로 날아 다나며 적을 퇴치할 수 있는 가공할 만한 힘을 지닌 신물이었다.

이미 삼손은 마을에 들어오기 전부터 어깨에 멘 짐 보따리 속에 들어 있는 검이 약하게 진동을 일으키고 있는 것을 느끼고 있었다. 그는 마을에 들어오고 난 직후부터 검의 진동이 훨씬 빨라지기 시작했기에 한시도 긴장을 풀 수가 없었다. 마치 검과 그의 몸이 하나가 되어 있었다.

"이보게, 방금 저 소리 들었어?"

정길은 고개를 돌려 시장어귀 쪽을 쳐다보았다.

"아니, 난 아무소리도 못 들었는데……."

키가 큰 화룡은 자리에서 벌떡 일어서더니 주막 밖을 천천히 빙 둘러보았다.

"또 무슨 소리를 들었는데? 혹시 잘 못 들은 것 아니야? 저 미친놈의 까마귀 울음소리 밖에 안 들리는 데……. 갑자기 무슨 뚱딴지같은 소리야."

몸과 마음이 지칠 대로 지친 단원들은 서로 다른 관점에서 말하느라 정신이 없었다.

"분명 저기… 시장 입구에서 난 소리였어. 무슨 웃음소리였던 것 같아."

정길은 무어라 말할 수는 없지만 일종의 확신에 가득 차 있었다.

그 순간 삼손의 짐 보따리 속에 들어있는 검이 심한 진동을 일으키며 대청마루를 크게 흔들기 시작했다. 바닥의 진동을 느끼자, 영문도 모르는 일에 놀라 눈만 덩둘하게 뜨고 있는 단원들은 본능적으로 몸을 움츠리고 자세를 낮추었다.

"이봐! 다들 무기 들게! 놈들이 오고 있어."

삼손이 주막 바깥을 노려본 채 다급하게 소리를 쳤다.

시장 어귀 쪽에 시야를 가릴 정도의 자욱한 연무가 끼기 시작한 것은 바로 그때였다. 어둠이 두껍게 깔려 있는 대지 위에 흑운 같은 연무가 갑자기 몰려드는 광경을 본 단원들은 혼겁하게 놀랐다. 하늘이 흐리다든지 비가 올 날씨가 아니었기에 자연 현상이 만든 풍경은 아니었다. 삼손과 단원들은 마침내 올 것이 오고야 말았다는 듯 일제히 무기를 들고 자리에서 일어났다.

삽시간에 시장통 전체를 흑암으로 뒤덮어버린 연무는 텁텁한 구린내와 매캐한 냄새를 발산하며 단원들의 코를 찔렀다.

"이제 아이들은 어떡하지?"

덕환이가 긴장한 나머지 고개를 움찍대었다.

"송철과 승수 그리고 덕환이 자네 셋은 아이들을 깨워서 일단 여기서 몸을 피하게. 나머진 저 놈들과 싸워 어떻게든 시간을 끌어보겠네."

춘삼은 마치 죽기를 결단한 사람처럼 비장해 보였다.

"알겠네. 자네들도 부디 조심하게."

단원들의 얼굴을 차례대로 한 명씩 바라본 덕환과 송철 그리고 승수는 숙연한 마음으로 고개를 끄덕였다.

아이들을 서둘러 떠나보내고 난 뒤 삼손과 나머지 단원들이 전열을 가다듬기도 전에 귀를 찢는 듯한 웃음소리가 덮쳐 왔다. 삼손과 춘삼, 정길, 왕호, 화룡은 순간 머리가 흔들릴 정도의 충격에 반사적으로 귀를 틀어막았다. 어디선가 가성을 잔뜩 섞은 비웃는 웃음소리와 짐승의 소리도 사람의 소리도 아닌 시끄러운 소음이 한데 엉겨 메아리처럼 울렸다.

잠시 뒤 연무 사이로 키가 구척인 왕호의 체격보다 더 큰 거대한 체구를 가진 형체들이 모습을 드러냈다. 도깨비 같은 얼굴에 크고 시뻘건 눈은 단원들을 금방이라도 잡아먹을 것 같은 공포를 느끼게 했다.

요괴들은 짐승의 소리 같은 괴성을 지르며 천천히 그들을 향해 걸어오기 시작했다. 연무를 뚫고 걸어 나오는 그 수가 점점 불어나고 있었다. 아주 짧은 시간에 비좁은 시장 거리를 빼곡히 메웠다. 질서 없이 흩어져 들어오는 요괴가 너무 많아 백이나 천 단위로는 그 수효를 헤아릴 수가 없을 정도였다. 주막 안에 있는 사람들을 발견한 요괴들이 고막이 따가울 정도로 앙칼진 웃음과 비명을 터트렸다. 맨 앞에 서서 무리들을 이끌고 온 요괴가 혀를 날름대며 삼손과 단원들을 먹잇감 보듯 노려보고 있었다.

"흐흐흐. 불쌍한 놈들. 많이 무서워하는구나. 쯧쯧, 인간들은 너무 약해빠졌다니까."

우두머리로 보이는 요괴가 기다란 삼지창을 겨누고는 단원들을 쳐다보며 혀를 끌끌 찼다.

요괴가 말을 마치기도 전에 다른 요괴들이 일제히 맞장구를 치며 낄낄거렸다.

요괴의 말대로 단원들은 곧 참수라도 당할 사람처럼 절망으로 가득차 있었다. 조선에서 가장 키가 크고 체격이 좋은 왕호가 왜소해 보일 정도로 요괴들의 덩치는 산처럼 보였다. 보기에도 무시무시한 얼굴과 날카로운 이빨 그리고 뾰족한 손톱과 발톱이 사나운 맹수 그 자체였다. 무엇보다 요괴들의 수가 너무 많아 싸울 엄두조차 나지 않았다. 상황이 이렇다 보니 단원들은 너도 나도 전의를 상실해 버렸다.

어느 새 사방을 병풍처럼 에워싼 요괴들이 덫에 걸린 먹잇감 보듯 포효하기 시작했다.

"이봐! 왜 이렇게 빈둥거리고 있는 거야? 히히, 빨리 먹어 해치우자고."

뒤쪽에 서있던 요괴 하나가 조급했는지 투덜거렸다.

"어휴! 어서 저 놈들을 주지 않고 뭐해? 배고프단 말이야, 빨리 줘!"

요괴들은 침을 흘리며 이구동성으로 소리쳤다. 이곳 마을 사람들을 닥치는 대로 잡아서 산채로 먹은 요괴들이 한동안 사람 구경을 못해서인지 몹시 굶주렸으며 배가 고파 있었다.

"삼손……미안하네. 괜히 자네까지 끌어들여 이렇게 죽게 만들어서…."

춘삼의 얼굴은 금시에 백지장처럼 창백해졌다.

"다들 정신 똑바로 차려! 하늘이 끝났다고 하기 전까지는 끝난 게 아니야!"

삼손은 버럭 소리를 질렀다.

"음, 이상하구나. 다른 놈들의 생각과 마음은 다 읽을 수가 있는데…… 저 녀석의 속을 들여다 볼 수가 없으니 말이다."

요괴의 우두머리가 미간을 모으면서 고개를 갸웃거렸다.

"저…바알님. 어떡할까요? 부하들 성화가 이만저만이 아닙니다."

괴조마냥 머리에 뿔이 달린 요괴가 두목의 얼굴을 흘깃흘깃 건너다보며 눈치를 살폈다.

"그래, 알아들었다. 다들 가서 편히 먹거라."

요괴들의 두목인 바알이 삼손의 눈을 뚫어져라 바라보며 나지막하게 말을 이었다.

"으하하! 신나는 식사시간이다. 마음껏 즐겨라!"

뿔 달린 황소처럼 생긴 요괴가 신이 난 얼굴로 자신의 꼬리로 땡그렁땡그렁 식사 시간을 알리는 종소리를 울렸다.

시장을 가득 메운 요괴들이 괴성을 지르며 삼손과 단원들을 향해 일제히 달려들었다. 요괴들은 앞뒤 가리지 않고 눈앞의 먹잇감을 향해 뛰었다.

“이런 젠장……우리의 여정은 여기가 끝인가 보네. 곧 좋은……세상에서 만나세.”

달려드는 요괴들을 보고 지레 놀라 호흡이 가빠진 정길은 숨을 꽉 참으며 이를 악물었다.

날카로운 이빨을 드러내고 주막 담을 가뿐히 뛰어 오른 요괴들이 괴성을 지르며 곧장 단원들의 몸통을 노리고는 달려들었다.

바로 그 순간 삼손이 대청마루에 놓여있던 짐 보따리를 향해 손을 뻗자 요란하게 진동을 일으키고 있던 검이 천 조각을 뚫고 나왔다. 그와 동시에 화룡이의 목덜미를 덥석 베어 물려는 요괴가 “억!” 소리를 내며 고꾸라졌다.

빠르게 바람을 가르는 예리한 금속성이 삼손과 단원들 주변을 휘감고 있었다. 순식간에 주막 안으로 뛰쳐 들어 온 요괴들이 내는 단말마의 비명 소리가 어두운 공간을 찢어 내렸다. 뒤쫓아 들어 온 요괴들도 영문도 모른 체 맥없이 나동그라졌다. 눈 깜짝할 사이에 주막 주변 곳곳에 요괴들의 시체가 다수히 널려 있었다. 그 장면은 차마 눈뜨고는 못 볼 참혹한 모습이었다. 사나운 기세로 무섭게 달려들던 요괴들의 대열이 어느덧 물길이 막히듯 앞으로부터 서서히 주춤주춤 멈추어 섰다. 이내 바람 소리도 잠들고 기세등등하던 요괴들의 고약한 괴성마저 점점 사그라들었다.

삼손은 한 손으로 앞 허공을 휘휘 내저을 뿐 검에 손을 전혀 대지 않고 사용하고 있었다. 흡사 빛의 속도로 공기를 가르며 스스로 날아다니고 있는 검은 그가 시키는 대로 곧장 응순했다. 단원들은 가까이에서 벌어지고 있는 믿을 수 없는 광경에 입이 쩍 벌어져서 다물지를 못하였다. 지난 번 인왕산에서 삼손이 호랑이를 맨 손으로 때려잡았다는 대행수의 말이 선뜻 떠올랐다. 한편으로 춘삼은 삼손의 진짜 정체가 무엇인지 궁금해지기 시작했다.

요괴들의 우두머리인 바알은 맥을 못 쓰고 죽어가는 부하들이 점점 늘어가는 것을 보고는 기겁을 했다. 다른 요괴들도 갑작스럽고 전혀 예상을 못 했던 일이라 당황하기는 마찬가지였다.

무엇이 공격하고 있는지 원인 파악도 못 한 채 요괴들은 본능적으로 삼손과 단원들에게서 멀어지기 위해 뒷걸음질로 물러났다.

"아니, 대체 네 놈의 정체가 무엇이냐? 왜 우릴 방해하는 것이냐?"

분노한 바알이 가장 선두에 있는 삼손을 꼭 집어 목에 핏대를 올리며 소리쳤다.

"이런 천인공노할 살인귀들아! 죄 없고 힘없는 백성들을 죽이고도 네 놈들이 살기를 바랬더냐?"

삼손이 허공을 향해 팔을 뻗치자 새가 둥지로 날아들 듯 검이 손에 잡혔다. 그가 손에 쥔 칼에서 나오는 예리한 검기가 심상치 않았다. 검은 무엇을 해야만 하는지를 잘 아는 것처럼 검날에서 한 가닥 빛이 어둠을 뚫고 나오더니 이제껏 삼손이 한 번도 본 적이 없는 빠르고 세찬 빛줄기가 쏟아져 나왔다. 바로 곁에 서있던 단원들은 빛에 눈이 부셔 미간을 잔뜩 찌푸렸다. 삼손의 검에서 발산하고 있는 빛은 주막 주변의 어둠을 찢어버렸고 그것마저 성이 차지 않았는지 어둠을 모두 삼켜버렸다.

"으윽, 설마 저……칼은 화염검?"

그제서야 삼손이 들고 있는 검을 본 바알은 빛에 타는 듯한 고통 속에서 신음 소리를 내듯 울부짖었다.

눈치가 빠른 요괴들은 삼손이 갖고 있는 검을 얼핏 보고는 못 볼 것이라도 보았다는 듯 비실대며 내빼 버렸다. 바알의 말뜻을 잘 알아듣지 못해 한쪽 구석에서 어리벙벙하게 있던 요괴들은 돌격하라는 신호로 알고 주막 안으로 뛰어 들어갔다가 모두 빛에 타 죽었다.

검에서 쏟아져 나오는 빛이 너무 강해 눈을 뜨기는커녕 손과 옷소매로 얼굴을 가리고 있는 단원들은 상황이 어떻게 돌아가는지도 모르고 서로의 안부를 묻고 있었다.

"다들 무사한 거야?"

정길은 검에서 발산 된 빛 때문에 눈이 부셔서 실눈을 뜨고 앞을 바라보았다.

"우리 아직 살아있는 거 맞지?"

왕호가 덩치에 어울리지 않게 몸을 와들대면서 고개를 살짝 들었다.

"후유, 다들 말하고 있는 거 보니 살아있네. 그나저나 아이들은 괜찮은 건지 모르겠네?"

빛의 열기가 얼마나 뜨거운 지 춘삼의 이마에는 땀이 비 오듯 흘렀고 등허리 땀은 겉옷까지 흠뻑 젖어 있었다.

잔인하고 포악한 요괴들을 쩔쩔매게 만드는 삼손의 정체가 궁금했던 것은 춘삼이 뿐만이 아니었다. 난생처음 당하는 큰일에 어안이 벙벙하여 아무 생각도 나지 않는 왕호와 약간 불평스러운 기색을 띠고 자꾸 투덜대는 정길 그리고 키는 멀대같이 크고 주근깨투성이 얼굴로 눈을 잔뜩 찌푸리고 있는 화룡도 삼손이 누구인지 알고 싶어졌다.

요괴들을 제압하려고 주막 밖으로 나온 삼손은 빛을 발산하고 있는 검을 세차게 휘두르며 저지를 뚫고 앞으로 전진했다. 시장 거리에 바글바글 모여 있던 요괴들의 목이 추풍에 낙엽 떨어지듯 잘려 나갔다. 요괴들도 끈질기게 덤벼들었지만 삼손 앞에서는 도무지 힘을 쓸 수 없었다. 어느새 요괴족의 시체가 산더미처럼 겹겹이 쌓여 있었다. 그가 요괴들을 처단할 살심을 굳힌 이상, 그의 앞을 막을 수 있는 상대는 아무도 없었다. 무고한 백성들을 마구 잡아 죽인 요괴들을 향한 복수에 대한 일념으로 삼손의 눈빛이 이글댔다. 시간이 지날수록 적들의 숫자가 확연하게 줄어들자 드디어 이 싸움의 끝이 보이는 듯 했다. 그런데 그때였다. 거칠 것 없이 보이던 그가 시장 어귀에 새까맣게 도열하고 있는 요괴들을 보고는 그 자리에서 멈춰서고 말았다. 요괴들의 행렬은 꼬리에 꼬리가 맞물려 끝이 없었다.

"저 뒤를 봐! 놈들이 아이들을 쫓아가고 있어."

뭔가를 본 화룡이 다급하게 외치자 단원들이 주막 뒤쪽으로 동시에 고개를 돌렸다.

"이런 제기랄, 어째 되는 일이 하나도 없는 거야."

정길은 울음 섞인 목소리로 푸념을 늘어놓았다.

"여긴 정길이와 내가 있을 테니 왕호와 화룡은 가서 놈들을 막아! 조금 전에 다들 봤지. 요괴들의 약점은 빛과 열에 약하니 저 횃불을 들고 가. 어서!"

춘삼이 크게 고함쳤다.

"우리마저 여길 떠나면… 자네들은 괜찮겠나?"

왕호는 조금 머뭇머뭇하다가 걱정스러운 빛으로 조심스레 물었다.

"그런 걱정은 하지 말고……아이들을 꼭 지켜줘. 뭐 해? 거기서 있지 말고 어서 가라니까!"

눈에 쌍심지를 켜듯이 두 눈을 번쩍 빛내며 춘삼은 왕호의 등을 떠밀었다.

시장 거리에는 한 치의 양보도 없이 삼손과 요괴들이 일진일퇴의 공방전을 벌이고 있는 중이었다. 그런 와중에 신통하게도 삼손은 단원들이 서로 주고받는 대화를 하나도 빠짐없이 듣고 있었다. 왕호와 화룡을 무사히 주막에서 나가게 하기 위해서는 요괴들의 이목을 분산 시켜야만 했다. 당장이라도 달려들 기세로 으르렁거리고 악을 써 대고 있는 요괴들과 대치하고 있는 상황에서 삼손은 얼굴을 들고 하늘을 한번 올려다 본 뒤 혼자 뭐라고 중얼거렸다. 그러고는 곧장 요괴들에게 천천히 다가가 거리를 좁힌 뒤 빠른 속도로 검을 휘둘렀다. 그가 팔을 움직일 때마다 힘살이 불거지며 바람 가르는 소리가 매섭게 들려왔다. 뒤이어 검에서 예리하고 강렬한 빛의 검기가 쏟아져 나오자 요괴들이 혼비백산이 되어 날뛰기 시작했다. 그 틈을 타 왕호와 화룡은 여러 무기가 든 보따리를 챙겨 주막 밖으로 재빨리 빠져 나갔다. 두 사람의 뒷모습을 지켜본 춘삼과 정길은 손에 횃불과 검을 들고 서둘러 삼손이 있는 곳으로 달려갔다.

인육에 굶주린 요괴들은 도망가는 단원들과 아이들의 땀과 체취를 맡고는 맹렬하게 추격하기 시작했다. 도중에 길은 여러 갈래가 있었지만 그들이 어디로 갔는지 아는 것처럼 요괴들은 막힘없이 달렸다.

아이들을 데리고 마을을 빠져나가려던 단원들은 시장 쪽에서 소름끼치는 울음소리와 비명소리가 들려오자 마음이 무거워졌다. 맨 뒤에서 걷고 있는 덕환이가 주막에 남아 있는 단원들 걱정에 계속 뒤를 돌아보며 슬픈 표정을 짓고 있었다. 여섯 명의 아이들과 세 명의 행신단원은 주변을 살피며 조심스럽게 앞으로 걸어갔다. 마을 곳곳에서 요괴들이 출몰하고 있기 때문에 한시도 긴장의 끈을 놓을 수가 없었다.

송철과 승수 그리고 덕환은 이 마을이 초행길이고 보니 어디가 어딘지 알 수도 없었다. 다행히 이곳 지리를 잘 아는 어린 동철이가 앞장서서 길을 안내해 주었다. 주막 우물에서 춘삼이와 왕호에게 졸지에 처녀귀신으로 몰렸던 바로 그 사내아이였다. 아이들과 단원들은 혹여나 요괴들에게 발각될까봐 손에 횃불도 들 수가 없었다. 달빛도 없는 어둠을 뚫고 걸어 나간다는 것이 여간 힘든 게 아니었다.

“여기서 아직 한 참 더 가야 하는 거니?”

복순이의 손을 꼭 잡으며 걷고 있는 송철이 앞서 있는 동철에게 물었다.

"이래 봬도……저희 마을이 보기보다 꽤 커요. 여기서 조금 만 더 가면 태룡산으로 가는 길이 나올 거예요."

동철이의 눈이 똬록이는 게 아주 총명해 보였다.

조금 뒤 일행들이 흙집과 초가집이 옹기종기 모여 있는 데를 지나자 비교적 넓은 길이 나왔다. 길 양쪽으로 목조 가옥이 수십 호 들어서 있었다. 하지만 이곳 역시 사람들이 살고 있는 흔적이라고는 눈을 씻고 봐도 전혀 찾을 수가 없었다. 아무리 밤중이라 해도 너무나 고요하다 못해 죽음의 그림자가 가득히 퍼져 있는 것처럼 스산했다.

"너희들……그동안 마을에서 어른들도 없이 무섭지 않았냐?"

승수가 바로 옆에서 걷고 있는 춘희를 힐끗 보더니 질문을 던졌다.

"무섭지 않았냐고요? 그야 당연히 무서웠죠. 그런데 지금은 오라버니들과 함께 있어서 그나마 괜찮아요."

아이들의 맏언니 격인 춘희는 든든한 길동무들이 생긴 것을 은근히 반기는 기색이었다.

"근데 너희들끼리 어떻게 여기에서 지내고 있었던 거야? 저렇게 무시무시한 요괴들이 밤마다 출몰해 산사람을 죽이고 있었잖아. 너희들도 다른 사람들을 좇아 일찍이 도망가지 그랬어."

송철의 의아한 눈빛이 동철을 향했다.

"그게 실은……태룡산… 할아버지가 돌봐주셨어요."

동철이 얼결에 자신들의 비밀을 말하고 말았다.

"오빠 그걸 말하면 어떡해! 할아버지가 꼭 비밀로 하라고 하셨잖아!”

갑자기 잡았던 송철의 손을 탁 놓은 복순이가 동철이에게 화가 났는지 눈을 씰쭉 흘겼다.

“태룡산 할아버지? 그게 누군데?”

송철은 발걸음을 멈추고 동철을 바라보았다.

마을에서 제일 큰 건축물 앞에 멈춰 선 단원들과 아이들이 일제히 동철을 주시하였다.

십여 채가 넘는 건물들이 들어서 있는 곳은 다름 아닌 수령이 근무 하는 관아였다. 오동나무로 둥근 기둥을 사용한 건물은 크고 웅장했는데 단원들과 아이들이 그 앞에 도착했을 때는 수령과 관군들은 이미 다 달아나고 개미 새끼 하나 볼 수 없었다.

차가운 밤바람이 선득하게 얼굴을 스치자 체념하듯이 동철은 그 동안의 일을 모두 털어놓았다.

“어……그건… 태룡산에 사는 최씨 할아버지를 말하는 거예요. 그분은 오래 전부터 우리 마을에 가난한 병자들을 돌봐주시는 의원님이셨어요. 사람들은 의술이 뛰어나 병을 신통하게 잘 고치는 할아버지를 보고…… 태룡산 신의라고 불렀죠.”

“태룡산 신의? 그 분이 그렇게 병을 잘 고쳤던 거야?”

승수가 동철의 말에 귀가 솔깃해졌다.

“그럼요. 몇 해 전 거의 죽을 뻔 했던 우리 할머니도 그 분이 살려주셨어요.”

춘희도 한마디 거들었다.

아이들은 한목소리로 최씨 할아버지에 대한 칭찬을 아끼지 않았다. 세 사람의 단원들은 아이들의 반응이 의외이기도 하였다. 마을을 빠져나가려면 아직 갈 길이 멀었지만 태룡산에 꼭 가야만 할 분명한 이유가 있는 단원들로서는 그 노인의 정체에 대해 너무나 궁금한 나머지 관아 앞에서 잠시 걸음을 멈추었다.

“허, 그것참, 요즘 세상에 그런 분도 다 있었냐? 근데 그렇게 훌륭한 분이 왜 너희들만 이 위험천만한 마을에 남겨두고 홀로 떠난 거지? 태룡산이든 어디가 됐든 너희들을 데려가야 했을 것 아니냐? 혹 저 혼자만 살겠다고 도망간 것 아닐까?”

아이들이 하는 말을 이해할 수 없다는 듯이 덕환은 어깨를 한 번 으쓱해 보였다.

“아무것도 모르면서 함부로 말하지 마세요. 최씨 할아버지는 절대 그럴 분이 아니세요. 내일 날이 밝아 오는 대로 저희 모두를 데리러 오신다고 말씀하셨어요. 그리고 만일을 대비해서 저희가 기거하고 있는 집에 보호 결계도 쳐놓으셨단 말이에요.”

코웃음을 치며 빈정거리는 듯한 덕환의 말투에 화가 난 춘희가 조용히 그러나 단호하게 말했다.

“뭐? 방금 뭐라고 했지?”

생각지 않았던 춘희의 말에 승수의 졸려서 감기려던 눈이 번쩍 떠졌다.

“뭐가요? 할아버지는 그럴 분이 아니…….”

화가 난 마음을 진정시키려 애쓰고 있던 춘희가 질문에 대답하려는 순간 승수가 갑자기 말을 자르고 나섰다.

“아니 그거 말고 조금 전 무슨 결계라고 하지 않았어?”

"아……보호 결계요."

춘희가 아무렇지 않게 말했다.

춘희의 대답에 승수와 덕환 그리고 송철 세 사람은 알아보기조차 힘들 정도로 깜깜한 상태에서도 서로의 얼굴을 마주보며 무언의 눈빛을 주고받았다.

"그 최씨 할아버지라는 분이 진짜 의원이 맞긴 하는 것이냐? 병을 고치는 의원이 어떻게 집에 결계를 칠 수 있는지 도무지 이해가 가질 않는구나. 너희들 중 할아버지의 다른 이상스러운 행동은 보지 못했니?"

송철은 조심스럽게 아이들의 눈치를 살폈다.

"그런 건…… 한 번도 본적이 없어요."

아이들 가운데 나이가 제일 어린 복순이가 졸린 눈을 슴벅거리면서도 송철에게 눈을 떼지 않았다.

"그래, 알았다. 여기서 너무 시간이 지체되었구나. 다들 어서 가자."

송철은 어린 아이가 너무 애처로워 보여 더 이상 물어볼 수가 없었다. 밤바람이 더욱 차가워지면서 관아 앞에 서 있던 아이들과 단원들이 모두 옷깃을 치켜세우고 있었다. 지칠 대로 지친 복순이가 졸린지 하품을 연발했다. 온유한 눈빛으로 그 모습을 본 송철은 아이를 등에 업었다. 이번에도 샛길을 잘 알고 있는 동철이가 앞장서서 나아갔다. 모두가 졸리운데다 피곤했지만 한시라도 빨리 이 끔찍한 곳을 떠나고 싶어 말없이 동철의 뒤를 따라 걷고 있었다.

텅빈 거리를 한참 지나서 또 기다란 골목을 통과하고 나자 아이들과 단원들의 눈앞에는 크고 작은 집들이 다닥다닥 붙어 있는 또 다른 언덕이 나타났다. 이번에 그들이 올라가야 할 마을 언덕이 제법 높지막했다. 그 사이 무슨 무서운 꿈을 꿨는지 송철의 등에서 곤히 자고 있던 복순이는 갑자기 몸을 꿈틀했다. 곧바로 송철은 복순이가 깨지 않도록 궁둥이를 잘 다독여주었다. 시장에서 거리가 점점 멀어지자 아이들과 단원들의 귓전에는 더이상 까마귀 울음소리와 요괴들의 처절한 비명 소리도 들려오지 않았다. 그들은 그제야 조금은 안심이 되었는지 안도의 빛이 떠돌기 시작했다.

그러나 그것도 잠시 동안일 뿐, 문득 밤의 적막을 깨고 어디선가 짐승의 소리 같은 괴성이 들렸다. 일순간 일행은 모두 털끝까지 쭈뼛했다.

“저 소리…는 요괴들이 내는 소리에요. 마을 사람들을 잡아먹기 전 내는 소리라고요.”

겁을 먹은 춘희는 얼굴빛이 새파래서 부들부들 떨고만 있었다.

“이런 젠장. 놈들이 벌써 우리 뒤를 쫓아 온 거야.”

승수가 말이 끝나기도 무섭게 검을 빼들었다.

“형들 이제 어떡해요? 우린 이대로 죽는 건가요?”

동철이는 눈앞이 캄캄해져 맥없이 주저앉았다.

“자, 모두들 조금만 힘을 더 내자. 얼른 저기 언덕에 있는 마을에 가서 숨을 곳을 찾아보자고.”

절체절명의 위기가 닥쳐오고 있음에도 송철은 침착한 태도를 잃지 않았다.

“그래. 여기 이러고 있다가 놈들의 밥이 되느니 그렇게라도 하는 게 낫겠어."
덕환은 마음을 진정이라도 시키듯 길바닥에 침을 뱉으며 다급하게 말했다.
눈앞에 보이는 언덕을 향해 일행 모두가 발걸음을 옮기려는 찰나 거친 숨을 식식거리며 달려드는 소리가 들렸다.
"악!"
무슨 소리인지 확인하기 위해 뒤돌아 선 춘희가 양 옆에서 빠른 속도로 뛰어 오는 요괴를 발견하고는 비명을 질렀다.
"다들 뛰어!"
덕환은 양 손에 꼭 잡고 있던 두 아이의 손을 놓으며 대신 검을 뽑아 들었다.
"얘들아! 어서 날 따라와."
아무것도 모른 채 잠을 자고 있는 복순이를 등에 업고 있던 송철은 아이들을 데리고 언덕을 향해 뛰기 시작했다. 춘희가 나머지 아이들을 챙기며 뒤따랐다.
덕환이와 승수가 거침없이 달려오는 요괴들을 향해 검을 겨누고는 길을 막아섰다. 혓바닥이 배꼽까지 내려 온 요괴가 두 사람을 보더니 입가에 침을 질질 흘리고 오면서 말했다.
"흐흐흐흐. 저기 도망치는 아이들이 꽤 먹음직스럽구나. 당장 어떤 놈부터 먹어 줄까?"
"닥쳐라! 이 요망한 귀신아! 저 아이들에게 손끝 하나 대기만 해봐. 네놈을 갈기갈기 찢어 죽여 버릴 것이다."
덕환은 목에 핏대를 세우고 고함을 쳤다.

"이런 병신 같은 놈. 천애고아로만 자라서인지 아이들에 대한 연민이 지극하구나. 그런데 어떡하지? 네 놈이 아무리 발버둥을 쳐도 나를 막을 수는 없어."

요괴의 긴 혓바닥이 뱀의 혀같이 갈라지기 시작했다.

"한발자국이라도 움직이면…… 네놈의 목을 베어버릴 거야!"

덕환은 긴장이 된 나머지 저도 모르게 몸을 곧추세웠다.

"음, 그래 좋다. 네가 그토록 아이들을 지키겠다고 한다면 난 네 놈부터 해치울 수밖에 없다. 그래도 좋으냐?"

요괴는 요망스럽게 비웃으며 덕환이의 마음을 넌지시 떠보았다.

"엿 먹어라 이 개새끼야! 당장 지옥에나 떨어져!"

그때 덕환이가 눈에 힘을 주며 검을 한일자로 휘둘렀다.

칼날이 요괴 머리에 나있는 한 쪽 뿔에 닿자 불꽃이 한 차례 번뜩였다. 깜짝 놀라 뒤로 물러나던 요괴가 긴 혀를 순간적으로 내밀어 덕환의 목을 휘감았다. 요괴의 혀는 그의 목을 서서히 조여 왔다. 곧장 목과 머리를 짓누르는 아픔이 강하게 밀려들어 왔다. 맥없이 검을 땅바닥에 떨어트린 덕환은 숨을 쉴 수가 없자 얼굴이 새파랗게 질리며 바들바들 떨기 시작했다. 자신의 목덜미를 휘감아 끌어당기는 요괴의 혀를 뜯어내려고 안간힘을 쓰고 있었지만, 이미 힘이 빠진 양 손으로는 그것을 어찌 막아낼 수가 없었다. 조금 떨어진 곳에서 승수는 다른 요괴와 두 발짝 나가고 한 발짝 물러서는 난타전을 벌이고 있는 중이었다.

한참을 버티던 덕환은 외마디 비명조차 없이 폭삭 무릎을 꿇고 그대로 허물어졌다. 요괴는 먹잇감을 다루듯이 덕환의 몸을 질질 끌어당기고는 쾌재를 부르며 소리를 질러댔다. 인간사냥에 성공했다는 것을 종족들에게 자랑이라도 하듯 극성맞은 그 포효로 마을을 휩싼 어둠의 장막을 갈기갈기 찢어발기고 있었다.

"안돼!!! 덕환아!"

요괴 발밑에 쓰러져있는 덕환을 발견한 승수가 애끓게 부르짖었다.

"쯧쯧, 네 친구 놈의 검술 실력이 아주 형편이 없구나. 저 놈이 널 도와주러 올 일도 없을 것 같으니…으 히히히, 난 저쪽 싸움이나 구경하면서 널 먹어야겠다. 음, 어디 맛 좀 볼까?"

요괴는 이미 죽어 버린 듯 미동도 하지 않는 덕환의 얼굴을 혀로 핥았다. 요괴는 허기에 지쳐있었는지 날카로운 이빨을 드러냈다. 곧장 몸을 낮추고는 바닥에 쓰러져있는 덕환을 향해 입을 크게 벌리고는 다가갔다.

"야, 이 씨발 요괴새끼야! 그만… 두지 못해!!!"

덕환을 잡아먹으려는 요괴를 향해 승수가 부들부들 떨며 소리를 질렀다.

"흐 히히히. 나약하고 아무짝에도 쓸모없는 병신새끼 같으니라고……. 분하면 어디한번 막아보던지. 으 히히히."

덕환의 목을 물어뜯어 피를 마시고 있는 요괴가 볼살을 씰룩대며 비웃었다.

"야, 이개새끼!!!! 반드시 죽여 버리고 말거야!"

요괴에게 속절없이 당하고 있는 덕환을 보며 승수는 피가 거꾸로 솟는 듯한 분노를 느꼈다.

하지만 승수는 할 수 있는 게 아무 것도 없다는 생각에 마음이 서글퍼졌다. 자기 한 몸 간수하기도 어려운데 당장 덕환에게 가는 것은 어불성설이었다.

바로 그 순간이었다. 밤하늘에 포물선을 그리며 날아오는 불화살이 몸을 숙이고 있던 요괴의 뒤통수에 그대로 박히고 말았다. 머리에 불이 붙은 요괴는 고통스러운지 괴성을 지르며 자리에서 일어나 펄쩍펄쩍 뛰기 시작했다. 어느 새 몸 전체로 옮겨 간 불길은 어둠 속에서 점점 거세게 타올랐다. 삽시간에 요괴는 불길 속에 싸여 점점 오그라들더니 마침내 재가 되어 갔다.

조금 뒤 희뿌연 먼지를 일으키며 멀리서 뛰어오는 왕호와 화룡의 모습이 보였다. 두 사람은 그곳 분위기가 심상치 않음을 짐작하고 전속력으로 뛰어오기 시작했다.

여전히 한쪽에서 요괴와 막상막하의 접전을 벌이고 있는 승수가 달려오는 두 사람을 보고는 힘을 내기 시작했다. 조선 제일 검의 후예답게 승수가 사용하는 검술은 검의 속도와 상대를 향해 빠르게 들어가는 궤적이 무척 날카로웠다. 그나마 행신단원들 가운데 가장 뛰어난 검술실력을 갖고 있던 그였기에 요괴와의 싸움에서 지금껏 버틸 수 있었던 것이었다.

곧 도착한 왕호와 화룡이 싸움에 가세했다. 양측 간 백 합이 넘는 합을 겨루었다. 인간을 깔보던 요괴는 세 사람의 협공에 크게 당황했다. 덩치가 큰 상대의 약점을 살펴보던 왕호가 순식간에 한쪽 다리를 잡고 밀어붙이는 통에 요괴는 균형을 잃고 땅에 넘어지면서 머리를 세게 부딪쳤다. 충격이 컸던 요괴는 인상을 찌푸리더니 뒷걸음질을 치며 도망갔다. 요괴가 눈앞에서 사라지자 세 사람은 경계를 풀고 덕환이가 쓰러져있는 데로 급히 달려갔다. 덕환은 자신의 원통함을 호소하듯, 눈을 반하게 뜨고 죽어있었다.

"이보게 덕환이! 눈을 좀…… 떠 보게."

왕호는 사늘히 식어 버린 덕환의 주검 앞에 할 말을 잃었다.

처참히 죽은 덕환의 얼굴을 본 세 사람은 참았던 울음보를 터뜨리면서 목을 놓아 통곡하였다. 행신 상단과 비밀 결사 조직 단원으로 동고동락의 우정을 쌓아온 그들이었기에 슬픔은 이루 말할 수 없었다.

같은 시간 시장어귀에서는 치열한 싸움이 벌어지고 있었다. 삼손은 불붙은 검을 머리 위로 들어올려 커다란 원을 그리듯 휘둘렀다. 그러자 검에서 붉고 둥그런 원형의 검기가 발산되었고 그것에 닿는 모든 요괴들을 척살했다. 하지만 그것이 끝이 아니었다. 번개가 번쩍한 후 우르르 꽝꽝 하는 우렛소리가 귓전을 때렸다. 뒤이어 하늘로부터 크고 작은 불덩어리들이 억수처럼 내리는 비처럼 쏟아졌다. 시장 어귀와 거리에 모여 있던 무수한 요괴들이 외마디 비명조차 없이 불에 타 없어졌다.

이 광경을 지켜 본 요괴족의 우두머리 바알은 일단 몸을 피하기 위해 땅속으로 들어가야겠다고 생각했다. 잽싸게 바알의 몸은 연기처럼 흩어지며 땅속으로 빨려 들어갔다. 땅속으로 몸을 숨긴 바알은 하늘에서 내리고 있는 불덩어리가 그치기만을 기다리는 중이었다. 바알과 같이 땅 속에 숨은 부하요괴들은 상당히 위협적이었다. 인간의 영역을 뛰어넘은 절정의 고수라도 집중을 하지 않으면 전혀 감지를 할 수 없는 것은 물론 역습을 당해낼 수도 없었다.

시장은 이미 화염에 싸여 있었고 검은 연기가 그 일대를 뒤덮고 있었다. 방금 전까지 포위 된 시장 거리에서 살아남은 춘삼과 정길은 이곳을 떠난 아이들과 단원들이 걱정이 되었다.

다른 일행들이 걱정이 되었던 것은 삼손도 마찬가지였다. 그는 먼저 두 사람을 일행들에게 보내기로 작정했다. 그도 같이 가고 싶었지만 땅속으로 숨어들어간 요괴들을 퇴치하는 것이 급선무였기에 그럴 수가 없는 처지였다.

"두 사람은 먼저 아이들 곁으로 가줘. 여기 일을 마무리 하면 나도 곧 뒤따라갈게."

삼손은 곁눈질로 두 사람더러 어서 가라는 신호를 보냈다.

춘삼과 정길은 시장에서 나온 길로 지체하지 않고 아이들과 단원들이 있는 곳으로 뛰어갔다. 두 사람은 전속력으로 뛰느라 숨이 턱턱 막힐 지경이었다. 사방은 쥐 죽은 듯 고요했으며 바람 소리만 간간이 들려왔다. 두 사람이 어림잡아 45분쯤 달렸을 때 어둠 속 저만치에서 슬피 우는 소리가 들렸다. 곧이어 사람들의 형체가 희미하게 드러났다.

두 사람이 가까이 가 보니 다름 아닌 단원들이었다. 왕호와 화룡 그리고 승수가 누군가의 주검을 붙들고 목놓아 울고 있었다. 춘삼과 정길이 좀 더 바짝 다가가 보니 덕환이었다. 두 사람은 아무 말도 없이 눈을 감고 있는 덕환의 싸늘한 주검을 보고는 큰 충격을 받았다.

한편 남아있는 요괴들의 잔당을 처리하기 위해 삼손은 인근 시장어귀와 마을을 이잡듯이 뒤졌다. 불과 몇 시간 전만 해도 시장거리에 빼곡히 들어차있던 요괴들은 눈을 씻고 봐도 찾을 수 없었다. 삼손은 요괴의 두목인 바알을 반드시 죽여야만 두 번 다시 사람들을 해치는 짓을 못할 것이라 생각했다. 그는 분에 못 이겨 이를 부득 갈고 있을 바알이 스스로 모습을 드러내기만을 은근히 바라고 있었다. 어서 일을 끝내고 아이들과 동료들 곁으로 가고 싶다는 생각이 삼손을 조바심치게 만들었다.

아니나 다를까, 바알은 최후의 일격을 가하기 위해 땅 속을 평지처럼 움직이고 있었다. 기회를 엿보던 바알이 삼손의 발 밑, 가장 취약한 곳에서 송곳처럼 솟구치며 공격했다.

본능적으로 위험을 감지한 삼손은 공중으로 튀어 올라 검을 잇달아 휘둘렀다. 순간 바람 소리가 고막을 찢을 듯했고 불화살 같은 검기가 우박처럼 쏟아져 내렸다. 삼손은 땅에 의존하지 않는 경공술로 허공을 걸으며 땅 속에 숨은 요괴들을 공격했다. 바알도 뒤질세라 세 갈래가 뾰족하게 날카로운 삼지창을 빙글 돌리며 삼손을 몰아붙이기 시작했다.

싸움은 순식간에 수십여 초를 넘겼다. 창과 검이 부딪치자 요란한 소리가 울리며 일어난 불꽃이 사방으로 튀었다. 싸움을 더해 갈수록 바알은 경악을 금치 못하고 있었다. 그것은 삼손의 검법이 상상을 초월했기 때문이었다.

검과 창이 붙었다가 떨어지는 순간 시퍼런 섬광이 화려하게 작렬했다.

삼지창이 어지럽게 허공을 난무하며 악의 기운을 뿌리는가 하면,

삼손의 검이 그 사이를 가르며 빛을 파랑처럼 일으켰다.

바알은 싸우면 싸울수록 상대의 실력을 가늠할 수가 없었다. 요괴의 두목인 바알은 평생 수천 번도 넘게 격전을 치렀다. 그러나 이토록 웅장한 기세를 뿜어내는 검술은 처음이었다.

상대의 검에서 뿌려지는 검기는 시간이 흐를수록 강력해지고 있었고, 꼬리에 꼬리를 물고 연결되는 검식은 단순한 듯 하면서도 추측할 수 없는 변화를 끝없이 생성해 내고 있었다.

싸움은 일진일퇴의 공방을 거듭했다. 바알은 처음에는 간단히 이길 수 있을 것이라 생각했으나 예상이 빗나가자 놀람이 점차 분노로 바뀌었다.

게다가 상대방의 정체는 커녕 검술의 내력조차 모르니 마침내 그는 살기가 크게 일어났다.

갑자기 삼지창의 움직임이 요란해졌다. 찔러오던 창에 엄청난 회전이 걸려 있어 검이 튕겨졌다. 전혀 예상하지 못했던 공격이었기에 삼손은 하마터면 검을 놓칠 뻔 했다. 하지만 삼손의 가공할 내공이 즉시 뻗어 나가며. 바알은 중심이 크게 흔들리는 것을 느꼈다. 바알은 갑자기 현란해진 삼손의 검술을 상대하며 혼란을 금치 못했다. 요괴인 자신과 싸우고 있는 상대가 인간의 영역을 뛰어넘은 실력자임을 깨달았다. 무엇보다 그의 검은 천상에서나 볼 수 있는 화염검이었기에 그걸 자유자재로 사용할 수 있는 상대는 평범한 인간이 아님을 짐작할 수 있었다. 바알은 시간이 흐르자 더 이상 어쩔 수 없다는 절망으로 변했다. 그 순간에 삼손은 무서운 기세로 바알을 덮쳐오기 시작했다. 삼손은 곧장 정면으로 달려올 듯

하더니 갑자기 땅을 박차며 공중으로 뛰어올랐다. 그러고는 검을 위에서 아래로 자연스럽게 내리 그었다.

바알의 가슴이 길게 찢겨져 나갔다. 그뿐 아니라 바알의 오른쪽 어깨가 화끈해지면서 팔이 잘려나감과 동시에 선혈이 튀었다. 남은 한 팔로 어둠 속을 휘저었지만 아무것도 잡히지 않았다. 그 때문에 바알은 중심을 잃고 뒤로 비틀 거렸다. 삼손은 기회를 놓치지 않고 검을 휘둘러 바알의 목을 뎅거덩 잘랐다. 상대는 연속되는 삼손의 공격을 막아내지 못한 것이다.

검과 창이 부딪치고 피와 살점이 튀는 요괴와의 목숨을 건 진검 승부는 그렇게 끝이 났다.

'무예와 검술은 시작과 끝을 알 수 없고, 하늘과 같이 안과 바깥의 구분이 없다. 따라서 무예와 검술의 도를 터득한 후에는 오히려 얽매이지 말고, 항상 새로운 경지를 추구해야 한다. 인간의 편협함을 깨닫고 마음을 정결하고 올바르게 꾸준히 연마하고 터득해야 지혜와 진리가 있는 하늘의 경지에 오를 수 있다.'

삼손은 문득 할아버지가 들려 준 말씀이 생각났다. 오늘 같은 삶과 죽음의 냉엄한 싸움의 현장에서 그는 눈에 보이는 현상에서 눈에 보이지 않는 본질로 나아가야 함을 깨닫고 있었다.

제10장. 황혼에서 새벽까지

언덕 위에 있는 마을에는 사람의 기척 하나 없었고 골목마다 조용한 낙엽들만 뒹굴고 있었다. 다급하게 주위를 둘러보며 숨을 곳을 찾고 있는 송철은 숨이 차서 말을 꺼내지 못하고 헐떡거렸다. 그는 깊이 잠든 복순이까지 등에 업고 뛰느라 기진해서 쓰러질 지경이었다.

다행히 춘희와 동철이가 다른 아이들을 잘 이끌어준 덕분에 언덕까지 올라올 수 있었다. 송철은 아이들을 요괴들로부터 지켜야만 한다는 생각에 마음이 초조해지기 시작했다. 그는 덕환이와 승수의 생사가 궁금했지만 당장 아이들을 숨겨야 할 장소를 찾는 게 급선무였기에 정신이 없었다.

같은 날 같은 시각에 태어난 어린 세쌍둥이 형제인 만식, 원식, 두식이도 몸을 숨길 곳을 찾느라 갈피를 못 잡고 길거리와 골목 사이를 우왕좌왕하고 있었다.

언덕 마을에는 고만고만한 집들이 빼곡했다. 송철은 오늘밤에 숨을만한 집을 둘러보던 중 조금 더 멀리 있는 집 한 채가 눈에 들어왔다. 누가 보아도 눈길이 갈 정도의 화려함을 갖춘 넓은 규모로 지어진 집이었다.

"일단 저기 보이는 큰집으로 몸을 숨기도록하자. 다들 조심해서 따라오너라."

여전히 잠든 복순이를 업고 있는 송철은 아이들을 바라보며 고갯짓으로 큰 대문이 있는 집을 가리켰다.

"네, 알겠어요."

춘희가 고개를 끄덕이고는 아이들을 이끌었다.

잠시 뒤에 송철은 대문 양옆에 붙어있는 담장보다 훨씬 높은 솟을대문이 있는 집으로 무작정 들어갔다가 식겁할 수밖에 없었다. 바로 뒤쫓아 들어 온 아이들도 무언가를 보고는 크게 기겁하여 절로 비명을 질러 댔다. 넓은 마당 여기저기에는 형체를 알아 볼 수 없이 심하게 부패한 시체들이 널부러져 있었고 검붉은 핏자국으로 더럽혀져 있었다.

송철은 한눈에 보기에도 요괴들의 짓이라는 것을 알 수 있었다. 그는 시체 썩는 역한 냄새로 인해 속이 메스껍고 자꾸만 구역질이

났다. 더는 이곳에 머무를 수가 없어 아이들을 데리고 급히 밖으로 뛰쳐나왔다. 차마 못 볼 광경을 본 아이들은 공포와 두려움에 휩싸여 얼굴이 파랗게 질리며 온몸을 옹송그렸다.

요괴들이 이 마을에도 들이닥쳐 사람들을 닥치는 대로 죽였다는 것을 확인한 이상 이곳도 더는 안전하지 않다는 것을 깨닫기 까지 그리 오랜 시간이 걸리지 않았다. 살인도 모자라 시체를 잔인하게 훼손시킨 현장을 본 송철과 아이들은 한시라도 빨리 이 끔찍한 곳을 떠나고 싶었다.

그렇다고 밤이 깊은 시간 여섯 명의 아이들을 데리고 계속 길을 걸을 수도 없는 노릇이었다. 송철은 무척 난감했다. 주막에서 아이들을 만난 후로 언제고 이런 일이 있으리라는 건 예상했지만 이렇게 쉽사리 위기가 닥칠 줄은 몰랐다. 조금 전 비명 소리에 놀란 복순이가 눈을 비비며 잠에서 깨어났다. 복순이는 그러면서 반쯤은 얼이 빠져 있는 언니와 오빠들을 보면서 그저 어안이 벙벙할 뿐이었다.

송철은 가파른 언덕을 뛰어 오느라 몹시 힘들었는데 여섯 명의 아이들은 더 말할 것도 없었다. 음식을 제대로 먹지 못하고, 잠도 자지 못한 아이들은 설상가상으로 죽은 시체들까지 보고 난 후라 몸과 마음이 지칠 대로 지쳐 있었다.

"춘희야, 동철아. 동생들 데리고 걸을 수 있겠니?"

잠에서 깬 복순이의 손을 잡고 있는 송철은 조심스레 말을 꺼냈다.

"저흰 괜찮아요. 그러니 눈치 보지 마세요."

춘희가 나이는 비록 어렸을지언정 생각은 어른스러웠다.

"실은 이것보다 더한 것도 많이 봤어요. 아까는 으스스한 밤에 보니까 너무 무서워서 그랬어요."

동철이는 옷소매로 코끝을 한 번 문지르고는 길을 안내하기 위해 맨 앞으로 나아갔다.

"동철이 오빠. 무슨 일 있었어?

복순이가 졸린 눈을 억지로 껌벅이며 물었다.

"응, 아무 일도 아니야. 그러니까 넌 신경 쓰지 마."

동철은 전혀 모르는 척 시치미를 뚝 떼었다.

다른 아이들도 별일 아니라는 듯 동철이와 춘희의 손을 잡고는 발걸음을 옮기기 시작했다.

송철은 그런 아이들의 모습을 보면서 갑자기 눈물이 핑그르르 돌고 코끝이 시큰해졌다. 어린 나이에 감수하기 어려운 고통을 겪고 있는 모습이 무척 안쓰러웠다. 복순은 송철의 그런 마음을 알기라도 하는지 말을 걸었다.

"오빠. 울어?"

"응? 아니……다 큰 오빠가 울긴 왜 울어. 티끌이 들어갔는지 눈이 따가워서 그래."

복순이의 말에 송철의 눈에서는 눈물이 왈칵 쏟아질 것만 같았다.

"내가 호 불어 줄까?"

복순은 천진난만한 얼굴을 쌩긋이 웃으며 송철의 눈에 후후 입김을 부는 시늉을 했다.

“야, 우리 복순이가 의원님보다 나은 걸. 오빠 눈이 아무렇지도 않네.”

송철은 복순이의 웃음에 잠시나마 모든 시름을 잊은 것만 같았다.

“진짜? 와! 신난다!”

복순이는 뭐가 그리 좋은지 연방 쌩끗쌩끗 웃으면서 신이 난 모습이었다.

“복순아. 다리 아프면 말해. 오빠가 업어 줄게. 알았지?”

송철은 복순이를 보며 가슴 한구석이 뭉클해져왔다.

언덕에 있는 집들은 요괴들이 숨어 있는 집 마냥 하나같이 불이 꺼져있었다. 동철이가 앞장서서 길을 안내하다 뭔가 심상찮은 조짐을 느꼈는지 자꾸 주변을 살폈다. 컴컴하고 어두운 길을 걷는다는 것이 여간 어려운 일이 아니었다. 송철은 도저히 안 되겠다 싶었는지 어깨에 멘 보따리에서 부싯돌을 꺼냈다. 칠흑 같은 밤길을 뚫고 가려면 횃불을 밝혀야 했기 때문이었다. 송철은 폐가 같은 집 앞에서 마른 낙엽들을 모아놓고 부싯돌을 부딪쳐 불을 붙였다. 만일을 대비해 준비해 놓은 긴 나무막대 끝에 송진에 담궈 두었던 헝겊을 감았다. 곧 불을 붙이자 횃불이 마치 깃발처럼 소리를 내며 펄럭였다.

송철이 횃불을 들자 어두웠던 주변이 갑자기 환해졌다. 기분 탓인지 아이들도 덩달아 발걸음이 가벼운 것처럼 느껴지기 시작했다. 일행들은 어느새 마을을 벗어나 한적한 산길로 접어들었다.

하늘에 달빛도 별빛도 없는 흑야를 헤치고 걷고 있는 송철과 아이들은 언제 어디서 산짐승과 요괴가 나타날지 몰라 긴장을 풀지 않으려고 정신을 가다듬었다. 그나마 횃불이 있어 어두운 길을 살펴 볼 수 있다는 게 다행이라면 다행이었다. 걸어가는 주위에는 가을 풀벌레 소리만이 애연스럽게 들려왔다.

"다른 형들은 무사한 거겠죠?"

동철이 걱정스런 얼굴로 송철을 바라보았다.

"휴우! 그러게 말이다. 다들 아무 일 없이 무사했으면 좋겠구나."

단원들 걱정에 송철은 신음처럼 긴 숨을 내쉬었다.

"저…궁금한 게 있는데요. 오빠들도 저희들처럼 가족이 없으세요?"

송철의 뒤를 따라 묵묵히 논틀밭틀을 걷던 춘희가 불쑥 질문을 던졌다.

"아니, 네가 그걸 어떻게 알고 있니?"

발길을 내딛다 말고 송철은 문득 걸음을 멈추었다.

"아……실은 아까 헤어지기 전에 덕환오빠에게서 들었어요. 왜 저희들만 마을에 남게 되었는지 그간의 고충을 듣고는 오빠가 그렇게 마음 아파할지 몰랐어요. 오빠에게도 무슨 말 못할 사연이 있긴 있는 모양이다 라고 그냥 넘어가려고 했는데……갑자기 덕환오빠가 마음을 열고는 자신과 다른 오빠들의 이야기를 모두 들려주었어요."

서로의 손을 맞잡고 걷는 세쌍둥이 삼 형제들을 엄마처럼 챙겨주고 있는 춘희가 대답했다.

"그래, 네 말이 모두 맞다. 오빠들도 일찍이 부모님과 형제를 잃었어. 그래서 너희들을 보면 남의 일 같지 않게 무척 마음이 아프단다."

송철은 다정한 눈빛으로 아이들을 한 명씩 바라보았다.

"오빠도 아부지, 어무이 많이 보고 싶어?"

복순이는 무슨 생각이 났는지 송철에게 가서 귀엣말로 무어라고 속삭거렸다.

"음……보고 싶어. 하루에도 수백 번씩."

송철은 눈을 반짝 빛내면서 귀를 쫑긋하니 세웠다.

"나도 아부지, 어무이가 보고 싶어……."

복순이가 울음을 터뜨리자 금세 눈물이 뽀얀 볼을 타고 조르르 흘러내렸다.

"복순아……이제 이 오빠가 있으니 울지 마."

송철은 울고 있는 아이를 따듯이 안아 주었다.

아이들이 어느 샌가 모여들어 두 사람의 대화를 전부 듣고 있었다. 동병상련 같은 아픔을 겪어서 그런지 몰라도 담담한 표정들이었다.

송철과 여섯 명의 아이들은 어둡고 캄캄한 숲길로 들어섰다. 숲 사이로 좁은 오솔길이 끝이 보이지 않을 정도로 까마득하게 이어지고 있었다. 조금 전과 달리 숲길에는 바람 한 점 없었으나 그들 주위에 있던 나무 가지들이 일제히 출렁거렸다. 바스락거리는 나뭇잎 소리가 마치 누군가가 떠드는 소리처럼 느껴졌다.

별안간 어디선지, 그 누구도 소리 나는 방향을 정확히 알지는 못했지만 귀를 째는 듯한 비명 소리와 고함치는 괴성이 들려왔다. 송철이 횃불을 높이 들고 주위를 살폈지만 아무도 없었다. 그 비명 소리는 온몸에 오싹 전율이 일게 하는 것이었다. 사람의 소리는 분명 아니었다. 송철이 의심 가는 데가 있었으니 그것은 바로 요괴족이었다. 이번에는 쇳덩어리가 탕탕거리는 시끄러운 소리가 멀리서부터 점점 가까이 들려왔다.

"자, 얘들아! 빨리 저기 숲으로 들어가 숨어. 어서!"

송철은 손에 들고 있던 횃불을 급히 꺼버리고는 피하라는 손짓을 했다.

아이들 모두가 반사적으로 나무가 울창한 숲속으로 몸을 숨겼다. 그로부터 얼마동안은 송철과 아이들에게 위험한 고비였다. 사악한 요괴들이 성난 고함을 질러 대며 시끄럽게 태평소와 나발을 불고 소라 껍데기로 만든 나각을 귀가 따갑도록 불어댔다. 곧장 산꼭대기를 누비며 가파른 언덕길로 물밀듯이 밀려 내려왔다. 요괴들은 숨죽인 채 숨어 있는 송철과 아이들이 있는 곳 바로 옆으로 지나가고 있는 중이었다. 뒤이어 꽹과리와 징을 꽹그랑거리며 쳐대는 요괴들의 행렬이 끝이 없이 계속되고 있었다.

고막이 터질 듯한 시끄러운 악기 소리와 요괴들의 괴성에 금방이라도 무슨 일이라도 터질 듯한 긴박감이 흘렀다. 그때 무리 중에 사악하게 생긴 한 요괴가 행진을 멈추고는 무슨 냄새를 맡았는지 코를 벌름대고 있었다.

송철과 아이들이 숨어있는 숲속 방향으로 시선을 고정시킨 요괴가 손가락으로 가리키고는 고함을 질렀다.

"앗! 인간들이다! 저기 인간들이 있다!"

그 순간 지나가던 요괴들의 긴 행렬이 갑자기 송철과 아이들이 숨어 있는 숲 앞에서 정지했다. 무겁게 내리 눌리는 공포스럽고 잔혹한 분위기 속에 송철과 아이들 모두 호흡이 단절되어 버린 것만 같았다. 그때였다. 세쌍둥이 가운데 큰 형인 만식이가 너무 긴장한 나머지 그만 콜록 기침을 하고 말았다. 그 소리를 들은 요괴들이 떼를 지어 숲 속으로 달려들기 시작했다. 사냥감 냄새를 제대로 맡았는지 요괴들이 연방 콧구멍을 벌룽벌룽하였다.

"이런, 얘들아 도망쳐! 어서!"

송철은 몹시 당황한 기색을 감추지 못하고 다급하게 소리를 질렀다.

촌각을 지체할 수 없는 급박한 상황에 처한 그는 복순이를 어깨에 둘러업었다. 그러고는 어디로 가야 할 방향도 모른 채 무작정 움직이기 시작하였다. 하늘을 향해 쭉쭉 뻗어 있는 아름드리 소나무가 가득한 숲속은 오르막이 아니라 내리막이었다. 평지를 걷는 것보다 몇 배 힘이 드는 험로였다. 하늘이 보이지 않게 무성한 가지가 덮고 있는 숲속은 완전히 암흑 그 자체였다.

길을 밝혀 주는 불빛도 하나 없이 송철과 아이들은 멀리 계곡 사이로 졸졸 흐르는 냇물 소리에 귀 기울이며 그곳을 향해 허둥지둥 뛰었다. 세쌍둥이 삼 형제 중 다리가 불편한 막내 두식을 등에 업고 뛰느라 춘희는 온몸이 진땀으로 범벅이 되었고 숨이 턱까지 차올라 까무러치기 일보 직전이었다. 다행히 동철이가 나머지 두 형제의 손을 잡고 이끌어주어서 걷기가 훨씬 수월했다.

산비탈의 내리막길은 발걸음을 가볍게 하는 이점이 있지만 다른 한편으로 부상을 당할 위험도 컸기에 각별한 주의가 필요했다. 산비탈 밑에 거의 도착하기 직전 춘희가 간신히 발을 옮겨 놓는다는 것이 소나무 뿌리에 걸리고 말았다. 순간 춘희와 등에 업혀있던 두식이가 비탈길에 나뒹굴면서 저도 모르게 비명 소리를 냈다.

"아악!"

"춘희야! 두식아!"

갑자기 들린 비명 소리에 송철은 섬찟 놀라 뒤를 돌아보았다.

넘어졌을 때의 충격으로 고통스러운 신음소리를 내고 있는 춘희는 바로 일어나지도 못하고 죽은 듯이 가만히 누워있었다. 다행히 두식이는 춘희의 등에 있어서인지 크게 다친 것 같진 않았다. 송철이 급히 달려와 춘희의 몸 상태를 확인하고는 그만 눈물을 왈칵 쏟고 말았다.

춘희의 갸름하고 고운 얼굴이 온통 흙투성이가 되었고 옷은 갈가리 찢어져 군데군데 살이 드러나 보였다. 좀 더 자세히 들여다보니 춘희의 입술이 찢어졌는지 피가 입안에 가득 고였고 양 무릎의 상처에서도 끊임없이 찐득찐득한 피가 흘러나왔다. 아이의 몸은 만신창이가 되었지만 정신만은 또렷또렷하고 맑았다.

"춘희야, 괜찮은 게냐? 일어 설 수 있겠니?"

송철은 다친 춘희의 모습을 보니 가슴이 아팠다.

"네……잠깐만요. 일어나 볼게요. 아악! 다리가…… 너무 아파요!"

춘희가 땅에서 일어나려는 순간 양손으로 왼쪽 다리를 붙잡고는 고통스러운 비명을 질렀다.

송철은 사태의 심각성을 단번에 알아챘다. 춘희는 한쪽 다리가 골절된 상태라서 움직일 수가 없었던 것이었다.

"아무래도 안 되겠다. 내게 업히거라. 계곡이 바로 저 앞이니 분명 숨을 데가 있을 거야."

송철은 다리를 크게 다친 춘희를 등에 업고서 아이들과 함께 계곡으로 향했다.

그와 아이들이 계곡에 가까워지자 그나마 희미하게 보였던 길도 사라졌다. 주위에는 산봉우리에서 굴러떨어진 크고 작은 바위가 너저분하게 어질러져 있었다.

"동철아, 여기가 어디인지 알겠니?"

송철은 주변을 빙 둘러보더니 잠시 어리둥절한 표정을 지었다.

"아니요. 저도 여기는 처음 와 봐요."

동철은 잘 모르겠다는 듯이 고개를 갸웃거렸다.

그들이 정신없이 계곡으로 들어서며 문득 고개를 들었을 때 전혀 다른 세상이 펼쳐졌다. 그곳은 사람의 발길이 전혀 닿지 않은 듯 보여서인지 태고의 모습 그대로였다. 계곡에는 많은 물이 바위 사이로 부서지면서 콸콸 쏟아져 흐르고 있었다. 주변은 바위뿐만 아니라 빽빽한 잡목과 칡등 각종 질긴 덩굴이 이중삼중으로 앞을 가로막고 있었다. 덩굴은 소나무와 밤나무를 타고 올라가 나무의 거의 모든 가지까지 가려버렸다. 그 안의 기세를 잃은 나무들이 제발 살려달라고 비명을 지르는 것 같은 느낌이 들 정도였다.

송철과 아이들은 밤새도록 걸었기 때문에 지칠 대로 지쳐 있었다. 이 상태로는 도저히 계곡을 뚫고나갈 엄두가 나지 않았다. 여기가 어디인지조차 거의 모르는 채로 무작정 이곳을 벗어 날 수도 없는 지경이었다. 마치 정글 속으로 들어 온 것처럼 세상과 단절되었다는 절망감이 느껴졌다.

"형! 이제 더는 요괴들의 소리가 들리지 않아요. 우리를 놓친 게 틀림없어요."

동철이가 덩굴 숲 바깥을 주시하며 안도의 숨을 길게 내뿜었다.

"제발 그랬으면 좋겠구나."

부러진 춘희의 왼쪽 다리를 고정하기 위해 부목을 대고 있는 송철은 동의한다는 듯 고개를 끄덕였다.

"언니, 많이 아파?"

복순이가 걱정스러운 눈으로 춘희의 손을 꼭 잡고 있었다.

세쌍둥이 삼 형제인 만식, 원식, 두식이가 춘희 곁에서 눈물을 억지로 참으려는 듯 코를 순간 훌쩍하고는 이내 서로 고개를 돌렸다.

"으윽……마치 숲이 우리를 꼭 보호해주는 것만 같아."

춘희가 다리의 통증을 참으려는 듯 얼굴을 잠시 찌그리다가 애써 웃어 보였다.

"휴, 그래, 춘희 말이 맞는 것 같다. 이게 다행인지 모르겠으나 더 이상 요괴들로부터 쫓기지 않으니 이제야 살 것만 같구나."

억지로 웃음을 머금은 송철은 겉으로 태연한 척 해도 마음속의 불안을 숨길 수가 없어보였다.

이대로 한 숨을 돌리는 가 싶었는데 갑자기 계곡 물이 떨어지는 뒤 쪽에서 무언가가 자꾸만 부스럭거리며 이상한 소리가 났다. 계곡 주위를 순찰하듯 살피고 있던 동철이가 이상한 낌새를 느끼고는 송철 곁으로 다급히 뛰어왔다.

"왜 그래? 무슨 일이야?"

송철이 벌떡 일어서며 말했다.

"형! 폭포가 떨어지고 있는 동굴 안쪽에……무언가가 있어요."

동철은 손을 들어 절벽에서 떨어지는 폭포 방향을 가리켰다.

폭포에서 내리꽂히는 물기둥과 물안개 때문에 밖에서는 잘 보이지 않았지만 폭포 뒤로 매우 커다란 크기의 동굴이 뚫려 있었던 것이다. 폭포 주위를 유심히 살펴보던 송철은 정체를 알 수 없는 살기가 느껴지자 온 마음이 사늘히 얼어붙었다.

그때 갑자기 지축을 흔드는 호랑이의 울부짖음이 엄청나게 들렸다. 엄청난 폭포의 수압을 뚫고 암적황색의 호랑이 한 마리가 나타났다. 그런데 그게 끝이 아니었다. 뒤이어 꼬리를 세차게 흔드는 몸집이 더 크고 거대한 호랑이가 어슬렁거리며 모습을 드러냈다. 건너편에 있는 송철과 아이들을 발견한 호랑이들이 입을 벌려 포효하자 온 산과 골짜기에 호랑이 소리가 쩌르렁쩌르렁 울려 퍼졌다. 말로만 듣던 호랑이를 만나니, 송철과 아이들은 어찌나 무섭고 정신이 없던지 소리도 지르지 못했다.

송철은 이곳까지 요괴들이 쫓아오지 않은 이유를 이제야 알 것만 같았다. 전부터 그는 집안 어른들에게서 호랑이의 기운이 악귀를 내쫓는다는 이야기를 심심치 않게 들어온 터라 집요한 요괴들이 호랑이의 서식지인 계곡을 일부러 침범하지 않은 것이라 생각이 들었다.

그는 당장 눈앞에 닥친 호환의 위기 앞에서 어찌할 바를 몰라 매우 당황스러웠다. 두 마리의 호랑이는 어느새 계곡 물을 사뿐히 건너서 송철과 아이들이 있는 바위 쪽으로 성큼성큼 다가오고 있었다. 가까이에서 본 두 호랑이는 송아지보다 훨씬 컸고 그 중의 한 마리는 얼핏 보기에도 몸길이가 4미터가 넘었다.

이대로 가만히 있다가는 모두 호랑이의 먹잇감이 될 게 뻔했다. 그렇다고 다리를 다친 춘희를 혼자 나두고 갈 수도 없었다. 아이들이 만약 뛴다 해도 호랑이의 빠른 발을 당해낼 재간이 없는 것이 현실이었다. 송철은 너무나 암담하고 망연자실, 넋 나간 꼴로 그 자리에 멈춰 서 버렸다. 낙엽과 비슷한 황갈색과 검은색 줄무늬가 어우러져 자신의 존재를 사냥할 대상에게 숨기는데 명수였던 호랑이가 이번에는 그럴 필요를 못 느끼는 것 마냥 양쪽 방향에서 포위하며 거리를 점점 좁혀오고 있었다. 날카로운 송곳니를 드러내며 자꾸만 으르렁 거리는 호랑이의 눈빛이 금방이라도 사람들을 잡아먹으려는 기색이었다.

송철은 집채만 한 호랑이들을 보자 온몸의 털이 서고 소름이 쫙 끼쳤다. 우선 그는 아이들을 숨기려고 자신의 뒤쪽으로 보냈다. 그런 다음 허리춤에서 귀주머니를 꺼내 속에 들어있는 흑색의 분말가루를 손에다 한 움큼 쥐고는 금을 그어 경계선을 표시하듯 땅에 뿌렸다.

그때 천둥이 꽈르릉하며 귓전을 울리듯이 호랑이들이 쩌르렁쩌르렁 소리를 지르며 위협해왔다.

“오빠…무서워.”

그 자리에 얼어붙은 듯 복순이가 송철의 바지자락을 틀어잡고 울먹이기 시작했다.

"복순아. 오빠가 뛰라고 소리치면 절대 뒤돌아보지 말고 동철이 오빠 따라서 덩굴 숲으로 달려야 해. 알았지? 그리고 동철아! 넌 춘희누나를 업고 죽을힘을 다해 뛰어야 한다. 만식이! 원식이!, 두식이도 방금 내가 한 말 대로 해야 해. 모두들 알겠지?"

송철은 아이들에게 유언처럼 당부했다.

무시무시하게 생긴 두 마리의 호랑이가 간간히 으르렁 거리며 엎어지면 코 닿을 데까지 가까이 접근해 오는 중이었다.

동철은 그가 부탁한대로 옴짝달싹하지도 못하고 있는 춘희를 등에 업고는 다른 아이들과 뛸 준비를 하고 있었다.

송철은 자세를 낮추고는 부싯돌을 꺼내들었다. 아주 짧은 한순간에 그는 눈물을 머금은 여섯 명의 아이들의 눈을 차례대로 마주쳤다. 그 가운데 헤어지는 게 서러워 울고 있는 복순이에게 울지 말라고 눈짓을 보내자 아이는 고개를 끄덕이면서도 눈물을 흘리는 것을 멈추지 않았다. 그때 아이들이 동시에 무언가를 보고는 놀란 토끼 눈을 하고 앞을 쳐다보았다.

그는 직감적으로 호랑이들이 본격적으로 사냥을 시작했다는 것을 알아차리고는 아이들과 눈인사를 끝으로 재빠르게 부싯돌을 켰다. 불을 일으킨 뒤에 불붙은 부싯깃을 미리 땅바닥에 뿌려 놓은 흑색의 분말가루에 던졌다. 눈 깜짝할 사이에 탁탁 불꽃이 튀며 번갯불 같은 섬광이 가루가 뿌려진 곳마다 연속적으로 일어났다. 송철이 땅에 뿌린 것은 화약가루였다. 전속력으로 사람들을 향해 뛰어오던 호랑이들이 갑자기 크게 폭발하는 불꽃과 소리에 놀라 균형을 잃고 미끄러졌다.

"얘들아, 지금이야! 달아나!"

아수라장이 벌어지는 동안 송철은 아이들에게 도망가라고 소리를 질렀다. 동시에 아이들은 그가 시킨 대로 덩굴 숲으로 들어갔다. 겁에 질린 호랑이들이 화약이 폭발하고 있는 동안 쉽게 접근하지 못하는 것을 깨닫자 송철은 아이들을 뒤따라 덩굴 속으로 도망치기 시작했다. 눈앞에 필사적으로 뛰는 아이들이 보이기 시작했다.

"복순아! 동철아!"

송철은 목청을 높여 아이들을 불렀다. 잠시 뒤 울창한 숲속에서 다시 만난 그들은 서로를 얼싸안고 기뻐했다. 송철은 동철이의 등에 업혀있던 춘희를 대신 업고는 서둘러 아이들을 이끌고 다시 발걸음을 옮겼다. 호랑이가 언제 쫓아올지 모르는 상황에서 시간을 허비할 수는 없었다.

"형! 지금 어디로 가는지 아세요?"

복순이와 삼형제를 챙기며 걷고 있는 동철이가 귀를 쫑긋이 세우고 주위를 두리번거렸다.

"음, 글쎄다. 여기가 어디인지 솔직히 나도 잘 모르겠구나."

무작정 발 가는 대로 걷고 있는 송철도 걱정스런 듯 한 숨을 내쉬었다.

새벽녘이라 많이 쌀쌀했으나 긴장한 탓인지 송철의 이마와 등덜미에 땀이 솟았다. 얼마쯤 걸었을까. 그들이 한참 만에 덩굴과 나무들이 빽빽하게 들어서 있는 숲에서 빠져나오자 순간 눈을 의심했다. 저 멀리 운해에 싸인 큰 산이 아렴풋이 모습을 보였다. 멀리서 보기만 해도 산봉우리의 거대하면서도 기이한 형상이 마치 웅장함과 신비로움을 함께 지니고 있었다.

"동철아! 혹시 저기 보이는 산이……."

믿을 수 없는 놀라운 광경에 송철은 너무 놀라 입이 다물어지지 않았다.

"이건 말도 안 돼……저건 태룡산이에요!"

길 안내를 맡았던 동철이는 이렇게 빨리 태룡산을 보게 될 줄은 몰랐다. 아이는 어찌된 까닭인지 도깨비에 홀린 것 같은 생각이 들었다.

"오빠, 우리가 지름길로 온 거야?"

복순이가 뭔가 궁금하다는 표정으로 고개를 배슷이 기울였다.

"나도 모르겠어. 원래대로 가려면 아직 한참 남아 있는데……."

동철이는 도대체 뭐가 어떻게 된 일인지 얼떨떨하기만 해서 우두커니 서 있었다.

조금 전 계곡에서 필사적으로 도망쳤던 송철과 아이들은 자신들이 가고자 했던 태룡산이 어느새 눈앞에 보이자 신기해하면서도 놀라워했다. 그들은 이제 저 산으로 가기만 하면 요괴들의 공격으로부터 자유로울 수 있다는 희망이 생기기 시작했다.

"자, 얘들아. 조금만 힘을 내자."

태룡산을 보니 송철은 마음이 한결 가벼워졌다.

"저, 저기요. 뒤쪽에 요괴들이에요!"

뭔가를 뚫어지게 보고 있던 만식이가 크게 놀라며 재빨리 송철의 등 뒤로 숨었다.

"아니, 이럴 수가!"

송철은 요괴들을 보자마자 두 눈을 의심할 수밖에 없었다.

한 치 앞도 모르는 게 세상사라더니 언덕 밑에서 포악하게 생긴 요괴들이 먼지를 일으키며 몰려오고 있었다. 자세히 보니 요괴들은 사람들을 서로 먼저 잡아먹으려고 밀치고 잡아당기며 뒤엉켜 올라오고 있는 중이었다. 적의 숫자가 적어도 수백은 넘어 보였다.

"오빠! 우리 이제 어떡해?"

복순이는 그 광경을 보는 것만으로도 다리에서 힘이 쭉쭉 빠져 땅바닥에 쓰러질 것만 같았다.

"얘들아, 이쪽으로 따라와."

아이들을 부르는 송철의 목소리가 몹시 다급했다.

그는 등에 춘희를 업은 채 무작정 뛰기 시작했다. 앞에는 겨우 사람 하나가 지나갈 만큼 좁은 길이 나있었다. 다시 호랑이가 있는 덩굴 숲으로는 들어 갈수도 없었기에 이외 달리 무슨 뾰족한 방도를 생각해 낼 수가 없었다. 동철은 복순과 삼형제들을 데리고 송철의 뒤를 따라서 뛰어갔다.

우왕좌왕, 괴성을 지르며 언덕위로 올라 온 요괴들이 그들을 따라 쫓기 시작했다.

송철이 아이들과 도망가는 작은 숲길에는 이름 모를 노랑, 빨강의 꽃들과 잡초들이 흐드러지게 피어 있었다. 잠시도 쉬지 않고 달려왔더니 송철과 아이들의 온몸이 땀투성이가 되었다. 그들은 이젠 더 이상 도망을 계속하기 어려울 만큼 힘이 점점 지쳐 나기 시작했다. 동철이는 네 명의 어린 동생들을 이끌고 가느라 숨이 턱에 닿아 쓰러질 듯하였다. 다른 아이들도 마찬가지였다. 땀에 젖은 탓인지 숲에서 부는 밤바람에 한기가 품속으로 파고들었다. 온 몸이 무거워졌고 두 다리가 풀리기 시작했다.

춘희를 업고 정신없이 뛰던 송철이 앞을 바라보니 어느새 따라잡은 요괴들이 길을 막아섰다는 것을 알게 되었다. 뒤에서 쫓아 온 요괴들도 침을 질질 흐리며 송철과 아이들을 에워쌌다. 요괴의 무서운 얼굴을 가까이에서 보자 복순이가 비명을 질렀다. 만식이, 두식이, 원식이도 너무 무서워서 부르르 몸을 떨었다. 불과 100보 남짓 되는 거리에 떨어져 있는 울창한 숲을 앞에 두고 요괴들에게 붙잡히자 송철은 망연자실하지 않을 수 없었다.

새벽이 오기 전 인간사냥에 성공한 요괴들은 괴성을 지르며 환호성을 터트렸다. 요괴들은 송철과 아이들을 에워싸며 거리를 좁혀 오기 시작했다. 송철은 아무리 생각해 봐도 여길 빠져나갈 방법은 없어 보였다.

"이히히히. 인간들은 참으로 어리석구나. 어차피 죽게 될 것을……조금이라도 살아보려고 바둥거리는 모습이라니."

흉측한 얼굴을 한 요괴가 경멸의 눈초리로 그들을 바라보았다.

"헛소리 집어치워! 감히 요괴 따위가 사람에게 할 소리는 아니지."

울컥 치밀어 오르는 모멸감에 송철은 이판사판으로 대들었다.

"이 놈이 죽고 싶어 환장을 했구나. 네 놈은 내 특별히 맛있게

뼈를 발라 먹어주마."

양쪽으로 갈라진 긴 혀로 입맛을 다신 요괴는 눈을 희번덕거리며 그를 노려보았다.

"이 아이들은 그냥 보내줘! 대신 나를 죽여라."

송철은 절박한 위기에서 아이들을 우선 구해야 된다는 생각밖에 없었다.

"이런 머저리 같은 놈 같으니라고! 네 놈이 지금 상황 판단이 안 되나 보구나. 이제 곧 황천길로 갈 새끼가 누구에게 이래라 저래라 하는 것이냐? 으흐흐. 내가 제일 좋아하는 별미가 저 꼬맹이 같은 녀석들이다. 죽기 전에 잘 새겨들어라."

거대한 체구에 머리는 수소, 몸은 인간 같은 요괴가 그것도 알지 못 하느냐고 비아냥거렸다.

"지옥에나 떨어져 버려! 이 못된 요괴야!"

갑자기 용기가 생겼는지 아이들은 이에 질세라 한목소리로 버럭버럭 고함을 질러 댔다.

"아니, 이놈들이 죽고 싶어서 환장을 했나!"

요괴가 몹시 당황한 기색을 감추지 못했다.

"두목님! 이제 곧 새벽이 올 시간입니다. 일단 저 어린 녀석들부터 처리하시죠."

뱀처럼 혀를 날름거리는 수하 하나가 다가서며 두목의 눈치를 살폈다.

"각오하거라! 아주 천천히 고통스럽게 먹어주마."

두목이 사나운 눈을 번적이며 수하들에게 아이들을 이리 데리고 오라는 손짓을 했다.

대 여섯의 요괴들이 삼지창을 겨누고 송철과 아이들이 서있는 곳으로 성큼성큼 걸어왔다.

“이 나쁜 새끼들아!!! 당장 멈춰라!”

송철은 아이들 걱정에 숨이 멎는 것 같았다.

“흐히히히히. 이 나쁜 새끼들아… 당장 멈춰라…흐히히히, 겁먹은 꼴하고는!”

그의 목소리를 흉내 낸 요괴들이 목덜미를 젖히며 웃어대었다.

송철과 아이들은 요괴들이 빙 둘러서자 서로의 몸을 더욱 밀착시켰다.

‘아, 이제 모든 게 끝이구나.’

이곳에서 빠져나갈 방도가 없자 송철은 마음속으로 절망하고 말았다. 그런데 바로 그 순간, 복순이가 뭔가를 발견했는지 큰 소리로 외쳤다.

“앗! 오빠, 저 숲을 봐. 뭔가 빛이 번쩍거리고 있어!”

복순이의 말대로 숲속에서 이상한 불빛이 빤뜩이고 있었다. 자세히 보니 불빛이 천천히 움직이고 있었다. 어느새 불빛이 점점 커지기 시작하면서 움직이는 속도가 빨라졌다. 조금 뒤 암흑 같은 어두운 숲속에서 흰 두루마기를 입고 머리털 전체가 하얀 은빛의 백발 노인이 빛이 나는 지팡이를 손에 들고 모습을 드러냈다.

“할아버지!”

수풀 사이에서 갑자기 나타난 백발노인을 보고 복순이는 소스라치게 놀랐다. 아이는 그 노인이 사슴의 눈을 한 아리따운 처녀와 체구가 제법 큰 사내를 함께 데리고 오자 반가움에 어쩔 줄을 몰랐다.

"할아버지! 여기에요, 여기!"

아이들은 반가움과 불안이 겹쳐 한순간 마음이 헷갈렸다. 다리를 다친 춘희를 제외한 나머지 아이들은 제자리에서 뛰어오르며 목이 터져라 고함질렀다.

아이들보다 더 당황한 요괴들은 뭐가 뭔지 몰라 우왕좌왕 갈피를 못 잡았다. 백발노인보다 그 뒤에 쫓아 온 사내를 보자 요괴들의 눈이 별안간 커다랗게 벌어지면서 발광하듯 미친 듯이 악을 써댔다.

"아니 네 놈들은……."

요괴들이 분하고 억울한 표정을 지었다.

"몰렉! 이 세상을 혼란에 빠트리게 하다니 정말 겁대가리가 없구나. 인간들을 무참히 죽이고 파멸시킨 대가를 치르게 될 날이 반드시 오게 될 것이다."

백발노인이 근엄하게 꾸짖었다.

"아니 감히 우리 몰렉님에게 가르치려는 것이냐?"

노인의 말이 끝나기도 무섭게 도깨비마냥 둔하게 생긴 요괴가 삼지창을 휘두르고 노인에게 달려들었다.

노인이 지팡이를 한 번 땅에 내리치자 강한 빛이 발산되었다. 무서운 기세로 달려들던 요괴는 외마디 비명을 남기며 흔적도 없이 사라져 버리고 말았다. 송철과 아이들도 지팡이가 내쏟고 있는 빛과 열기 때문에 눈을 제대로 뜰 수 없었다.

빛의 세기가 얼마나 강렬했던지 대낮처럼 어둠을 씻어 주고 있었다. 겁에 질린 요괴들은 돌벼락을 맞은 구렁이처럼 몸뚱이를 한번 꿈틀하더니 다급하게 도망치기 시작했다.

"어디 한번 두고 보자! 기필코 네 놈들을 죽이러 오겠다."

끝까지 뻣뻣이 버티고 있던 몰렉도 강한 빛에 몸이 타들어 가자 연기처럼 사라졌다.

힘든 시간을 지나고 나니 언제 그랬냐는 듯 아무렇지도 않게 하늘은 맑게 개었다. 고요한 적막만이 가득 차 있던 숲속에도 가을밤 풀벌레 소리가 멀리서 가냘프게 들려왔다.

"할아버지!"

복순이는 힘껏 달려와서는 백발노인의 품에 뛰어들었다.

"어이쿠, 우리 복순이 불과 며칠 전 봤을 때는 키가 조그맸는데… 그새 많이 컸구나!"

노인은 껄껄껄 웃으며 복순이를 꼭 껴안아 주었다.

"할아버지, 이제 오시면 어떡해요? 저희 모두 얼마나 무서웠는지 아세요? 죽을 뻔했다고요!"

송철의 등에 업혀있는 춘희가 눈물을 글썽이며 노인을 바라보았다.

"아니, 춘희야! 어디 아픈 게냐?"

노인이 걱정스러운 빛으로 조심스레 물었다.

"안녕하세요? 어르신. 춘희가 산비탈에서 넘어져 한쪽 무릎이 부러진 것 같습니다."

그제야 춘희를 땅에 내려놓은 송철이 노인에게 공손히 고개 숙여 인사했다.

"그러고 보니 자넨 누군가? 이 마을에서는 처음 보는 얼굴인데……."

노인이 송철의 얼굴을 자세히 살펴보았다.

"이보시오 영감, 척보면 모르오. 외지에서 온 사람 아니겠소."

노인과 함께 온 사내가 답답하다는 듯이 대화에 끼어 들었다. 그 사내는 존재 자체만으로 따뜻한 온기를 발산하며 주위를 환하게 하고, 바라보고만 있어도 주변 공기를 밝게 정화시켜 주는 기분을 들게 하였다. 그는 훤칠한 키에 제법 어깨가 다부지고 체격이 탄탄해 보였다. 또한 순간순간 변하는 듯한 그의 얼굴에서 아이와 같은 귀여운 외모와 남자다운 분위기가 골고루 느껴졌다. 특히 장난기 가득한 미소와 까칠한 성격 때문에 아이들은 그 사내를 신기한 듯 쳐다보고 있었다.

"음, 듣고 보니 네 말에도 일리가 있구나."

노인도 그의 말에 공감하는 눈치였는지 고개를 끄덕였다.

"저는 행신 상단에서 일하고 있는 송철이라고 합니다. 저기, 혹시 최씨 할아버지가 아니십니까?"

그는 자신을 소개한 뒤 노인이 누구인지 정중하게 물어보았다.

"허허허, 그새 아이들이 내 얘기를 했나보군 그래. 자넨 보아하니 상단 일을 할 사람이 아닌 것 같은데…… 혹여 집안에 무슨 사연이라도 있나?"

노인은 호탕하게 웃은 뒤 송철의 마음속을 훤히 들여다보는 듯이 정곡을 찔렀다.

"역시, 듣던 대로 어르신께서는 대단한 신력을 갖고 계신 분이셨군요. 사실 저는 사헌부 장령의 관직을 갖고 있던 부친 밑에서 자란 탓에 고생을 모르고 자랐습니다. 성품이 올곧은 부친께서는 왕후와 조정 신료들의 불의를 보고 그냥 지나치지 않으시고 맞서 싸우셨죠. 결국 왕후의 비호를 받고 있는 호조판서와 병조판서의 세력들에게 역적으로 몰려 저희 집안은 그야말로 멸문지화를 당하고 말았습니다. 그때 행신 상단의 최낙훈 대행수님을 만나지 못했다면 저는 이미 이 세상 사람이 아니었을 겁니다."

힘들었던 과거를 이야기하자마자 송철의 눈에는 눈물이 스르르 어리기 시작했다.

노인의 말대로 송철이 힘든 일을 겪고 땀으로 뒤범벅이 되어도 그가 가진 귀티는 전혀 없어지지 않았다. 두 사람 사이에서 가만히 대화를 듣던 사내가 갑자기 눈을 크게 뜨고는 송철의 얼굴을 유심히 들여다보며 이상한 말을 했다.

"오 이런 젠장! 공주의 운명은……그가 아니었어. 바로…… 이자였어. 오, 세상에나!"

"아니 이놈아! 너 또 무슨 소리를 하는 거냐?"

노인이 엉겁결에 소리를 질렀다.

"어휴, 할아버지와 탄닌 또 싸우는 거예요? 지난 번에 나하고 안 싸우기로 약속했잖아요?"

춘희를 보살피고 있던 처녀가 급히 다가와 눈을 치뜨며 두 사람을 째려보았다.

"아니야, 공주야! 싸우긴 누가 싸운다고 그래? 영감과 나는 영원히 화친관계야. 영감, 안 그렀소?"

그녀에게 책잡힐 소리를 들을까 봐 사내가 노인을 바라보며 얼른 한쪽 눈을 찡긋해 보였다.

"암, 당연하지. 공주야! 이 할애비가 저 녀석과 싸울 일이 뭐가 있겠느냐?"

노인은 아무렇지 않은 듯 재빨리 표정을 바꿔가며 어색하게 웃었다.

"공주언니, 저 오빠 이름이 탄닌이야? 진짜 신기한 이름이다."

복순이는 아까부터 송철의 뒤에 서서 대화를 엿 듣던 중 사내의 이름을 듣자마자 입을 열었다.

"아휴, 깜짝이야! 복순이 넌 언제부터 여기 있었던 거니?"

공주는 아이 소리에 깜짝 놀라 뒤를 쳐다보았다.

"히히. 사실은 조금 전부터."

복순이는 초췌한 얼굴에 피곤에 지친 듯한 모습이었지만 눈동자만은 무척이나 해맑았다.

"꼬마야, 반갑다. 내 이름은 탄닌이야."

탄닌은 복순의 머리를 쓰다듬어 주었다.

"탄닌……탄닌, 오빠 이름 너무 특이하고 좋다."

그의 이름을 기억하려는 듯 곱씹어 말한 복순이는 이내 씽긋빙긋댔다.

"와, 이거 영광인걸. 내 이름이 좋다니. 앞으로 친하게 지내자. 하하하."

탄닌은 뭐가 좋은지 혼자서 벙실벙실 웃었다.

송철은 이국적으로 생긴 탄닌을 유심히 바라보고 있었다. 그는 오늘 처음 만난 사람인데도 왠지 친근감이 느껴졌다. 아이들과 자연스레 인사를 나누고 있는 탄닌은 송철이 자기를 바라보고 있다는 것을 알아차렸다.

눈 깜짝할 사이에 송철의 기억 속을 들여다 본 탄닌은 기분이 영 안 좋았다. 예전에 공주에게 당연시하며 말한 내용이 살짝 빗나갔다는 생각 때문이었다. 과거와 현재 그리고 미래를 보는 탁월한 예지력을 갖고 있는 자신이 실수한 것을 알아차리자 그는 당혹감을 감추지 못했다. 그동안 탄닌은 월령아줌마의 아들인 세손 각하가 공주의 운명적인 남자라 추호의 의심도 없이 믿었다. 하지만 지금 눈앞에 서있는 낯선 사내가 공주의 운명을 완성해 줄 남자라는 사실을 알게 된 순간 모든 기대가 한꺼번에 무너져 내린 듯 하였다.

"자, 인사들 나누게. 이쪽은 내 손녀일세."

노인은 송철 앞에서 멈칫멈칫하는 공주를 불러 인사를 시켰다.

"처음 뵙겠습니다. 저는 송철이라고 합니다."

예를 갖춰 고개를 숙인 그는 자로 잰 듯 뚜렷한 이목구비와 말이며 생김새나 몸가짐이 의젓한 것이 귀공자다운 면모를 풍겼다.

"아…네. 저는 최공주라고 해요."

그녀는 송철과 눈이 마주치자 금방 얼굴이 빨게졌다.

"뭐야? 영감, 왜 나는 인사 안 시켜주는데. 내가 꾸어다 놓은 보릿자루야?"

욱하는 성깔을 가라앉히지 못한 탄닌이 다짜고짜 노인에게 화를 냈다.

"야, 이놈아! 그런 건 네가 스스로 하는 기다. 참 나."

노인은 못마땅한 듯이 이맛살을 찌푸리며 반박했다.

"저기, 이제 그만들 하십시오. 괜히 저 때문에…… 두 분이 티격태격하시니 제가 몸 둘 바를 모르겠습니다."

송철은 말하기가 난처하다는 표정을 짓다가 이윽고 조심스레 말을 꺼내기 시작했다.

"뭐, 두 번 다시 안 싸운다고? 이게 영원히 화친하는 모습이에요?"

공주는 이가 뿌드득거리도록 화가 나 있었다.

"아니, 이건 싸우는 게 아니고 의견대립이라고 하는 거지."

탄닌은 자기가 저지른 잘못에 대해서도 능청을 피우고 있었다.

"으음, 나도 탄닌의 말에 전적으로 동감이다."

노인은 말끝을 흐리며 공주의 따가운 시선을 피했다.

"으이구, 말이나 못하면 밉지나 않지. 아차, 내 정신 좀 봐. 그보다 할아버지는 어서 춘희 다리를 좀 살펴봐주세요."

공주는 노인과 탄닌을 보며 못 말리겠다는 듯이 고개를 절레절레 저었다. 그러다가 무슨 생각이라도 났는지 그녀는 갑자기 노인 쪽으로 몸을 돌렸다.

노인은 서둘러 춘희에게 다가가 다친 무릎을 손으로 촉진하기 시작했다. 춘희의 부러진 한쪽 다리는 퉁퉁 부어있었다. 노인이 다리를 고정시켜놨던 부목을 빼버리자 춘희가 극심한 통증으로 괴로워하며 요란한 신음 소리를 냈다. 그런 상황에서도 평정심을 잃지 않은 노인은 자신의 어깨에 멘 봇짐에서 작은 호리병 하나를 꺼내 들었다. 그는 곧바로 마개를 열더니 춘희의 입을 벌리게 한 다음 호리병 속의 액체를 천천히 마시게 했다. 아픔을 견디느라 무한 애를 썼던 춘희는 참을성의 한계에 도달하던 순간 그만 의식을 잃고 그대로 쓰러졌다. 아이는 흡사 죽은 사람처럼 땅바닥에 똑바로 누워 있었다.

노인은 골절 부위 근처에 경락과 공혈을 살펴 침을 놓았다. 한동안 춘희의 상태를 살펴보던 노인이 침을 모두 뽑은 후에 다친 무릎에 손을 갖다 대고 지그시 눈을 감고는 도무지 알아들을 수 없는 말을 내뱉기 시작했다. 그의 혀는 술에 취한 사람처럼 꼬부라질 대로 꼬부라졌다. 송철은 넋을 잃고 신기에 가까운 노인의 치료 행위를 바라보았다. 그때 갑자기 따뜻한 바람이 한차례 불고 지나가며 붉은 댕기로 묶은 춘희의 긴 머리를 날렸다. 손과 발이 얼음장처럼 차가운 춘희의 몸에 온기가 다시 돌기 시작하였다. 실눈을 뜨고 중얼거리던 노인은 시간이 다 되었다는 듯 허리를 굽히고 나서 춘희의 부러진 다리뼈를 손으로 잡고 그것을 맞추기 시작했다. 마법에 걸린 듯 깊은 잠에 빠져있는 춘희는 아무런 고통도 느낄 수 없었다. 1시간이 거의 다되어가자 부러진 다리뼈를 접골하는데 성공했는지 노인이 안도의 숨을 길게 내뿜었다.

"할아버지, 춘희는 좀 어때요?"

치료하는 전 과정을 숨죽이고 지켜보던 공주가 노인의 표정을 조심스레 살폈다.

"다행히 부러진 뼈 조각들은 원래대로 잘 붙여놓았다. 잠에서 깨어나면 전부 괜찮을 거야."

춘희를 바라보는 노인의 눈길에는 단순한 측은함 이상의 사랑이 있었다.

노인 곁에 빙 둘러서 있던 아이들도 춘희가 괜찮다는 말을 듣고서 비로소 굳은 얼굴이 환해졌다. 그동안 말로만 들었던 태룡산 신의라 불리는 노인의 의술을 직접 눈으로 확인한 송철은 놀라움을 넘어 경이하기까지 했다. 평소 의술에 남다른 관심을 갖고 있었던 그였기에 다른 일반 의원들과는 확연하게 다른 치료법이라는 것쯤은 금방 알 수 있었다. 소문은 사람들의 입에서 입으로 전해지면서 쉽게 과장되는 경우가 많기 때문에 송철은 노인에 대한 사람들의 천편일률적 평판이 긴가민가한 게 믿어지지 않은 것이 사실이었다. 하지만 그의 머리는 어수선하고 매우 혼란스러웠다. 조금 전 춘희의 살가죽 속에 감춰져 있는 부러진 뼈 조각들을 능숙한 손놀림으로 정상 위치로 다시 되돌려 놓은 노인의 실력을 보았기 때문이었다. 마치 묵직한 몽둥이로 뒤통수를 얻어맞은 것처럼 어안이 벙벙해서 눈만 휘둥그레 떴다. 그는 그 노인의 정체가 무엇인지를 제멋대로 추측해 보았다. 흰 눈을 머리에 인 것만 같은 온통 하얗게 생긴 백발에 흰 두루마기를 걸치고 있는 노인의 모습이 세상을 등지고 산으로 깊숙이 들어가 살고 있는 신선처럼 보였다. 오늘 있었던 일을 가만히 생각하면 할수록 송철은 노인이 누구인지 점점 궁금해지기 시작했다.

치료가 다 끝난 줄만 알았는데 노인은 춘희의 아픈 다리에 얼굴을 대고 후후 입김을 불어 주었다. 그렇게 두세 번 반복하자 노인의 입에서 새하얀 연기 같은 입김이 나오기 시작했다. 연기는 바람 부는 방향을 따라 곧장 춘희의 골절되었던 다리 속으로 스며들 듯 들어가 버렸다. 잠시 뒤 춘희의 다친 다리가 별안간 쭉쭉 뻗어지며 심한 경련을 일으키기 시작했다. 조금 전 노인이 맞추어 놓은 뼈들이 서로 붙고 신경과 힘줄이 입혀지며 살아나기 시작했다.

얼마나 지났을까, 깊은 잠에서 깨어난 춘희가 자신을 바라보고 있는 노인과 눈이 마주쳤다.

"춘희야, 한번 일어나 보거라."

노인은 인자한 얼굴로 춘희의 손을 붙잡아 주었다.

노인의 말에 따르기로 결심한 춘희는 조심스레 그의 손을 꼭 잡고 자리에서 일어났다. 내심 극심한 통증이 또다시 밀려올까 봐 걱정이 되었다. 여전히 노인의 손을 놓지 않고 있는 춘희는 불안한 표정으로 짚신 신은 발을 땅에 닿을 듯 말듯 천천히 내딛었다. 그런데 신기하게도 다리가 멀쩡했다.

"우와, 다리가 멀쩡해요! 이젠 하나도 안 아파요!"

춘희는 자신도 모르게 놀란 소리를 내며 마치 아무 이상이 없다는 것을 확인이라도 하는 것처럼 정신없이 발걸음을 옮겨 다녔다.

"허허허. 그러다 또 넘어질라."

노인은 몹시 기뻐서 껑충껑충 뛰어 다니는 춘희를 흐뭇한 마음으로 바라보았다.

'이건 도저히 말도 안 돼.'

송철은 눈앞에 벌어진 믿을 수 없는 광경에 경악을 금치 못하고 있었다.

동철이와 복순이 그리고 만식, 원식, 두식 삼형제도 덩달아 환호성을 지르며 자기 일처럼 기뻐했다. 공주 곁에 서있던 탄닌이 얼빠진 표정으로 춘희를 바라보고 있는 송철에게 조용히 다가갔다.

"영감은 너무 구닥다리야. 수십 년 가까운 세월이 지났는데 아직도 저렇게 병을 고치고 있다니 저런, 쯧쯧!"

탄닌이 한심하다는 듯 쯧쯧 혀를 차며 혼잣말을 했다.

"아니, 방금 뭐라고 했소? 저분의 의술이 잘못됐다는 것이오?"

송철은 잠시 주춤거리며 목이 콱 잠긴 듯한 쉰 목소리로 물었다.

"어이구, 목이 갈라지는 걸 보니 댁도 많이 피곤한가 보오."

탄닌은 엉뚱하게 동문서답하면서 딴청을 피웠다.

"어찌 안 그러겠소, 잠 한숨 못자고 밤새 도망을 다녔으니 당연한 일이죠. 그건 그렇고 내가 묻는 말에 그쪽이 아직 대답을 안했소. 도대체 아까 했던 말은 무슨 뜻이오?"

송철은 진지한 표정으로 탄닌을 바라보며 재차 물었다.

"음, 그전에 먼저 당신에게 확인해 볼 것이 있소이다. 그러고 난 다음 속 시원하게 대답해주겠소."

탄닌은 큰 눈을 능청스럽게 움직여 보이고는 조심스럽게 말을 꺼내면서 살며시 그의 마음을 떠보았다.

"뭘 말이오?"

탄닌의 뜬금없는 질문에 송철은 그만 말문이 막혔다.

탄닌은 송철의 생각과 마음을 좀 더 꿰뚫어 보고 있는 중이었다. 그가 성정이 어질고 착한 사람이라는 것을 이미 다 알고 있었지만 혹시나 하는 노파심에 꼭 확인해보고 싶은 것이 생긴 것이다.

상상에서나 있을 법한 용족의 후예인 탄닌에게 있어서 공주는 유일한 가족이자 친구였다. 자기의 엄마가 그랬던 것처럼 얼마 전 인간의 모습으로 변한 탄닌은 공주를 위해서라면 목숨도 아깝지 않을 정도로 그녀를 아끼고 사랑한다. 그렇기에 지금 눈앞에 서있는 송철에 대해 더 신경이 쓰이는 것은 어쩌면 당연한 일이었는지 모른다. 예전에 태룡산 동굴 속에서 자신의 예지력으로 본 공주의 인생에 단 한 명뿐인 운명과도 같은 남자가 바뀌어졌다는 것도 한몫을 했다. 그렇게 해서 탄닌은 송철을 시험해보고자 생각지도 못했던 말을 꺼냈다.

"혹시, 세손 각하를 잘 알고 계시오?"

"세손 각하? 지금 나보고 묻는 말이오?"

송철은 눈을 동그랗게 뜨고 말했다.

"그렇소. 그를 아시오?"

탄닌이 거듭 물었다.

"방금 세손이라고 했소? 그렇다면 왕후 추씨의 아들인 관악 대군의 자식을 말하는 것이겠군요. 내가 만약 그 요망한 것들을 조금이라도 알고 있다면 당장이라도 단칼에 목을 베어 버릴 것이오."

송철의 흥분에 찬 목소리는 숲속 안에서 짜랑짜랑 울려 퍼졌다.

탄닌은 그가 다른 사람으로 착각하고 있다는 것을 얼른 알아차리고는 손을 들어 허공을 향해 가로저었다. 그러고는 송철을 바라보며 다시 입을 열었다.

"아니, 내가 말한 세손 각하는 그쪽이 아니오. 임금의 적자인 현우세자와 월령 세자빈의 아들이신 세손 각하를 말하는 것이오. 이제야 내 말을 알아듣겠소?"

"그게 무슨 말이오? 두 분은 이미 돌아가신 분들이잖소? 어찌 세손 각하께서 마치 살아계신 듯이 내게 말하는 것이오? 그리고 내가 어찌 그런 분의 용안을 알고 있는 것처럼 묻는단 말이오?"

송철은 점점 대화가 요점에서 벗어나고 있다는 걸 느꼈다.

"음, 다른 사람들과는 다를 줄 알았는데 조금 실망스러운 걸? 사람 알아보는 눈썰미도 없는 것 같고……우리 공주의 반쪽이라기에는 너무 평범하잖아."

탄닌은 긴 머리를 쓸어 넘기며 혼잣말로 중얼거렸다.

"아니, 대체 뭐라고 하는 것이오?"

약간 어리둥절한 듯이 두 눈을 끔뻑거린 송철은 무슨 말을 해야 할지 몰랐다.

"아니오, 그냥 나 혼자 한 말이오. 내가 말한 세손 각하는 지금 살아계시오. 그의 어머니이신 세자빈마마께서도."

탄닌은 조금 전과 달리 매우 진지하게 말했다.

"뭐라고요? 아니 어떻게……."

송철은 입을 열다가 그만 멈칫했다. 탄닌의 표정이 너무나 진지했던 것이다. 이윽고 송철이 다시 마음을 가다듬고 말했다.

"세자빈마마님과 세손 각하께서 살아계시다니 그게 정말 사실이오? 나는 물론이고 이 나라 백성들 모두가 세 분이 한날한시에 돌아가신 것으로 이미 기정사실로 여기고 있소."

"바로 그 점을 잘 못 알고 있기에 답답하다는 것이오. 다른 사람들은 그렇다 치고 당신은 그 분을 가까이에서 보면서도 전혀 모르고 있다는 게 말이 된다고 생각하시오?"

탄닌은 차분하게 말했지만 상대로 하여금 궁금증을 유발시켰다.

"아니 지금 그 말은……내가 이미 세손 각하의 용안을 뵙고…… 그 분을 잘 알고 있단 뜻이오?"

송철은 탄닌을 뚫어지게 바라보았다. 그가 확실히 자기를 놀리고 있는 표정은 아니었다.

"어휴, 이제야 말이 통하기 시작하는 것 같소. 그런데 이리 보니 영 둔해 보이지는 않는 구려. 그나마 공주에게는 정말 다행스런 일이오."

아이들과 함께 있는 공주를 흘깃 쳐다보고는 탄닌이 목소리를 낮춰 속삭이듯 말했다.

"이보시오! 내가 알고 있는 세손 각하가 대체 누구란 말이오?"

송철은 애써 초조한 마음을 감추며 물었다.

"어험, 그게…누구인가 하면……."

탄닌이 막 말을 꺼내는 순간, 멀리 보이는 숲 속에서 있는 힘을 다해 뛰어 오는 여러 사람들의 모습이 보였다.

먼지를 일으키며 낙엽을 밟고 뛰어오는 발걸음 소리에 놀란 송철과 아이들이 동시에 숲 쪽을 향해 고개를 돌렸다. 제일 앞에서 뛰어오는 사내는 겉옷을 벗고 비교적 얇은 옷을 입고 있어서인지 어깨와 몸의 윤곽이 훤히 드러났다. 점점 거리가 좁혀올수록 뚜렷한 이목구비에 넓은 어깨와 단단한 가슴, 근육질의 팔과 탄탄해 보이는 긴 다리까지 무척 낯익은 모습이었다. 잠시 후, 사내가 손을 흔들며 송철과 아이들의 이름을 큰 소리로 불렀다. 복순이가 자세히 보니 맨 앞에 보이는 사람은 다름 아닌 삼손이었다. 순간 복순이의 표정이 완전히 달라지며 눈이 반짝반짝 빛났다.

"봐!!! 저기… 저길 봐! 삼손 오빠에요!"

복순이는 흥분을 감추지 못하고 말했다.

"정말이네! 오빠들이 돌아오고 있어."

춘희의 목소리가 뒤쪽에서 들렸다.

"아니, 호랑이도 제 말 하면 발톱을 세우며 온다더니… 지금 세손 각하 얘기를 하고 있는데 저 분도 참…… 귀도 밝으시군."

탄닌은 앞을 바라보며 들릴락 말락 하게 중얼거렸다.

"방금 그 말은……혹 저기 오고 있는 삼손을 가리키는 것이오?"

바람에 흔들리는 나뭇가지를 헤치면서 앞으로 다가오는 삼손을 보는 순간 송철은 직감적으로 그가 세손 각하라는 것을 깨달았다. 순간 송철은 너무 놀란 나머지 눈앞이 아찔해지며 숨이 턱 막히면서 결국 자리에 주저앉고 말았다.

탄닌은 그런 송철의 모습을 보며 고개를 몇 번 끄덕이고는 말하기 시작했다.

"당신은 장차 이 나라를 위해 큰일을 하게 될 것이오. 음, 물론 저기 오고 계시는 세손 각하께서 당신의 인품과 학문의 조예가 깊음을 알고 중용하시니 가능한 일이지. 특히 당신은 운명이나 다름없는 한 여인을 만나 왕족의 반열에 서게 될 것이라오."

"아니, 그게 다 무슨 뜻이오? 대체 당신이 무슨 말을 하고 있는 건지 이해가 안 가오?"

마치 중한 죄를 지은 사람처럼 땅바닥에 무릎을 꿇고 있는 송철은 깜짝 놀라며 고개를 들어 물었다.

"으음, 그 전에 댁한테 진짜 물어보고 싶은 말이 있소. 만일 당신과 일생을 함께 할 반려자에게 오랜 벗이 있는데……혼례를 치르고 난 뒤 그를 내칠 것인지 아닌지가 궁금하구려."

잠시 당황하게 하는 침묵이 지나고 나서 탄닌은 무슨 곁눈질이나 하듯 송철의 반응을 살폈다.

"대체, 나에게 왜 그런 질문을 하는 것이오? 내가 묻는 말에는 대답도 안 해 주면서 엉뚱한 것이나 묻다니 초면에 좀 무례한 것이 아니오?"

송철은 찡그린 얼굴로 탄닌을 돌아보며 말했다.

"아니, 내가 대답을 안 한 게 아니라……저기 세손 각하가 먼저 불쑥 나타나니… 낸들 어쩌겠소? 어험, 그리고 그렇게 물어 본 것이 뭐 그리 잘못이라고 핀잔을 주는 게요? 이리 보니 당신도 성격이 상냥하지 못하고 꽤나 무뚝뚝하구려."

탄닌은 깊은 한숨을 내쉬더니 무엇에 삐쳤는지 투덜거렸다.

"내 말은 그게……."

어느새 삼손과 단원들이 가까이 다가오자 송철은 그만 말문이 막혔다.

삼손을 필두로 하여 춘삼, 왕호, 화룡, 정길, 승수의 얼굴이 차례로 보였다. 아이들은 신이 나서 단원들의 품에 안겨 감격적인 해후를 했다. 단원들은 얼마나 고생을 했는지 그 번들번들 윤기가 돌고 부들부들하던 얼굴빛이 몰라보게 수척해져 있었다. 송철은 자신의 눈앞에서 노인과 인사를 나누고 있는 삼손을 보자 어떻게 처신을 해야 할지 판단이 서지 않았다. 당장 그를 보고 뭐라고 불러야 될지 시선을 어디에다 두어야 할지 몰라 대략 난감했다. 삼손을 한 번도 평범한 인물이라고 생각해 본 적이 없었지만 그가 이 나라의 세손 각하일 줄은 꿈에도 생각지 못했던 것이다. 송철은 난처한 상황을 모면하기 위하여 문득 어디론가 피해버리고 싶은 충동을 느끼기 시작하였다. 그의 머릿속은 온통 뒤죽박죽이 되어 버렸다. 삼손이 송철을 돌아다본 것은 바로 그때였다.

"이보게 송철! 정말 수고 많았네. 자네 덕분에 아이들이 무사할 수 있었어."

"아…아닙니다. 이 모든 게 자네……아니, 세손 각하께서 요괴들을 막아주셨기 때문입니다. 전 그냥…… 아이들 곁에 있었을 뿐입니다."

송철은 애써 침착함을 보이려 했으나 목소리는 매우 떨렸다.

"아니, 자네가 그걸……어떻게 알았는가?"

그가 자신을 세손 각하라고 부르자 더 당황한 쪽은 삼손이었다.

"소인, 세손 각하를 뵈옵니다."

송철은 삼손 앞에 무릎을 꿇고 엎드렸다.

그 모습을 본 단원들이 얼굴이 하얗게 질려 서 있었다. 조금 전 요괴들과의 치열한 전쟁에서 삼손의 싸움 실력과 용맹함을 눈으로 확인한 단원들은 그가 특별한 사람이라는 것을 눈치 채고 있었지만 감히 세손 각하일 줄은 누구도 예측하지 못했던 일이다.

한때는 삼손을 한낱 볏골마을에서 온 힘센 시골뜨기 석수장이로만 알고 있던 단원들이었기에 더할 수 없는 충격이었다. 무엇보다 단원들은 태룡산에 가기 위해 온갖 역경과 고난을 함께 해 온 그가 조선의 세손 각하라는 사실이 도저히 믿어지지 않았다. 그에게 특혜 따위는 전혀 없었다. 오히려 아이들과 단원들을 지키기 위해 자기의 목숨을 내걸고 요괴들과 싸운 삼손이기에 경외감이 느껴졌다.

먼 길을 떠나기 위해 차려입은 행색은 허술해 보였고 요괴들과 긴 싸움을 하느라 피곤에 지친 모습이었지만 눈시울이 길고 깔끔하게 생긴 얼굴에는 고스란히 귀티가 흘렀다.

"세손 각하! 소인들의 어리석음을 부디 용서하여 주옵소서. 그동안 감히 세손 각하를 알아보지도 못하고 무례하게 대했나이다. 소인들의 잘못을 꾸짖어주옵소서."

한 무리의 단원들은 삼손 앞에서 예를 갖춘 뒤 일제히 엎드리며 절을 했다. 이 모습을 지켜본 아이들은 누가 시키지도 않았는데 삼손 앞에 멈춰서더니 몸을 숙여 예를 갖췄다.

"지금 뭐하는 행동인가? 어서 일어들 나시게. 자, 춘희하고 동철이…… 너희들도 그만 일어 나거라!"

삼손이 춘삼이를 일으켜 세우며 단원들과 아이들에게 말했다.

그들은 어딘가 겸연쩍고 서먹한 눈빛으로 흘금흘금 삼손의 눈치를 살피는 것 같았다. 그때 탄닌이 어색한 분위기를 바꿔 보려고 삼손에게 공연스레 너스레를 떨었다.

"으흠, 세손 각하. 소인의 인사도 받아주시옵소서. 저는 태룡산에서 온 탄닌이라고 하옵니다."

탄닌은 앞에 나와서 정중히 예를 갖추고 허리를 깊게 숙였다. 그는 삼손을 유심히 살펴보다가 그의 생각을 읽을 수 없음을 알고 이상하다는 생각을 했다.

"탄닌? 조선에서 들어보기 힘든 참으로 특이한 이름일세. 생긴 걸로 봐서는 조선인이 분명한데 말이야. 자네가 저 최씨 노인과 손녀분을 모시고 함께 왔나 보군 그래."

삼손도 그를 뚫어지게 쳐다보며 그가 누구인지 속마음을 읽으려고 했지만 허사였다. 상대의 생각과 마음을 읽을 수 없는 경우는 처음 있는 일이었다.

"세손 각하! 태룡산에 계신 어머니께서 애타게 기다리고 계십니다. 여기서부터는 제가 모시겠습니다."

노인이 공손하게 고개를 숙이며 말을 건넸다.

"어머니께서……내가 그리로 가고 있다는 걸 이미 알고 계시단 말인가?"

순간 어머니 생각에 삼손은 눈시울이 붉어졌다.

"그렇습니다. 세손 각하. 저희가 태룡산을 떠나오기 전부터 이미 알고 계셨습니다. 세자빈 마마님께서는 세손 각하를 어릴 때 품에서 떠나버리고 난 뒤 매우 힘든 삶을 살아오셨습니다. 모두 세손 각하에 대한 그리움 때문이었죠. 매일 마음 아파하시며 눈물 마를 날이 없어 눈언저리가 물크러질 정도이셨어요. 그건 아마 여기 있는 제 손녀인 공주가 가장 잘 알고 있을 겁니다."

노인이 자기 키보다도 더 큰 지팡이를 의지한 체 한참을 말하다 눈으로 공주를 가리켰다.

"그렇습니다. 방금 할아버지의 말씀대로 세손 각하를 너무나 사랑하시는 월령 아줌마……아니, 세자빈마마님께서는 한시도 세손 각하를 잊은 적이 없으셨습니다. 그 분의 마음과 사랑이 얼마나 따뜻하고 큰지 부모 없이 자란 저를 딸처럼 예뻐해 주시고 길러주셨죠. 비가 오나 눈이 오나 하루도 빠짐없이 세손 각하에 대한 이야기를 하셨어요. 제가 은근히 시샘이 날 정도로 세자빈마마님께서는 온통 세손 각하 생각뿐이셨죠."

공주는 밤하늘의 뭇별을 바라보며 태룡산에 있는 월령아줌마를 그리워했다.

"네 이름이 공주라고 했느냐?"

어느새 삼손의 눈에 눈물이 글썽 괴어 있었다.

"그러하옵니다. 세손 각하."

공주는 두 손을 앞으로 모으고 공손히 삼손의 앞에 서서 말했다.

"정말 고맙구나. 네가 내 대신 어머니의 곁에 있어주어서 말이다. 결코 잊지 않으마."

삼손이 손등으로 눈물을 훔치며 그녀에게 고마움을 표시했다.

"세손 각하. 전 세자빈마마님이 계셨기 때문에 태룡산에서 오늘날까지 무탈하게 잘 자라고 행복하게 살 수 있었습니다. 세자빈마마님께 큰 은혜를 입은 것은 소녀였습니다. 그러기에 제게 과분한 칭찬은 온당치 않습니다."

삼손의 칭찬에 수줍어 어쩔 줄 몰라 하던 그녀가 발그스름히 상기된 얼굴로 대답했다.

한편으로 탄닌은 삼손의 생각과 속마음을 읽을 수 없는 이유로 그가 드래곤의 피를 마셨기 때문이라는 것을 깨닫기 까지 그리 긴 시간이 걸리지 않았다. 드래곤의 피를 마신 사람은 몸에 흔적이 남게 되는데 바로 눈 속에 비밀이 숨어 있었다.

그의 눈동자의 동공 색깔은 얼핏 보면 짙은 검은색 중에서도 가장 찬란한 검은색이었으며, 홍채 색깔은 검은빛을 띠면서 조금 붉었다. 그 눈 위로 긴 속눈썹이 곡선을 그리며 위를 향해 높이 올려져 있었다. 자신과 똑같은 눈 색깔임을 확인한 탄닌은 그가 언젠가 드래곤의 피를 마셨다는 것을 단번에 알 수 있었다.

'영감이 그에게 드래곤의 피를 마시게 했구나. 어쩐지 내 예지력이 빗나간 것도 그 이유 때문이었어. 음, 가만있어 보자. 영감이 피를 마시게 한 사람이 삼손 하나가 아니었어. 도대체 저 영감탱이는 몇 사람에게 피를 나눠준 거야. 헉 이건 또 뭐야? 월령아줌마도 마신 거야? 그렇다면 삼손…그리고 월령아줌마와 또 한 사람……흐릿하게 보이는데 저건 누구지?'

탄닌은 눈이 뚫어지게 삼손을 바라보다가 여러 기억들이 한꺼번에 종잡을 수가 없이 떠올랐다.

어수선한 틈을 타 춘희가 누군가를 찾는 듯 숲속 구석구석을 두리번두리번 둘러보고 있었다. 찾는 사람이 안보이자 그제야 삼손에게 낮은 목소리로 말했다.

"세손 각하. 그런데 덕환 오빠는 왜 보이지 않는 겁니까?"

"음, 그게 말이다……."

그는 가슴이 메어 다음 말을 잇지 못했다.

"혹 안 좋은 일이라도 생긴 겁니까?"

긴장한 춘희의 목에서 꼴깍하고 침 넘기는 소리가 났다.

그런데 그때였다. 승수가 갑자기 울음을 터뜨리며 어깨를 들먹대었다. 고개를 차마 들지 못하고 서있는 다른 단원들의 가녀린 흐느낌은 이내 통곡으로 변해 갔다.

"춘희야, 덕환이는…… 너희들을 살리기 위해… 용감하게 싸우다 눈을 감았단다."

삼손은 춘희를 양팔로 꼭 끌어안았다.

"오빠가 약속했어요. 우리가 먼저 도망치면 바로 뒤쫓아 오겠다고요. 저희하고 그렇게 약속했단 말이에요."

춘희는 참았던 울음보를 터뜨리면서 목을 놓아 통곡하였다.

덕환이가 죽었다는 비보에 송철과 아이들의 울음소리가 끊이지 않는 등 일순간에 숲속은 눈물바다가 됐다.

"미안하구나. 덕환이를 땅에 묻고 오느라 너희들한테 오는 시간이 지체되었던 것이다. 덕환이가 너희들을 지켜주었던 것처럼 반드시 나도 그리 할 것이야. 이렇게 너희가 계속 슬퍼하고 있으면 덕환이도 마음이 편치 않을 것 같구나. 이제 그만 덕환이를 편히 보내주자."

삼손은 흐르는 눈물을 주먹으로 씻으면서 목멘 소리로 말했다.

어슴푸레 밝아 오는 빛 속에 별들이 숨바꼭질하며 돋아났다가 사라졌다가를 반복하였고 저 멀리에 우뚝 서있는 태룡산의 웅장한 산세가 희미하게 드러나 보이기 시작했다. 한 가족이나 다름없는 벗을 떠나보낸 행신 상단 단원들은 그 감정을 억누를 길 없어 몹시 괴로워했다. 숲속에 모여 있는 삼손과 일행들은 덕환이와 작별을 고하고 나자 슬프고 그리운 마음에 자신들도 모르게 눈물이 흘러내렸다. 단원들의 대장격인 춘삼이도 평소 쉴 새 없이 입을 너불대는 수다쟁이 정길도, 묵직하고 용맹하게 생긴 왕호도, 활쏘기의 달인인 화룡도, 날렵한 검객 승수도, 학자보다 현명한 송철도 고개를 푹 숙이고는 아무 말이 없었다. 그들은 바윗덩이를 올려놓은 것처럼 마음이 무거운 데다 신발조차 천근만근 무겁게 여겨졌다. 그들 모두가 더이상 한발자국도 걸을 수 없을 것 같았으나 덕환이가 원하는 것이 무엇이었는지를 알고 있었기 때문에 다시 힘을 내어 걷기 시작했다. 그들은 숲 입구를 벗어져 나오자 곧바로 태룡산 쪽으로 발걸음을 옮겨 갔다.

제11장. 바람의 속삭임

그날 어둠이 짙게 서린 창덕궁 후원에는 눈이 오락가락 내리고 있었다. 바구니에 가득한 빨랫감을 든 어린 생각시 하나가 네모진 연못 앞을 지나가다가 못 볼 것이라도 보았는지 아악, 날카로운 소리로 외마디 비명을 질렀다.

입을 벌린 용의 얼굴처럼 생긴 누조에서 붉은 피가 하염없이 흘러내리는 것을 본 생각시는 너무 놀라서 들고 있던 빨랫감을 바닥에 떨어트렸다. 곧장 이 사실을 윗전에 알리기 위해 그 생각시는 뒤도 돌아보지 않고 뛰기 시작했다. 그때 낯선 내관 하나가 서 있다가 그녀를 막았다. 생각시는 그의 얼굴을 보는 순간 일이 잘못되었다는 것을 바로 느낄 수 있었다.

"나리는…… 누구십니까?"

생각시는 겁에 질린 얼굴로 그의 눈치를 살폈다.

"지금 어디를 그리 급히 가려는 것이냐?"

사내는 꽤 성깔이 사나워 보이는 깡마른 얼굴에 뱁새눈같이 쪽 째진 갈고리눈으로 그녀를 노려보았다.

"소인은……."

사내의 갑작스런 질문에 그만 말문이 막혔다.

"이곳 부용지 지역은 너희 같은 생각시들이 드나들 수 없다는 것을 모르고 있었던 것이냐? 아니면 호기심에 들러 본 것이냐?"

그는 흉한 눈을 사납게 굴리면서 그녀에게 으름장을 놓았다.

"소인은 빨래터로 가는 길을 잃어버렸을 뿐…… 일부러 이곳을 찾은 것은 아닙니다. 부디 용서해주십시오."

생각시는 자초지종을 쭉 설명하면서 깍듯이 허리까지 굽혀 가며 선처를 구했다.

"나도 네 얘기를 듣고 보니 이해는 가지만 그렇다고 너를 그냥 돌려보낼 수가 없구나. 정녕 살고 싶으면 조용히 나를 따라오너라."

그가 눈을 부라리며 협박조로 을러댔다.

"네……."

내관의 서슬 퍼런 명령에 그녀는 주눅이 들어 아무 말도 못 하였다.

두 사람은 창덕궁의 후원 북쪽 깊은 골짜기에 흐르는 개울인 옥류천까지 한참을 걸어갔다. 그곳에는 소요암을 중심으로 소요정, 태극정, 청의정, 농산정, 취한정이라는 다섯 개의 정자가 모여 있었다. 수려한 경관이 설경과 어우러져 환상적인 분위기를 자아내자 생각시는 자신도 모르게 탄성을 질렀다.

"와, 정말 멋있다!"

"으흠, 여기가 그렇게 좋으냐?"

내관은 생각시를 무섭게 쏘아보며 물었다.

"소인은 궁궐 안에 이렇게 아름다운 곳이 있는 줄은 상상도 못했습니다. 매일 같은 곳에서만 일을 하다가 여기에 오니 정말 새로운 세상을 보는 것만 같습니다."

그녀는 천진난만한 미소를 지으며 말했다.

"네 이름이 무엇이냐?"

내관이 생각시에게 몸을 돌리며 물었다.

"제 이름은 다연이라고 하옵니다."

생각시가 공손하게 대답했다.

"혹 궐밖에 가족은 있느냐?"

갑자기 내관의 표정과 말투가 싹 바뀌었다.

"오라버니가 한 분 계십니다."

다연이가 속삭이듯 말했다.

길은 왼쪽으로 꺾어지면서 남쪽으로 접어들어 차츰 계곡에서 멀어져 갔고, 양쪽으로 울창한 숲이 나타났다. 두 사람은 가파른 길을 따라 위로 올라갔다. 산꼭대기가 탁 트여 있었다면 눈앞에 절경이 펼쳐졌겠지만, 울창한 나무들 때문에 아무것도 보이지 않았다. 산허리를 가로질러 한참 내려가서야 앞이 조금 트인 곳이 나타났다. 거기에는 팔각으로 지은 정자가 서 있었다.

그곳으로 두 사람이 가까이 다가가자 초롱에 불을 밝히고 서있는 한 사내가 기다리고 있었다.

“어서 오십시오. 황내관 나리. 무슨 변고라도 생겼을까봐 노심초사를 하고 있었더니… 그새 입술이 다 부르트고 말았습니다요.”

그는 내관의 얼굴을 알아보고는 비로소 안심하는 표정을 지었다.

“기다리느라 애썼네.”

그는 험상궂은 외모와는 달리 부드럽고 온화한 성격이었다.

“이번에는 저 생각시인 겁니까?”

사내가 초롱을 그녀에게 가까이 가져가 대며 내관에게 물었다.

“그렇네. 이름은 다연이 일세. 이 아이에게는 오빠가 하나 있다는군. 도성 밖으로 무사히 나가면 자네들이 이 아이를 물심양면으로 도와주게.”

명령조로 말할 줄 알았던 황내관이 뜻밖에 부드러운 음성으로 간곡히 부탁했다.

“그야, 여부가 있겠습니까? 그나저나 저희는 황내관님이 걱정이 옵니다. 저 사악한 왕후가 생각시들을 빼내는 일에 내관나리께서 개입했다는 것을 알면…… 절대로 가만있지 않을 텐데 말입니다.”

사내가 걱정스러운 빛으로 조심스레 물었다.

“나는 17년 전 세자저하께서 승하하셨을 때부터 이미 죽은 목숨이나 다름없었네. 진작 저하를 따라 죽지 못한 것이 천추의 한으로 남았어. 그나마 이 어린 생각시들을 궁 밖으로 내보내는데 미약하나마 도움이 될 수 있어서 위안을 삼고 있네."

황내관이 궁궐이 있는 방향 쪽으로 고개를 돌렸다. 무척이나 슬픔에 잠긴 표정이었다.

"저……나리, 말씀 중에 죄송합니다만 지금 제가 어디로 팔려가는 겁니까?"

다연이는 놀란 눈을 크게 뜬 채 헛침을 꿀떡 삼켰다.

"허허, 아니다. 난 지금 너를 살리려 하는 것이다."

황내관이 웃음을 터트렸다.

"저를 살리려 하신다니…… 그게 무슨 말씀입니까?"

다연이는 그가 하고 있는 말의 뜻을 잘 모르겠다는 듯이 고개를 갸웃거렸다.

"오늘 네게 부용지 연못 쪽으로 가보라고 시킨 사람이 제조상궁인 최상궁이 아니었느냐?"

황내관의 표정이 처음과 달리 다소 누그러졌다. 그러곤 부드러운 목소리로 물었다.

"그걸…… 나리께서 어찌 아셨습니까?"

다연이는 의아한 눈으로 그를 빤히 건너다보았다.

"해가 넘어가는 시간이었는데도 최상궁이 빨랫감을 잔뜩 주어서 놀라지 않았느냐?"

다연이의 걱정스런 눈길에도 불구하고 황내관은 표정 하나 흐트러지지 않았다.

"솔직히 몹시 당황스러웠습니다. 부용지 연못 쪽은 아무나 발길을 닿을 수 없는 곳인데 마마님께서 저보고 그리 가라고 하셔서 저에게 큰 벌을 주시나 생각했지 뭡니까?"

다연이가 그제야 속상했던 마음을 털어놓았다.

"조금 전 연못의 누조에서 쏟아져 내리던 핏물을 기억하느냐?"

갑자기 눈가에 눈물이 팽 돌은 황내관이 깊은 한숨을 내쉬었다.

"그러잖아도 나리께 여쭤보고 싶었습니다. 그건 어찌 된 일입니까?"

다연이가 조심스레 말을 꺼냈다.

"너와 같은 또래 아이들의 몸에서 나온 피란다. 최근 들어 어린 생각시들이 사라진다는 소문을 듣지 못했느냐?"

그의 목소리에는 분노와 슬픔이 뒤엉켜 있었다.

"저도 들었습니다. 왕후님의 세수와 목욕을 맡아서 하는 세수간 나인들 가운데…… 나이가 어린 생각시들이…… 어느 날인가부터 감쪽같이 사라졌다는 것을 말입니다. 아, 그리고 또 있습니다. 수라간 생각시들도 비슷한 일을 겪었다고요. 나리, 설마 연못에 쏟아져 내리던 핏물이……."

다연이는 기억을 더듬으며 말하다가 연못에서 보았던 끔찍한 장면이 생각나자 그만 말문이 막히고 말았다.

"모두 왕후의 짓이란다. 조선 팔도에서 어린 아이들을 납치하는 것도 모자라 이제는 어린 궁중 나인들까지 가리지 않고 자신이 만든 신전에서 제물로 희생시키는 거야. 그녀는 가장 악랄하고 고통스러운 방법으로 아이들을 죽이고 있어. 난 그 사악한 마녀와 같은 여자에게서 너와 같은 아이들을 미리 구해내기 위해 애를 쓰고 있는 중이란다. 왕후의 패악질을 더는 두고 볼 수 없었던 최상궁이 나와 뜻을 같이 해주었기에 가능한 일이었지. 우리는 한 아이라도 더 살리기 위해 기발한 생각을 내놓았고 오늘 너처럼 그런 일을 시켜서라도 반드시 살려야만 했던 것이란다."

황내관의 목소리는 조금 떨렸지만 분명하고 힘이 있었다.

"왕후님이 무서운 분이라는 건 저 같은 생각시들 사이에서는 이미 알고 있었던 사실인데……내명부의 최고 어른이신 왕후님이 진짜로 사람이면 인두겁을 쓰고 그럴 수는 없는 거잖습니까? 자신에게 충성을 다해 섬기는 어린 궁녀들에게 어떻게……그런 잔인한 짓을 할 수 있는 거죠? 이 모든 게 저를 살리기 위해 꾸미신 일이라니 뭐라 감사의 말씀을 드려야 할지 모르겠습니다. 정말 고맙습니다. 나리."

이제야 모든 정황을 알게 된 다연이는 고마운 마음에 눈물을 주룩주룩 흘렸다.

"부디…… 바깥세상에서는 이곳의 끔찍했던 일은 모두 잊고 마음 편히 살도록 하거라."

황내관은 말끝을 흐리고 생각에 잠기는 듯하더니 곧이어 대답했다.

"네, 나리. 이 은혜는 평생 잊지 않겠습니다. 부디 강녕하시옵소서."

위험한 궁궐에 남게 될 황내관과 최상궁을 생각하자 다연은 눈물을 글썽이며 울먹였다.

"그래, 알았다. 자, 그럼 조심해서 살펴가게."

황내관은 입가에 잔잔히 미소를 지으며 두 사람에게 작별 인사를 건넸다.

어둠이 내린 산자락에는 눈발이 흩날리기 시작했다. 제법 굵은 눈발이었다. 서로 인사를 마친 뒤에 초롱을 든 사내는 다연을 데리고 조심스럽게 걸음을 옮겼다. 황내관은 한자리에 서서 멀리 떠나는 다연이의 모습을 물끄러미 바라보았다. 그때 다연이가 산을 내려가다 말고 갑자기 뒤돌아보며 작은 손을 흔들었다. 황내관도 다연이를 보며 손을 흔들다가 슬프고 애틋한 표정을 지은 채 어서 가라는 손짓을 했다. 차츰 눈발이 세차게 흩날려서 어디가 어딘지 알 수 없었다. 황내관은 요연하게 멀어져 가는 다연이를 지켜보며 무거운 짐을 내려놓은 것처럼 마음이 후련하고 가벼워지는 것만 같았다.

제12장. 님은 먼 곳에

조선 각지 고을에서 연속적으로 민란이 발생하였다. 왕후 추씨의 사상 유례없는 폭정에 시달려온 백성들은 그에 맞서기 위해 일제히 봉기하였다. 이 민란은 수개월동안 조선 천지를 뒤흔들었다. 노인과 아녀자들은 물론 농민과 상인 그리고 산림에 파묻혀 있던 유생들도 수천 명씩 들고 일어났다. 단 하루를 살아도 인간답게 살고 싶다는 작은 소망이 있었기에 용기를 내어 거리로 나온 것이다.

하지만 백성들의 민란은 관군들에게 빠르게 진압되고 말았다. 관군에게 붙잡힌 대다수의 백성들은 참수와 같은 엄벌을 면치 못했으며 가까스로 도망친 일부 백성들은 깊은 산속으로 숨어 들어가 산적이 되어 버렸다.

백성들의 민란을 무자비하게 유혈 진압시킨 왕후는 기세가 더욱 등등하여져만 갔다. 왕후는 자신의 권력이야말로 신으로부터 주어진 절대적인 것이라고 주장하면서 백성들의 맹목적인 복종을 강요했고 이전보다 고혈을 더욱 짜냈다. 조금이라도 반항하는 무고한 백성들을 죽음으로 몰고 가는 것은 물론 민란의 조짐이라도 보이면 무력으로 백성들을 탄압하는 공포 정치가 자행되었다. 작금의 조선의 상황은 시커먼 먹구름으로 뒤덮인 하늘처럼 암울하기만 했다.

한편 행신 상단 본원 밀실에서는 최낙훈 대행수와 세령이 심각한 얘기를 주고받고 있었다. 밀실은 여덟 평 정도의 공간에 염소와 양의 거친 털에 문양을 짜 넣은 붉은 양탄자가 깔려 있었다. 그곳에는 책상 하나가 달랑 놓여 있을 뿐 아무런 집기도 없어서 그런지 횅하게 느껴졌다.

"아버지, 궁에 계신 황내관님과 최상궁마마님이 걱정이에요. 민란의 불길도 모두 꺼진 마당에 왕후가 앞으로 궁 안에서 무슨 일들을 저지를지 모르니 말입니다."

세령이 걱정스레 물었다.

"실은 나도 두 분이 계속 마음에 걸리는구나. 그동안 민란이라는 어수선한 틈을 타 왕후에게 납치 된 아이들과 생각시들을 용케 구해낼 수 있었지만……음, 앞으로는 궁궐 내부의 경비도 삼엄해질 테고 아이들을 구해내는 일이 쉽지 않을 것 같구나. 아 참, 지난번에 황내관님이 보낸 아이는 어찌 지내고 있느냐?"

최낙훈 대행수는 심려와 근심이 어둡게 서린 얼굴로 대답했다. 그러다 그는 갑자기 무슨 생각이 났는지 그녀에게 되물었다.

"다연이요? 그러잖아도 길상이와 오누이처럼 사이좋게 잘 지내고 있어서 얼마나 보기 좋은지 모릅니다. 길상이가 실종된 누이동생 때문에 마음고생이 심했는데 다연이가 있어서 그나마 잘 견디는 것 같아요."

잠시 얼굴에 화색이 돌면서 세령은 소녀처럼 재잘거렸다.

"잘 지낸다니 정말 다행이구나. 경상도 안가로 내려간 다른 아이들의 소식은 어떠하냐?"

그녀의 말을 들은 최 대행수의 얼굴에 흐뭇한 웃음이 돌았다.

"그러잖아도 엊그제 두칠이가 직접 다녀왔어요. 두칠이의 말로는 그곳 어른들의 따뜻한 보살핌을 받으면서 지내니 심신이 많이 회복된 상태였데요."

세령은 우려낸 차를 두 개의 잔에 차례대로 따르며 차분하게 말했다.

"두칠이가 먼 길을 다녀오느라 고생이 많았겠구나. 허허, 어쩐지 두칠이 녀석이 없어서 그런지 그동안 상단본원이 조용하다 싶었는데 다시 시끄러워지겠구나."

최 대행수는 아이들이 모두 무사하다는 얘기를 들어서인지 한결 기분이 좋아졌다.

"호호호, 그러게 말이에요. 근데 아버지, 지난 번 시장어귀에서 의금부도사를 죽인 광대들 말이에요. 제가 보기에도 보통 싸움실력이 아니었어요. 기골이 장대한 금부도사를 놀잇감 다루듯 두 사람의 실력 차가 현저하게 달랐죠. 신기하게도 광대들이 다녀 간 그날 저희 고을에서 민란이 일어났다는 거예요. 다른 지역 행수들에게 들은 얘기로는 탈을 쓴 광대들이 다녀간 고을마다 어김없이 민란이 발생했다고 해요. 도대체 그 광대들의 정체가 뭘까요?"

두칠이 이야기에 크게 웃음을 터트린 세령은 문득 지나간 일이 떠올랐다.

"그래, 나도 여러 사람에게서 그 광대들에 대한 이야기를 들었다. 워낙 신출귀몰하게 전국을 누비고 다니는 바람에 관군들도 손을 쓸 수 없었다고 하는구나. 난 그들이 나타난 게 천우신조라 여기고 있어. 오랫동안 말도 안 되는 왕후의 악랄한 폭정에 제대로 한 번 맞서 싸우지 못하고 가난과 굶주림에 지쳐 삶이 무기력해진 백성들을 일거에 일으켜 세웠으니 말이다. 비록 지금은 왕후가 민란을 제압했다고는 하나 언제 또다시 백성들의 봉기가 들불처럼 일어날지는 아무도 모르는 일이지."

최 대행수가 차를 한 모금 마신 후 그 이야기에 대한 자신의 속마음을 털어놓았다.

"어찌 보면 그들이 우리의 일을 돕고 있는 것이나 다름없네요. 그나저나 태룡산으로 떠난 우리 단원들과 삼손 도련님은 지금 어디쯤 가고 있을까요?"

최 대행수의 말에 고개를 끄덕이며 공감하던 그녀가 갑자기 화제를 돌리며 말했다.

세령은 태룡산을 떠오르는 순간, 삼손의 모습이 머릿속에 현현되는 것을 느꼈다. 솔직히 이번이 처음은 아니었다. 마을에 있는 산을 바라만 보아도 태룡산을 향해 가고 있는 삼손이 떠올랐다. 그를 알게 된 건 그리 긴 시간은 아니었지만 삼손이 했던 여러 가지 사소한 말조차도, 남자답게 자신의 손을 잡고 시장통을 무작정 뛰었던 일도, 길상이를 납치하려는 의금부 나장을 혼내준 그의 용기 있는 모습도, 꿰뚫어 보는 듯한 형형한 눈으로 자신의 눈을 응시하던 얼굴도 아직 눈에 선하다. 그와 함께 있었던 그 순간을 잊을 수 없었고 그냥 모든 것이 좋았다. 같은 것을 보고도 느끼는 감정이 사람마다 각양이겠지만 삼손을 생각하는 그녀의 감정은 이 세상의 그 무엇보다도 가장 아름답고 고귀하다 스스로 여기고 있었다.

"음, 글쎄다. 예정대로라면 지금쯤 태룡산에 거의 도착하지 않았을까 싶은데…… 근데 너도 알다시피 긴 여정에는 항상 변수가 생길 수 있기 때문에 내가 뭐라고 확답하기가 어렵겠구나."

그는 그 이야기를 듣는 순간 가슴이 답답했다. 자신과 춘삼 그리고 덕환 세 사람만이 알고 있는 한 마을에 대한 나쁜 소문이 마음에 걸렸기 때문이었다.

"그래도 지금쯤이면 태룡산에 도착해야 맞지 않나요? 길을 나선지 꽤 시간이 흘렀는데……."

세령이 걱정스런 얼굴로 대행수를 바라보았다.

그런데 그때였다. 누군가 문을 두드리는 소리가 들렸다.

"대행수님, 소인 두칠이입니다."

"어험, 들어오너라."

최 대행수는 헛기침을 한번 하고서 입을 열었다.

"대행수님 큰 일 났습니다! 어…마침 세령이 누나도 있었네요."

두칠이는 급한 전갈이라도 있는 듯 얼굴이 매우 상기되어 있었다.

"아니, 넌 또 무슨 일이 길래 그리 호들갑을 떠는 거니?"

세령이가 장난스럽게 물었다.

"어휴, 만수상단 갑제형님이 그러는데요. 태룡산쪽 지역이 지금 난리가 났답니다."

두칠이가 가쁜 호흡을 가다듬으며 급한 소식을 전했다.

"만수상단의 갑제라면…… 칠보행수의 동생이 아니냐? 태룡산쪽 지역이 난리가 나다니 좀 더 자세히 말해 보거라."

최 대행수는 순간적으로 자신이 걱정하고 있는 일이 아니기 만을 내심 바라고 있었다.

"갑제형님이 그러셨는데요. 태룡산에 가기 위해서는 한 마을을 꼭 거쳐야 한답니다. 근데 지금 그곳에……요괴들이 나타나서 사람들을 마구 잡아 죽이는 것도 모자라…… 산체로… 잡아먹고 있다 하지 뭡니까. 그래서 현재 그곳 마을 사람들이 살기 위해 필사적으로 도망쳐 나오고 있다고 합니다. 그러잖아도 칠보행수님이 그 마을에 대한 소문을 미리 덕환이 형님에게 귀띔해줬다고 하더라고요. 혹, 대행수님께서는 덕환 형님에게서 들은 이야기가 없으셨나요? 그나저나 대행수님, 갑제형님 말이 맞는다면……이제 우리 형님들의 생사는 어찌되는 겁니까?"

두칠이는 자못 진지한 표정으로 얘기했다.

"아버지, 방금 두칠이가 한 말이 뭐에요?"

그 소식을 들은 세령의 얼굴이 하얗게 변했다.

"휴우……이게 다 내 잘못이다. 그곳으로 보내면 안 되는 것인데……내가 너무 단순하게 생각했어."

최 대행수가 장탄식의 한숨을 내쉰 다음 자신을 자책했다.

"그게 무슨 말씀이세요? 단순하게 생각하셨다니요? 혹, 아버지도 알고 계셨던 거예요?"

세령은 그저 멍한 표정으로 지켜 볼 뿐이었다.

"실은 춘삼이에게 그곳 마을에 대한 이야기를 들었다. 그런데 그때는 어디까지나 풍문에 불과한 이야기라 생각을 했어. 온 나라가 어수선하니 크고 작은 흉악한 소문들이 곳곳에서 들려왔으니까 말이야. 나도 처음에는 단원들이 태룡산으로 가는 것을 막으려고 했다. 아무리 떠도는 소문이라 해도 우리 아이들을 그 위험한 곳으로 보낼 수는 없었기 때문이었어. 그런데 춘삼이가 찾아와서 그러더구나. 단원들 모두가 대의를 위해서라면 기꺼이 희생을 하고자 하는 각오가 되어 있다고. 그러면서 너를 이번 상단 장삿길에서 빼달라고 간곡히 부탁을 했어. 나는 그때 너무나 혼란스러웠다. 분명 세령이가 내 딸이지만 그 녀석들도 모두 내 아들과 같은 존재들이었기에 태룡산에 보내는 일은 결코 없을 거라 못을 박았어. 나는 다른 대안을 찾아봤지만 인삼을 구할 곳을 찾기란 불가능했다. 그건 세령이도 잘 알고 있을 거야. 왕실에서 요구한 인삼을 구하기 위해서는 태룡산외에는 다른 방도가 없었기에 결국 보냈던 것이다."

최 대행수가 세령의 물음에 잠시 머뭇거리더니 전후 사정에 대해 토로를 하였다.

"아니, 어찌 그런 끔찍한 일이……일어날 수 있는 거죠?"

최 대행수에게 자세한 이야기를 들은 세령은 참다못해 그만 울음을 터트렸다.

세령은 단원들의 얼굴이 생각났다. 어려서부터 친 형제처럼 지내온 그들이기에 우애가 남달랐다. 자신을 이번 장삿길에서 빼달라고 말한 춘삼이 오빠의 얼굴부터 정길, 왕호, 화룡, 덕환, 승수, 송철의 얼굴이 차례차례 생각났다. 그리고 또 한 사람이 생각났다. 삼손이었다. 그녀는 그를 떠올리자 갑자기 눈물이 왈칵 쏟아졌다.

"세령아! 많이 힘든 것이냐?"

그녀가 울자 최대행수의 마음이 더 무거워지며 아팠다.

"아니에요. 저 궁궐에 버젓이 앉아있는 왕후를 막겠다며 우리 모두가 시작한 일이잖아요. 끝을 보기 위해서는 어쩔 수 없는 선택이라는 걸 알고 있으면서도 대체 왜 이렇게 눈물이 나오는지……저도 잘 모르겠어요."

세령은 자꾸만 흘러내리는 눈물을 옷소매로 닦으며 대답했다.

"누나! 형님들은 모두 무사할 겁니다. 그러니 너무 슬퍼하지 마세요. 아……그리고 지난 번 인왕산에서 호랑이도 맨 손으로 때려눕힌 삼손형님이 계신데 뭘 그리 걱정이세요? 안 그렇습니까? 대행수님."

두칠이가 희망적인 말을 전하려 애를 쓰고 있었다.

"그러잖아도 단원들이 걱정되어 이 아비가 삼손에게 함께 떠나달라고 부탁을 한 것이야. 모르긴 몰라도 삼손이 있는 한 우리 아이들은 무사 할 것이라 여겨진다. 그날 인왕산에서 내 두 눈으로 똑똑히 봤어. 집채만한 호랑이가 나를 덮치려 할 때 어디선가 바람처럼 나타난 삼손이 마치 고양이 다루듯이 쉽게 제압했지 뭐냐. 내 눈을 의심할 수밖에 없을 정도로 그의 힘은 인간이 도저히 낼 수 없는 괴력이었어. 이 고을에는 예부터 전해 내려오는 진담이 있단다. 요괴와 호랑이는 서로 상극인데 특히 요괴들은 호랑이의 기운을 가장 두려워 한다는 내용이지. 호랑이를 단 몇 수에 때려잡은 삼손이라면 제 아무리 요괴들이라도 감히 삼손 앞에서는 맥을 쓰지 못할 거야. 이 아비가 장담하마."

최 대행수는 세령의 눈치를 살피며 위로 아닌 위로를 건넸다.

세령은 자신을 위로하려 애쓰는 아버지와 두칠이를 바라보면서 눈물을 그쳤다. 단원들 모두 어려서부터 갈고 닦은 무예실력이 어느 정도인지 누구보다 잘 알고 있는 그녀로서는 걱정이 앞섰다. 말로는 천하를 호령할 듯한 기백들이었지만 단원들 대부분이 자신과 엇비슷한 실력들이었기 때문이었다. 물론 조선 제일 검의 후예인 승수만 빼고 말이다. 하지만 입이 무겁기가 돌함과 같은 아버지가 처음으로 들려준 호환사건 때의 이야기를 듣고 나니 절로 고개가 끄덕여졌다. 길상이가 의금부 나장에게 끌려갔을 때의 일이 떠올랐기 때문이다. 건장한 그 나장을 가벼운 깃털 들 듯이 한 손으로 번쩍 들어 올린 장면이 생생하게 기억났다. 아버지의 말대로 그녀가 생각하기에도 그건 인간이 낼 수 없는 힘이었다는 게 깨달아지기 시작했던 것이다. 그녀는 순간 그의 안위에 대한 걱정보다는 그의 정체가 무엇인지 궁금해졌다. 갑자기 그녀의 머릿속이 뒤죽박죽되며 마구 혼란스러워졌다. 이런 불안감에 대한 밑바탕에는 혹시나 삼손이 그녀 자신이 감히 넘볼 수 없는 신분의 남자가 아닐까 하는 여자로서의 직감이 느껴졌기 때문이다.

"아 참, 내 정신 좀 봐. 길상이가 밖에서 누나를 기다리고 있어요. 자기 동생에 대한 소식을 말할 게 있다면서……아이가 많이 초초해하더라고요."

두칠이는 그제야 할 말이 생각이 났는지 무릎을 쳤다.

"야! 넌 그 말을 지금 하면 어떡하니? 아버지, 저 길상이한테 가 볼게요."

세령이 자리에서 벌떡 일어나며 두칠이를 한번 쏘아보더니 쏜살같이 밖으로 나갔다.

최 대행수가 뒤도 돌아보지 않고 나가는 세령을 지켜보며 그제야 안도의 한숨을 내쉬었다. 자식과 같은 단원들이 모두 무사히 돌아오기만을 바라는 심정으로 두 눈을 질끈 감고는 두 손을 가지런히 모았다.

'신이시여. 이 못난 사람의 부탁 좀 한번 들어주십시오. 제발 우리 아이들을 지켜주소서. 저를 호랑이에게서 살려주신 것처럼 그녀석들이 무사히 돌아 올 수 있게 저의 소청을 들어주십시오.'

밀실 밖으로 나온 세령은 길상이가 없자 본원 앞마당으로 찾으러 나섰다. 2시간 전부터 날리기 시작한 눈발이 함박눈으로 변해 어느새 마당 가장자리에까지 소복이 덮여 있었다.

"누나! 여기에요."

마당에 심어 둔 벚꽃나무 뒤에 숨어있던 길상이가 눈뭉치를 던졌다.

"아얏! 너 두고 봐."

눈뭉치에 털썩 맞은 세령이 이맛살을 찌푸리더니 곧장 손으로 눈을 뭉치기 시작했다. 큼지막한 눈뭉치를 만들어낸 그녀가 길상이가 있는 곳으로 힘껏 던졌다. 포물선을 그리며 날아간 눈뭉치가 길상이의 왼쪽 어깨에 그대로 명중되며 다시 눈발로 나뉘어졌다.

장난기가 발동한 길상이는 갑자기 누군가에게 큰 소리로 외쳤다.

"돌격!"

그러자 장독대에 숨어있던 여자아이가 미리 뭉쳐놓은 눈뭉치를 양쪽 손에 집어 들고 세령에게 달려왔다. 그녀가 자세히 보니 다연이었다. 길상이도 어느새 만들었는지 어설프게 만든 눈뭉치를 들고 포효하며 뛰어오기 시작했다. 그 모습을 본 세령도 가만있지 않고 얼른 허리를 구부려 급히 눈뭉치를 만들고는 일전을 불사하겠다는 표정으로 아이들을 주시하였다. 곧장 세 사람은 서로에게 눈뭉치를 던지며 눈싸움을 벌였다. 잠시 뒤 수북이 쌓여버린 눈 더미 속에서 서로의 얼굴을 바라보다가 그만 웃음이 터져 나오고 말았다.

온 세상이 하얀 눈으로 뒤덮임과 동시에 세령과 길상이 그리고 다연이의 머리와 눈썹이 온통 하얗게 변해 있었기 때문이었다. 차가운 겨울바람과 함박눈이 세 사람의 몸을 꽁꽁 얼렸지만 기분만은 너무나 즐겁고 상쾌했다.

조금 전까지 삼촌과 단원들 걱정에 슬퍼했던 그녀는 언제 그랬냐는 듯 아무렇지도 않게 해맑게 웃고 있었다. 길상이도 다연이도 그동안 겪었던 가족들의 이별과 죽음으로 인한 고통을 조금이나마 잊고 있었다. 아니, 오랜 겨울가뭄 끝에 내리는 폭설이 너무나 반가웠던지 그것을 만끽하고 싶었는지 모른다. 하지만 확실한 건 하늘에서 내리고 있는 하얀 눈이 세 사람의 마음을 어루만져주고 있었고 지금까지의 모든 상처들을 흰 눈보다 더 희게 깨끗이 씻어주고 있다는 사실이었다.

"아, 추워라! 어서들 안으로 들어가자. 이러다가 셋 다 고뿔에 걸리겠다."

그녀는 두 아이의 손을 잡고 눈 속에 빠진 발을 빼내가며 본원 안으로 들어갔다.

세령과 아이들은 뜨스운 방에서 언 손과 발을 녹이고 나니 배가 고프다는 생각이 들었다. 화로에서 물을 끓인 세령은 세 개의 찻잔에 김이 모락모락 나는 물을 따른 후에 다과를 꺼내왔다.

"길상아, 아까 두칠이형에게 한 말이 뭐였어?"

세령은 따뜻한 물을 한 모금 마신 뒤 입을 열었다.

"아 맞다! 누나한테 말한다고 하고서 눈싸움 하느라 깜빡 잊고 있었어요. 다연이가 그러는데 제 동생 정월이를 궁 안에서 만났데요."

약과를 한 입 베어 먹으려다 말고 길상이가 말했다.

"뭐, 정월이를 궁궐에서 만났다고? 어떻게 된 일인지 다연아 네가 말해 줘봐."

길상이의 말에 놀랐는지 갑자기 세령이의 동공이 커졌다.

"제가 길상이 오빠의 동생을 아는 것 같아요. 오빠에게 들은 바로는 정월이가 듣지도 말하지도 못하는 장애가 있다고 했는데 제가 궁 안에서 만난 여자아이도 정월이처럼 같은 장애를 갖고 있었어요. 그리고 얼굴 생김새나 행동하는 것들이 오빠가 말한 모습과 일치했어요."

다연이는 상당히 침착하게 또박또박 떨지 않고 말했다.

"어떻게……이럴 수가. 그곳에서 아이는 어떻게 지내고 있었니?"

정월이가 살아있다는 말을 들은 그녀는 콧날이 시큰거리며 눈시울이 뜨거워졌다.

"저와 같은 생각시였어요. 한동안 세답방에 함께 있었죠. 그러다가 어느 날 그 아이는 생과방으로 갔어요. 어느 날인가 제가 가족이 있느냐고 아이에게 물었는데 제 입을 보고 알았는지 고개를 끄덕이더라고요. 그래서 나도 오빠가 한 명 있다고 말하니 자신도 그렇다고 고개를 끄덕였어요. 제가 여기 온 날 길상이 오빠가 실종된 동생이야기를 들려주는데…… 제가 알고 있는 아이와 너무 똑같아서 정말 깜짝 놀랐어요."

궁에서 혼자만 나왔다는 미안한 생각에 순간 눈물이 다연이의 뺨을 타고 흘러내렸다.

"네 얘기를 들어보니 정월이가 확실하구나. 그런데 그 아이가 생각시를 하고 있을 줄은 전혀 몰랐구나. 혹시나 위험한 상황에 처했을 줄 알고 얼마나 가슴을 졸이며 지냈는지……왜, 어린 정월이를 궁으로 데리고 가서 생각시로 삼은 걸까?"

세령은 조그만 일에도 궁금증이 나면 안절부절못하는 성미였다. 그녀는 숨을 깊이 들이마시고 나서 다연이를 바라보았다.

분명 그녀가 알기로는 왕후가 납치해 간 아이들은 신전에서 가장 잔인한 방법으로 제물로 죽어간다는 사실을 알고 있었다. 그러기에 정월이가 생각시로 지내고 있다는 말에 당황할 수밖에 없었다. 내일 당장이라도 궁에 있는 황내관과 최상궁에게 도움을 청하는 기별을 넣어야겠다는 생각이 들었다. 지금으로서는 어린 정월이가 무사하기만을 바랄 수밖에 없었다. 그나마 그 아이가 살아있다는 사실을 확인한 것만으로도 큰 수확이었다.

"정월이는 장애가 있지만 무척 씩씩한 아이였어요. 나인 언니들 말로는 최상궁님이 그 아이를 여러모로 돌봐주신다고 했어요. 세답방에서 생과방으로 옮기게 된 것도 최상궁님의 뜻이었다고 들었어요."

다연이가 말했다.

"뭐, 최상궁마마님이 정월이를 돌보고 계신다고?"

세령은 토끼같이 놀란 표정을 지었다.

"네, 언니들이 분명 그렇게 말하는 걸 들었어요. 보통 세답방에 들어 온 생각시가 그렇게 빨리 다른 곳으로 가기란 여간 어려운 게 아니거든요. 무엇보다 최상궁마마님께서 정월이를 대하시는 모습이 애틋해보였어요."

다연이가 눈동자를 반짝거리며 똑 부러지게 대답을 했다.

"누나, 이제 곧 정월이를 만날 수 있는 거죠? 그 녀석, 그동안 많이 무섭고…… 외로웠을 텐데…… 잘 버티고 있어서 천만다행이에요."

길상이는 동생이 살아있다는 소식에 감격하는 표정을 지었다.

"그래, 길상이의 말대로 천만다행이야. 최상궁마마님께서 정월이를 돌봐주고 계시다니 이 보다 더 좋을 순 없구나. 내일 오전 중에 황내관님과 최상궁마마님에게 연통을 넣어야겠다. 어떻게 된 일인지 좀 더 자세한 내막을 알아보자."

세령은 모처럼 안도의 빛이 떠돌기 시작했다.

숯 화로 위에 올려놓은 밤과 고구마가 탁탁 소리를 내며 맛있게 익은 냄새가 진동하자 세령은 얼른 집게로 그것들을 꺼냈다. 길상이와 다연이는 누렇게 잘 익은 고구마를 보자 저절로 군침이 돌았다. 세령이 팔에 끼고 있던 토시를 손가락 부분까지 내리고는 고구마를 반으로 나눴다. 그러자 고구마에서 뜨거운 김이 모락모락 피어올랐다. 그녀의 오뚝한 콧날, 쌍꺼풀진 커다란 눈, 감탄이 터져 나오는 뛰어난 미모의 얼굴은 약간 상기가 된 듯 두 볼이 볼그레해졌다.

"지금은 뜨거우니까 식혀서 먹어야 해."

세령이가 길상이와 다연이에게 고구마를 반씩 나눠주며 말했다.

"앗, 뜨거워! 내 혓바닥!"

그녀의 말이 끝나기도 무섭게 아무 생각 없이 뜨거운 고구마를 한입 베어 먹은 길상이가 펄쩍펄쩍 뛰며 어쩔 줄 몰라 했다.

"그것 봐. 누나가 뜨거우니까 조심하라고 했잖아! 아휴, 이 개구쟁이 녀석 같으니라고."

깜짝 놀란 세령은 얼른 찬물이 가득 든 주전자를 들고는 길상이에게 마시게 했다.

"오빠, 펄쩍펄쩍 뛰는 모습이 꼭 고삐 풀린 망아지 같아. 너무 웃겨."

조금 전 뜨거운 고구마를 입에 넣은 길상이가 여기저기 뛰어다니는 행동에 다연이는 그만 깔깔깔 웃음을 터뜨렸다.

"생각해보니 그러네. 야, 길상아! 너 이제부터 망아지 되고 싶지 않으면 얌전해야겠다."

웃음을 꾹 참느라 살짝 말아 쥔 손으로 입을 가리고 있는 세령의 어깨와 고개가 계속 들썩거렸다. 그러자 다연이도 배꼽을 잡고 웃고는 사레질를 해댔다. 길상이도 머쓱한 표정으로 따라 웃었다.

함박눈이 펑펑 내려 온 세상이 하얗게 덮이니 하늘과 땅을 분간하기가 어려웠다. 완전히 설국이었다. 최 대행수의 집무실에 있는 세령과 두 아이는 밤이 깊어 가는 줄도 모르고 밤새 이야기꽃을 피우고 있었다.

제13장 남쪽으로 가는 길

조선 팔도에서 부모 없는 아이들만 유독 사라지고 있다는 것은 공공연한 비밀이었다. 민란이 일어났을 때 더 많은 아이들이 실종되었는데 그것은 한낱 빙산의 일각에 불과하였다. 왕후는 자신이 숭배하는 몰렉에게 살아있는 아이들을 희생물로 바치는 인신공양에 모든 힘을 쏟고 있는 중이었다. 왕후는 14만 4천 명의 어린 생명을 몰렉에게 바쳐야 자신이 신과 같이 영원히 죽지 않는 반열에 오를 수 있고 조선을 영구히 지배할 수 있다는 신념에 사로잡혀 있었다. 조정 최고 실권자인 좌의정 최복성, 병조판서 조달구, 이조판서 김성근, 호조판서 양정인, 형조판서 박청대, 예조판서 우광민, 공조판서 이상호등 조정을 대표하는 6조판서 모두가 왕후에게 충성을 맹세하고 작위와 봉토를 받았다. 그들은 모두 왕후의 사술을 신봉하는 자들이었고 그녀의 꼭두각시에 불과했다. 여기에 한술 더 떠 왕후에게 잘 보이기 위해 그들은 권력과 힘을 이용하여 아이들을 유괴하고 납치하는데 서로 경쟁하듯이 열을 올렸다.

"대감, 요사이 궁에서 어린 생각시들이 깜쪽 같이 사라지고 있다는 소문을 들으셨습니까?"

형조판서 박청대가 심각한 표정으로 좌의정을 바라보며 물었다.

"그러잖아도 내가 오늘 여러분을 부른 것도 바로 그 이유때문이오. 대체 궁내부의 기강을 어떻게 잡았길래…… 생각시들이 함부로 사라질 수 있단 말인가? 그대들이 그러고도 이 나라의 녹을 먹고 사는 신료들이라 할 수 있겠소?"

좌의정 최복성은 몹시 못마땅한 얼굴로 다른 신료들을 책망하듯이 따졌다.

"으음! 우리 병조에서는 민란 때문에 지금 군사가 부족할 정도로 정신이 없습니다. 그나마 우리 병조가 나서서 겨우 민란을 잠재웠기에 망정이지…… 하마터면 이곳 도성도 무너질 뻔 했어요. 그런데 지금 그까짓 생각시 몇 명이 없어졌다고……어험! 이리 호들갑을 떨어서야 되겠습니까?"

잠시 고요한 침묵이 흐르는 가 싶더니 병조판서 조달구가 입을 열었다. 그는 자기 공치사를 늘어놓기 바빴다.

"아니, 병조판서가 그리 일을 잘해서 왕후마마님이 마지막 보루나 다름없던 금군을 투입하셨습니까? 허허, 지나가는 개가 다 웃겠습니다."

이조판서 김성근이 눈을 가늘게 뜨며 입가에 조롱기를 담고 있었다.

"아니, 뭐요? 무엄하오, 김대감! 지금 신료들 앞에서 내게 핀잔을 주는 것이오?"

병조판서 조달구가 실내가 쩌렁쩌렁하게 울리도록 호통을 쳤다.

"이보시오! 조대감. 감히 어느 안전인데 소리를 지르시는 게요?"

이조판서 김성근은 주먹질을 할 듯이 조달구의 코앞에다 삿대질을 했다.

"허허, 잘하면 한대 치겠소."

병조판서 조달구는 그가 못마땅한 듯이 이맛살을 찌푸리며 반박했다.

"지금 뭣들 하는 짓이오! 그대들에게 난 그저 우스워 보이는 사람에 불과 한 것이오?"

좌의정 최복성은 갑자기 주먹으로 책상을 내리치며 소리쳤다.

몸싸움 일보 직전까지 가는 일촉즉발의 떠들썩하던 장내는 일순간에 찬물을 끼얹은 듯 조용해졌다. 궁궐 안 은밀한 장소에 모여 있던 그들은 왕후가 세운 신전에 재물로 바쳐질 아이들의 수요를 채우기 위해 서로를 경쟁상대로 보고 있었다. 그러다보니 신료들은 각 진영에서 데리고 온 아이들을 중간에서 몰래 빼돌려 자신들의 할당량으로 채우기 급급했다. 이번에 궁궐 안에서 사라지고 있는 생각시들의 문제도 신료들이 벌인 일이라 여기며 서로를 의심하고 있는 중이었다.

좌의정 최복성도 그 점을 의심하고 신료들을 모이게 한 것이었다. 싸움판이라도 벌일 험악한 분위기가 진정되는 듯 하자 좌의정이 입을 열었다.

"내 분명히 경고해두는데…… 대감들이 만약 생각시들을 빼돌리고 있는 거라면 이쯤에서 그만들 두시오. 공정한 경쟁을 해야지 치사한 반칙을 쓰면 되겠소? 어차피 모두가 왕후마마님을 위한 일을 한 것이니 이번에는 특별히 모르는 일로 해두겠소. 그나저나 지금 영상대감쪽 사람들의 움직임이 심상치가 않다고 하오. 지난 번 민란이 일어났을 때 전국의 유생들이 들고 일어난 것도 모두 영상대감 쪽에서 꾸민 일이라는 말들이 있소. 무엇보다 우의정 김정호대감이 우리의 일거수일투족을 주시하며 우리의 목을 칠 기회를 엿보고 있다는 사실을 잊지들 마시오."

그의 말은 전부 어김없는 사실이었다. 그 자리에 모인 신료들은 도성 밖에서 아이들을 납치해오는 일이 점점 어렵게 되자 궁 안에 있는 어린 생각시들을 유괴하여 마치 도성 밖에서 데리고 온 여자아이들처럼 꾸민 뒤 왕후에게 바치는 짓을 했던 것이다. 자신들에게 배정 된 어린 아이들의 할당량을 채워오지 못하면 왕후의 눈에서 벗어나게 될까 봐 세운 계책이었다. 그 계책은 위기에 내몰린 그들이 생각해 낸 궁여지책이었다.

신료들은 겉으로는 내색을 하지 않았지만 의심이 뒤섞인 얼굴로 서로를 쳐다보았다. 더욱이 신료들 마음속에는 서로가 서로를 믿지 못하는 불신이 싹트면서 그들 사이에 다시 되돌릴 수 없는 균열이 생겼다.

예상치 못한 궁궐 내부 상황이 황내관과 최상궁에게는 너무나 유리한 분위기로 흘러가고 있었다. 어린 생각시들을 더 많이 구해 내는 데 있어 청신호가 켜진 것이다.

그로부터 닷새 후에 행신 상단 본원 앞마당에는 왁자지껄 사람 떠드는 소리가 소란스러웠다. 궁에서 정월이가 나온 것이다. 길상이가 살아서 돌아 온 여동생을 껴안고는 기뻐서 지르는 소리였다. 최 대행수와 세령도 너무 기쁜 나머지 눈시울이 붉어진 상태였다.

"흑흑, 정월아! 내동생……정말 살아있었구나. 오빠가 미안해……."

동생을 만난 반가움에 길상이는 뜨거운 것이 솟구쳐 올라 말끝을 흐렸다.

"정월아! 안녕, 나야 다연이."

그들 옆에 다가와서 옷소매로 눈물을 닦던 다연이가 조용히 여자아이의 이름을 불렀다. 그러자 고개를 돌려 다연이를 본 아이의 눈이 커다랗게 변하며 반가움에 소리를 내기 시작했다.

"다……연…아. 너……맞…지?"

"정월…아! 너 방금…… 말한 거야? 오빠……오빠도 들었지?"

다연이가 놀라서 손으로 입을 막으며 눈물을 흘렸다.

"정월아! 다시 말해 봐! 너 방금 뭐라고 했어?"

길상이가 정월이의 손을 잡고는 침을 삼켰다.

최 대행수와 세령도 놀라기는 마찬가지였다. 그들도 지금 눈앞에서 일어난 일이 믿기지 않는 듯한 표정이었다. 하얀 눈이 소복이 쌓여 있는 본원 앞마당에는 긴장감이 감돌고 있었다. 최 대행수와 세령, 길상과 다연이 모두가 정월이의 입술을 주시하며 숨을 죽이고 있는 중이었다.

"다……연…이."

정월이는 아주 천천히 다연이의 이름을 소리 내어 불렀다. 자신도 놀랐는지 정월이가 이번에는 길상을 바라보며 말하기 시작했다.

"오……빠. 오…빠."

"그래……오빠야!!! 흑흑, 정월아!"

길상이는 힘껏 정월이를 와락 부둥켜안고 엉엉 소리 내어 울었다.

"세상에, 이럴 수가! 아버지, 어떻게…… 이런 일이 일어날 수가 있죠? 정월이가 말을 해요. 말을……."

세령이 눈앞에서 일어난 일을 보고 흐르는 눈물을 주체할 수 없었다.

"그러게 말이다. 이게 다 하늘에서 내려 준 선물이겠지. 음, 이런 걸 기적이라고 하는 게다."

고개를 들어 하늘을 올려다 본 최 대행수가 입가에 미소를 지었다.

정월이는 그 날 이후 여느 아이들과 같이 웃고 떠들고 지낼 수 있게 되었다. 엿새 후 세령은 길상이와 정월이 그리고 다연이를 데리고 경상도에 있는 안가로 직접 데려다주기 위해 길을 나섰다. 비교적 도성과 가까운 행신마을에 있을 경우 재물로 바칠 아이들을 찾아다니는 관군들에게 들킬 것이 염려되어 부득이하게 안전한 곳으로 떠나있기로 한 것이다. 최 대행수는 세령과 아이들만 보내기에는 걱정이 되어 만일을 대비해 두칠이를 함께 딸려 보냈다.

나루터에서 배를 타고 가는 길은 순조로웠다. 겨울이어서 바람은 매섭게 차가웠지만 다행히도 바다는 잔잔했다. 다섯 사람은 배를 타고 가는 내내 바다 풍경을 구경하느라 시간가는 줄 모르고 있었다.

"누나, 그 형 보고 싶죠?"

파도에 배가 살짝 흔들리자 무언가 생각이 난 두칠이가 세령을 보고 물었다.

"누구 말하는 거야?"

세령은 일부러 못들은 척 딴청을 부렸다. 그의 이름만 생각해도 참을 수 없을 만큼 보고 싶었기 때문이었다.

"누구긴요. 삼손형이요!"

길상이는 배에 탄 사람들이 다들을 수 있을 정도로 크게 말했다.

"야! 길상이 너! 진짜 그러기야. 조용히 해."

세령은 얼른 길상이의 입을 손바닥으로 틀어막았다.

"으……읍"

길상이가 고개를 끄덕이자 그제야 세령이 손을 떼어냈다.

"그런데……정말 잘들 있는 거겠지?"

혼잣말처럼 중얼거리던 세령은 삼손을 떠올리자 금세 시무룩해졌다.

겨울 갈매기 한 떼가 먹을 것이라도 찾았는지 끼루룩 울며 바다 위로 날아들었다. 큰 돛 세 개를 활짝 펴 올린 배는 물살을 하얗게 가르며 바로 그 옆을 지나가고 있었다.

"사실 누나한테 말 안한 삼촌형과 나만의 비밀이 있는데……."

길상이는 무슨 할 말이 있는 듯 입술이 샐쭉거리다가 말꼬리를 흐렸다.

그걸 놓칠 리 없는 세령은 귀를 쫑긋하고는 길상이 옆으로 가까이 다가갔다. 그러고는 언제 그랬냐는 듯 아무렇지도 않게 약과를 하나 꺼내주었다. 길상이는 얼른 약과를 손에 집어 들고는 주머니 속에 넣었다.

"길상아, 너 조금 전에 했던 말 있잖아. 삼촌형하고 너 사이에 비밀이 있다고 했잖아. 그게 뭐야?"

갑자기 그녀는 나긋나긋 미소를 지으며 부드러운 목소리로 물었다.

"누나가 저한테 약과를 줘서 말하려던 게 아니고요. 제가 꼭 말해주고 싶었어요."

길상이가 그녀로 하여금 궁금증을 불러일으켰다.

"대체 그게 뭔데?"

세령은 정말 궁금해서 못 견디겠다는 어투로 재차 물었다.

"후유, 난 왜 이렇게 입이 가벼운 걸까요? 이게 다 누나 때문이에요. 매일 벚꽃나무 아래서 삼촌형을 생각하는 누나를 보고 있자니 제가 다 힘들 더라고요. 그래서 기회를 봐서 누나에게 말해주려고 했죠. 그날이 바로 오늘이네요."

길상이가 아이답지 않게 긴 숨을 내쉬더니 무게 있게 분위기를 잡았다.

"야, 너는 갑자기 목소리를 깔고 그러냐? 진짜 너 때문에 웃겨서……."

그녀가 먼저 웃음을 터뜨렸고, 길상이도 뒤따라 웃기 시작했다.

다연이와 정월이는 두칠이 오빠와 함께 배 반대편에 가서 갈매기들을 구경하느라고 정신이 없었다. 세령과 길상이는 조금 전 대화 때문에 얼마나 웃겼던지 눈물이 찔끔 나올 정도로 웃었다.

"실은 삼촌형이 태룡산으로 떠나기 전 날에 저에게 부탁한 말이 있었어요."

한참 만에 웃음을 겨우 진정시킨 길상이가 입을 열었다.

"삼손도련님이 너에게 부탁을?"

그녀가 진지한 얼굴로 길상이를 바라보았다.

세령은 그가 길상이에게 무슨 부탁을 했을지 매우 궁금해지기 시작했다. 원체 입이 무겁고 말 수가 적은 사람이라 자질구레한 부탁이나 본인 의견을 길게 늘어놓는 법이 없었기에 조금은 의아하고 어리둥절했다.

"누나를 곁에서 잘 지켜주라고 했어요. 누나가 보기에는 사내들 못지않게 왈가닥스러워 보이지만 실은 누구보다 여린 여자라고요. 누나 앞에서 외롭지 않게 수다도 떨어주고 재롱도 많이 부리라고…… 그러면서 누나가 많이 힘들어할 때 이걸 꼭 전해주라고 하셨어요."

길상이는 허리춤에서 뭔가를 꺼내들어 세령에게 건네주었다.

"아니 이건 사내의 머리띠가 아니냐? 가만, 이건……그냥 머리띠가 아닌데……."

세령은 길상이에게서 건네 받은 머리띠를 보고 깜짝 놀랐다. 머리띠는 당대 최고급 원단인 붉은 비단에 희귀한 금색실로 한 땀 한 땀 정성 들여 자수를 놓은 용의 문양이 선명하게 그려져 있었다. 그녀는 상단에서 포목점을 운영하고 있었기 때문에 다양한 종류의 원단을 빠삭하게 꿰고 있는 중이었다. 궁궐은 물론 도성 안에 있는 내로라하는 양반집들도 행신 상단의 원단을 선호했다. 그렇기에 그녀는 이 머리띠가 어떤 용도로 만들어졌고 누가 사용하는지를 알 것 같았다. 순간 그녀는 숨이 멎는 것 같이 몸에 경직이 오는 것을 깨달았다. 분명 이 머리띠는 왕가에 속한 사람만이 지닐 수 있는 장신구의 일종이었기 때문이다. 세령은 이 머리띠가 왜, 삼손에게 있었는지 그리고 그는 이 머리띠를 왜, 길상이를 통해 자신에게 전해주라고 했는지 도무지 이해할 수가 없었다.

길상이가 그녀의 표정을 한 번 살펴 본 뒤 입을 열기 시작한 것은 그때였다.

“그때 형에게 물어봤어요. 누나에게 직접 전해주면 안되냐고요. 그랬더니 형이 그러더라고요. 누나는 워낙 눈치도 빠르고 똑똑해서 이걸 보면 자기를 멀리할거라고. 그래서 지금은 때가 아니라고 했어요. 누나가 가장 외롭고 힘들어 보일 때 이걸 전해주면 반드시 이 머리띠의 정체를 알아보고 용기를 얻을 거라 알려줬어요.”

“뭐, 내가 이 머리띠의 정체를 알아보게 된다는 걸 미리 알고 있었다고? 또 내가 용기를 얻을 거라고? 아니, 무슨 그런 말도 안 되는…….”

세령은 속상하고 답답한 마음에 성을 내려다가 바로 그때 한 줄기 빛처럼 그녀의 뇌리를 스치는 기억이 떠올랐다.

평소 역사를 기록한 서책에 관심이 많던 그녀는 만약, 삼손이 왕가의 일원이라면 그가 누구일지 한번 따져보기로 했다. 삼손의 나이는 열일곱 살. 세령은 삼손이 태어난 17년 전, 이 나라 조선에서 어떠한 일들이 있었는지 자신이 읽었던 서책에 내용을 기억 속에서 더듬어보았다. 그러자 서책에 기록된 모든 일들이 가지가지 추억이 되어 주마등과 같이 그녀의 눈앞을 지나갔다. 17년 전 조선은 그야말로 최악의 상황이었다. 조선의 국모이자 백성들의 존경을 받은 육영왕후가 의문의 죽음을 당하고 그 사건을 조사하던 세자가 얼마 뒤 새로운 계비의 계략으로 폐위당하고 당시 만삭이던 세자빈과 함께 금부옥에 하옥되고 말았다. 그때 세자의 익위사들이 금부옥을 공격하고 탈출을 감행하다 실패하고 크게 부상당한 세자빈만 겨우 빠져나오게 된다. 그 이후로 세자빈을 본 사람은 아무도 없다는 서책 내용이 되살아나기 시작했다. 만약 삼손이 왕가의 사람이라면 17년 전의 일과 관련이 있을 거라는 확신이 들었다. 그리고 그녀가 유추할 수 있는 유일한 인물은 바로 사라진 세자빈이었다. 당시 배가 만삭이었던 세자빈. 그리고 17년 후의 삼손. 처음엔 아니라고, 그럴 리가 없다고 애써 부정했지만 생각하면 할수록 그가 이 나라의 세손일 수 있다는 심증이 점점 굳어져 갔다. 바로 그때 차가운 바닷바람이 그녀의 머리칼을 아무렇게나 흩뜨리면서 지나가고 있었다. 갑자기 몸이 오스스 떨려 왔고 다리가 후들후들 거리고 있었다.

"누나, 괜찮아요? 갑자기 안색이 안 좋아 보여요."

길상이가 걱정스런 빛으로 그녀를 바라보았다.

“어…괜찮아. 아니, 괜찮지 않은 것 같아. 휴…….”

세령의 머릿속은 17년 전의 상상들로 가득차서 매우 혼란스러웠다.

“제가 형한테 물어봤어요. 이거 잊어버리면 안 되는 물건이냐고요. 누나도 잘 알지만 제가 워낙 칠칠맞지 못해서 물건을 잘 잃어버리잖아요. 그런데 형이 뭐라고 하셨는지 아세요?”

흔들리는 배 위에서 길상이는 자세하나 흩트리지 않고 또박또박 말했다.

“뭐라고 했는데?”

그녀가 긴장된 시선으로 고개를 들었다.

“이 머리띠가 자신이 누구인지를 밝혀 줄 유일한 증표라고 했어요. 그래서 제가 다시 형에게 물었죠. 그리 중요한 물건을 왜 누나에게 주려는 것이냐고요. 그랬더니 형이 이렇게 말했어요. 자기가 누구인지… 얼마나 힘든 삶을 살아왔는지… 외로웠는지…방황하면서 살아왔는지…하지만 누나를 처음 만나고 나서 그 모든 상처가 치유되는 경험을 했데요. 지금까지 살아오면서 누군가에게 자신의 정체나 살아 온 이야기를 하지 않았지만 누나에게는 꼭 하고 싶었데요. 태룡산에서 돌아오는 날 누나에게 가장 먼저 달려오겠다고 했어요. 이 증표가 그 약속이라고 했죠.”

길상이는 삼촌의 고백이나 다름없는 말을 세령에게 전했다.

“뭐야, 이게……어린아이에게 그런 말까지 하라고 시키고……부끄럽게 진짜……돌아오기 만 해봐. 여자를 이렇게 울리면 어떻게 되는지……."

기쁨에 겨운 그녀의 얼굴에는 웃음과 울음이 한데 엉겨 있었다.

"어, 누나! 울다가 웃으면 똥구멍에 털 나는데! 큰일 났다. 삼손 형이 돌아왔을 때 누나 똥구멍에 털 나 있으면 안 되는데. 어떡하지?"

길상이가 세령이를 위로해주려고 우스개를 부렸다.

"뭐라고? 하여튼 너 정말! 어째 오늘은 조용하나 싶었더니……."

그녀는 더는 참지 못하고 웃음을 터트렸다.

세령은 삼손의 마음을 알게 되어 너무나 기뻤다. 그런 줄도 모르고 그동안 혼자서 속앓이를 했던 것을 생각하니 헛웃음이 나오기도 했다. 계속 눈물이 흘렀다가 뭐가 그리 좋은지 웃음이 간간히 흘러나오기를 반복했다.

'오! 맙소사! 도련님이……세손이셨어.'

그녀는 삼손의 정체를 알게 되자 적잖이 충격을 받았다. 그가 이 나라의 세손이라는 사실이 여전히 혼란스러웠다. 한편으로는 그가 어쩐지 가련하고 마음 아프게 느껴졌다. 하지만 그보다는 삼손의 신분 때문에 느끼는 불안감이 더 큰 것도 사실이었다. 어쩌면 양반도 아닌 그녀가 느낄 수 있는 당연한 감정인지도 모른다. 그럼에도 불구하고 분명한 것은, 두 사람이 서로를 좋아하고 있다는 사실이었다. 세령은 때마침 쏟아지는 햇살을 손으로 어루만지며 이 기쁨, 이 충만감을 오랫동안 간직하고 싶었다. 이 순간만큼은 신분의 차이는 더 이상 갈등의 요소가 되지 않았다. 오로지 그가 없는 세상은 이제 아무런 의미가 없을 것같이 느껴졌다. 여러 가지 생각들이 머릿속에서 맴돌이쳤지만 그녀는 사랑에 빠진 듯 몹시 행복에 잠긴 얼굴이었다. 두 사람의 앞날을 축복하기라도 하듯이 순류를 따라서 움직이던 배는 물살을 가르며 더욱 빠르게 내달렸다.

제14장 그리움을 부여안고

태룡산은 산세가 웅장하고 골짜기가 깊어 고산다운 면모를 지니고 있었다. 당당한 기세를 뽐내는 준험한 봉우리들이 길게 이어진 풍경은 아름답기도 했지만 멀리서도 또렷하게 보일 정도로 수림이 울창했다. 하늘을 찌를 듯이 솟구쳐있는 태룡산 준령은 산행길이 초행인 사람들에게는 쉽지 않아 아무런 준비 없이 오르기에는 무척 어려운 산이었다. 그러기에 태룡산을 오르는 자는 각오를 단단히 하고 미리 어떤 경로로 올라갈지 정하는 것도 중요했다.

"산꾼이라면…… 누구나 한번쯤은 꿈을 갖게 하는 산이라 들었는데… 이리 오르고 있으니 그 말이 맞는 것 같은 생각이 드네."

왕호는 산을 오르다 가끔 고개를 돌려 주변 경치를 감상하곤 했다. 평소에도 폐활량과 근력이 뛰어났기에 다른 단원들과 달리 그의 얼굴에서는 아직 여유가 느껴졌다.

"헉헉, 야, 임마! 넌……괜찮을지 몰라도 난… 숨쉬기도…… 힘이 든다고."

몸을 느실거리며 산을 오르고 있는 정길이가 가쁜 숨을 식식하며 말했다.

백발의 최씨 노인과 공주 그리고 탄닌은 삼손과 아이들을 데리고 맨 앞에서 길을 안내하고 있는 중이었다.

"어휴! 힘들다 힘들어. 그런데……저기 앞에 가고 있는 저 사람들 말이야. 어떻게 지치지도 않는 거지?"

잡목 수풀 사이로 걸음을 재촉하고 있던 화룡이가 고개를 두서너 번 갸웃거렸다.

"세손 각하와 태룡산에 살던 저 세 사람은 그렇다 치고…… 더 이상한 건 저 꼬맹이 녀석들이야. 나같이 타고난 산꾼 보다 산을 더 잘 오르고 있으니……내가 지금 무슨 헛것을 보고 있는 것이 아닌가 눈을 의심해 볼 지경일세."

춘삼이가 손을 들어서 아이들이 있는 방향을 가리켰다.

"허허, 그건 자네들이 잘 몰라서 하는 말이네. 춘희와 동철이 그리고 복순이와 세쌍둥이들은 원래부터 태룡산으로 왕래하던 아이들일세. 저 아이들뿐만이 아니라 산 밑에 사는 사람들이 전부 그랬지. 그러다가 요괴들이 마을에 출몰하는 바람에 태룡산과 마을 사람들의 왕래가 끊어진 거였네. 만일 요괴들이 쫓아 올 때와 호랑이를 피해서 도망칠 때 아이들이 뛰는 모습을 보았다면 자네들은 아마 그 자리에서 까무러쳤을 걸세."

조금도 지친 기색 하나 없이 씩씩하게 앞서 걸어가는 아이들의 뒷모습을 바라 본 송철은 입가에 절로 미소를 띠웠다.

조금 뒤에 단원 일행들이 숨을 헐떡이며 산등성 하나를 넘자 아름드리 소나무 사이로 태룡산 정상이 고개를 치켜들었다. 처음 마주친 태룡산 정상이지만 조선의 제일봉을 바라보고 있다는 것이 실감 나지 않았다.

그때 갑자기 산 정상 위로 시커먼 구름이 몰려와 하늘은 금방이라도 눈을 쏟을 듯 어두컴컴하여져만 갔다. 그 광경을 본 최씨 노인이 순간 지팡이를 하늘로 높이 치켜들고는 입속말로 중얼거리자 곧바로 화창한 날씨로 바뀌기 시작했다.

"아니, 세상에 이럴 수가! 방금 자네들도 보았는가? 갑자기 날씨가 바뀌었네."

화룡이 얼떠름해서 눈을 슴벅거리며 말했다.

"그러게……뭔가 어두워지더니 금세 맑아진 걸 보니 예사롭지 않군 그래."

승수가 이상한 낌새에 본능적으로 지팡이를 든 노인을 응시했다.

산 중턱에 올라서자 사방으로 펼쳐지는 탁 트인 조망이 일품이었다. 산줄기의 볼록한 능선은 남북으로 뻗어 있었으며 동쪽은 경사가 완만하고 서쪽은 매우 급한 편이었다.

"와, 이거 정말 대단하구나! 직접 와서 보니 태룡산이 명산이라는 그 말이 딱 맞네."

왕호가 눈앞에 펼쳐진 경관에 할 말을 잃고 바라만 보았다.

"이런 염병할! 자넨 힘이 남아돌아 정말 좋겠네. 칫, 난 힘이 다 빠지고…… 발이 땅에 붙는 것처럼 움직일 수조차 없는데……."

정길이가 마침내 지쳐서 털썩 주저앉았다.

"아니, 이 사람들아, 지금 저 앞에 가고 있는 아이들 보기 부끄럽지 않나? 자, 자, 어서들 일어나게. 빨리 이 일을 마무리 짓고 상단으로 돌아가야지."

송철은 정길이의 두 손을 잡아 일으켰다.

단원들은 잠시 길가에서 쉬었다가 다시 길을 걷기 시작했다. 길고도 깊은 골짜기 안으로 들어가 한바탕 굽이쳤던 길을 지나자 눈앞에 천 길 벼랑길이 나타났다. 험한 벼랑에서 바위 같은 것을 안고 겨우 좁은 길을 통과할 수 있었다. 단원들에게는 죽음의 고비를 여러 차례 넘어가는 험한 산행 길이었다.

산 중턱에서 또다시 산을 오르니 절벽 끝에 커다란 흔들바위를 만날 수 있었다. 위태위태하게 서 있는 모양이 조선의 백성들이 처해있는 현실과 비슷해보였다. 왕후에게 핍박받는 백성들이 더 이상 갈 곳이 없어 궁지에 내몰린 모습과 판박이였기 때문이었다.

산골짜기를 따라 1시간 정도 걸으니 눈앞에 평지가 펼쳐지면서 아담한 마을이 하나 나타났다. 숨이 턱까지 차 헉헉거리고 있는 단원들은 고산에 이렇게 아름다운 마을이 있다는 것이 믿기 힘들 정도였다.

"세손 각하. 바로 이곳이옵니다. 어머님이 계신 곳이죠."

최씨 노인이 예를 갖춰 말했다.

"어머님이 계신 곳이…… 여기란 말인가?"

삼손은 어머니가 살고 있는 땅에 발을 딛는 감회가 새로웠다.

"그렇습니다. 아마 지금쯤 세손 각하를 기다리고 계실 겁니다. 그리로 제가 모시겠습니다."

노인은 지팡이를 들고 삼손과 단원들을 이끌고 세자빈이 살고 있는 집으로 안내해 주었다.

이런 고산지대에서 인삼이 재배되고 있다는 사실이 놀랍기만 한 단원들은 무엇보다 세자빈마마를 곧 만나게 된다는 사실에 고무되었다. 세손 각하를 만나게 된 것만 해도 그들은 너무나 놀라서 이게 정말 꿈인지 생시인지를 의심하고 있었다. 그런데 세자빈마마까지 알현한다는 생각에 단원들은 몸 둘 바를 몰라 하였다.

그때 마을에서 조금 떨어진 곳에 외딴집 한 채가 보이기 시작했다. 작고 아담한 집이었다. 누가 보기에도 평범하고 분지마을 여느 집들과 다를 바가 없었다. 집 앞에는 고운 한복을 입고 머리를 올려서 비녀 한 개로 장식한 여인이 안절부절 어쩔 줄을 모르고 서성거렸다. 점점 거리가 가까워지자 여인의 얼굴 윤곽이 뚜렷하고 선명하게 보였다. 그녀는 검소한 한복 차림이었으나 상당한 미인으로 수수하고도 청초했다.

"세자빈마마님! 세손 각하를 모시고 왔습니다."

최씨 노인이 여인 앞에 예를 갖춰 절하고 엎드렸다.

"먼 길 다녀오시느라고 정말 수고가 많았습니다."

그녀의 얼굴은 상기되어 있었으나 인자한 음성이었다.

"마마님, 이 분이 바로 세손 각하이십니다."

최씨 노인이 일행 가운데 서 있는 삼손을 가리켰다.

"흐윽, 흐윽……."

헤어진 지 17년의 세월이 흘렀지만 부모와 자식 간에 흐르고 있는 천륜에 이끌린 탓인지 그녀는 한눈에 삼손을 알아보았다. 그들은 약속이나 한 듯이 서로의 시선이 마주쳤다. 그녀는 오랫동안 헤어졌던 아들을 보는 순간 가슴이 털썩대기 시작했다. 삼손도 어머니를 처음으로 만나게 되자 여태껏 한 번도 느껴 보지 못한 설움이 복받쳐 올랐다. 그토록 보고 싶어 했던 아들과 상면한 여인은 눈물부터 흘리기 시작했다. 두 사람은 걸음을 떼기 무섭게 누가 먼저라고 할 것도 없이 서로를 부둥켜안고 울기 시작했다. 여인과 삼손의 상봉은 보는 이들도 함께 눈물을 흘릴 만큼 감격적인 일이었다.

"흐윽, 흐윽……네가 볏골마을에서 온 삼손이구나. 흐윽……어디 보자 내 새끼……."

그녀는 참았던 울음보를 터뜨리면서 목을 놓아 통곡하였다.

"으으흑, 으으흑……어…어머……니, 어머니!!!"

어머니의 목울음 섞인 소리를 들으니 삼손도 목이 메어 왔다. 그러다가 목이 찢어지도록 어머니를 외쳤다.

주변에 있는 단원들과 아이들 그리고 최씨 노인과 공주도 이 모습을 보고 가슴이 뭉클해 한동안 아무 말도 할 수 없었다. 그녀와 삼손은 말도 제대로 못 할만큼 서로를 보듬고 눈물을 흘렸다. 이 광경을 보고 있던 탄닌은 엄마 생각이 났던지 코끝이 시큰해지고 눈물이 글썽 괴어 눈앞이 흐릿해졌다.

"그래도…… 세손 각하는 엄마를 다시 만날 수 있어서 좋겠다."

탄닌은 혼잣말처럼 웅얼거렸다.

한참을 울고 난 뒤에 세자빈이 손을 뻗어 삼손의 얼굴을 다정히 만져 주고 머리도 쓸어 주었다. 삼손은 여전히 그녀의 가슴에 안겨 서럽게 울 뿐이었다. 17년 가까운 세월 동안 가슴속에서 맺혀 온 그리움과 외로움을 씻어 내는 눈물이었다.

시간이 어느 정도 지나자 삼손과 함께 태룡산에 온 단원들은 한 사람 한 사람씩 세자빈에게 예를 갖춰 인사를 올렸다. 그녀는 친부모처럼 단원들을 따뜻하게 맞아 주었다. 아이들은 그녀를 월령아줌마로 부르고 있었다. 예전부터 아이들이 태룡산에 오르면 그녀에게 글도 배우고 맛있는 음식을 얻어먹었는데 누가 보더라도 그녀와 아이들 사이에 친밀의 정도가 깊다는 것을 느낄 수 있었다.

"월령아줌마……아니, 세자빈마마님! 경하 드리옵니다. 그토록 그리워하시던 세손 각하를 다시 만나게 되시니 말입니다. 이제 마마님은 태룡산을 떠나게 되시는 겁니까?"

공주가 가지런히 손을 모으고는 허리를 굽혔다. 그러고 나서 찬찬히 그녀의 의중을 떠보았다.

"공주야! 이리 오너라. 어서."

세자빈은 전과 달리 어색하게 서있는 공주를 보며 자기 옆으로 오라고 손을 내밀었다.

"네, 마마님."

공주가 고개를 숙이며 대답했다.

"세손, 이 아이는 내가 딸처럼 여기는 아이란다. 이곳 태룡산에서 이 아이가 내 곁에 있었기 때문에 모든 걸 견딜 수 있었지. 공주라는 이름도 내가 그렇게 불러서 된 거야. 자, 오늘부터 이 아이는 네 친동생과 다름없으니 세손은 그리 알고 대하 거라."

세자빈은 가까이 다가 선 공주의 손을 잡고는 단원들과 이야기를 나누고 있던 삼손을 불렀다.

"네, 어마마마. 그리하겠습니다. 그러잖아도 산에 오르기 전 공주와 인사를 나눴습니다. 그동안 이 아이가 어마마마 곁에 있어서 얼마나 고맙고 감사한지 모르겠습니다."

삼손은 진심 어린 목소리로 그녀에게 자기 생각에 대해 입을 열었다.

"세손 각하, 너무 과찬이십니다."

공주는 고개를 숙여 겸손히 말했다.

"네 이름이 공주라고 했지? 지금 이 시간부터 너는 내 여동생이고 나는 너의 친오빠다. 그러니까 그 말은 너는 진짜 이 나라의 공주가 되었다는 뜻이야."

삼손이 모든 사람들이 들을 수 있게 큰 소리로 선포했다.

"제가…… 어찌 감히……소녀는 그럴 자격이 없습니다."

"아니, 넌 충분히 그럴 자격이 있어. 그리고 이건 부탁이 아니라 세손으로서의 첫 명령이다. 알겠느냐?"

"네, 알겠사옵니다. 세손 각하……성은이 망극하옵니다."

공주는 급작스러운 상황의 변화에 금세 얼굴이 빨갛게 물들면서 어쩔 줄을 몰라 했다.

세자빈은 준비해 놓은 화관을 공주의 머리에 씌우고 저고리 위에 입는 분홍색 털조끼를 입혔다. 공주를 위해 세자빈이 오랜 시간 손수 만든 것들이었다. 공주의 아름다운 자태와 화려한 의상을 바라보자 최씨 노인과 탄닌은 몹시 기쁜 나머지 눈물까지 보였다.

"공주언니, 정말 예쁘다! 그치?"

복순이가 신이 난 듯 춘희를 바라보며 말했다.

"그래, 언니 너무 예쁘네. 마치 하늘에서 내려온 선녀 같아."

춘희는 공주의 아름다운 자태와 화려한 의상을 바라보며 거듭 감탄하는 표정을 지었다.

"춘희 언니, 이제부터 공주언니에게 공주님이라고 불러야 하는 거지?"

복순이는 누구보다 친했던 공주언니가 진짜 공주가 되었다는 사실이 믿어지지 않았다.

"그럼, 당연하지. 세자빈마마님과 세손 각하가 그리 한다고 하셨으니 공주언니는 오늘부터 이 나라의 공주님이 된 거야. 나도 솔직히 모든 게 신기하고 얼떨떨하기만 해."

세자빈마마와 정답게 이야기를 나누고 있는 공주를 보며 춘희는 자기 일처럼 기뻐했다.

조금 뒤에 단원들은 대량의 인삼을 구하기 위해 최씨 노인을 따라 길을 나섰다. 다행히 최씨 노인이 있어서 도깨비장난처럼 모든 일들이 수월하게 진행되었다. 단원들은 목표치인 일인당 80근의 인삼을 상단에 가져갈 수 있게 되었다. 최씨 노인의 말 한마디에 마을 사람들이 흔쾌히 인삼을 내주었던 것이다.

“이 정도면 왕후가 원하는 양을 충족시킬 수 있을 것이네. 자네들은 이제 곧 행신마을로 돌아가 궁궐로 들어갈 채비를 하겠구먼. 그 악랄한 왕후를 처단하기 위해서는 자네들의 힘만으로는 쉽지 않을 거야. 으음, 인간이 아닌 존재를 상대하려면 그에 필적할 만한 힘을 가진 자가 필요할걸세.”

인삼을 서로의 등에 단단히 고정시킨 단원들을 바라보며 노인이 말했다.

“어르신, 그게 무슨 말씀이신지요? 인간이 아닌 존재라면……누굴 말씀하시는 겁니까?”

송철이 의아한 눈빛으로 노인을 주시하였다.

“이런, 쯧쯧. 자네들은…… 아직 그것도 모르고 있었나 보군. 지금 궁 안에서 버젓이 왕후행세를 하고 있는 여자는 인간이 아닐세.”

조금 망설이던 노인은 그의 물음에 솔직하게 대답했다.

“예, 뭐라고요? 왕후가 인간이 아니라고요?”

그 사실에 송철을 비롯해 모두가 경악을 금치 못했다.

“그렇다네.”

최씨 노인이 짧게 답했다.

“아니 그럼, 왕후의…… 정체는 뭐란 말입니까?”

최씨 노인의 말에 큰 충격을 받은 춘삼이는 겨우 입을 열어 물었다.

“네피림이네.”

최씨 노인은 아무런 표정 없이 대답했다.

“네피……림이 뭡니까?”

정길은 놀란 표정으로 노인의 얼굴을 멀뚱히 쳐다보았다.

“으음, 반신반인 같은 존재라네.”

노인은 점잖게 턱밑수염을 어루만졌다.

네피림이라는 존재를 처음으로 듣게 된 단원들의 혼란스러움은 이루 말할 수가 없었다. 그 보다 왕후가 인간이 아닌 반신반인이라는 사실에 단원들 모두가 큰 충격을 받았다.

“어르신! 좀 더 자세히 말씀해주십시오.”

송철이 물었다.

“그들은 고대로부터 힘이 강한 용사였고 명성 있는 자들이었네. 하지만 오랜 세월동안 신으로부터 버림받았다고 생각한 그들은 악을 따르고 숭배하기 시작했어. 물론 예외도 있었지. 선을 따르기로 한 극소수의 네피림들이 존재하고 있었네. 이곳 조선에서도 사악한 왕후의 악행을 막기 위해 비밀리에 활동하는 네피림들이 있지. 아마도 그들이 자네들에게 큰 힘이 되어 줄 걸세.”

최씨 노인은 그들에게 네피림에 대하여 자세한 설명을 해 주었다. 그들은 처음 듣는 소리라는 듯이 반짝 눈을 뜨며 노인을 쳐다보았다.

“네피림……. 지금 이 나라에서는 아이들의 씨가 말라간다는 이야기까지 나오고 있습니다. 그 여자가 대체 무엇을 노리고 그런 짓을 하는 걸까요?”

송철은 자못 궁금한 표정으로 신경을 곤두세웠다.

“현재 왕후는 몰렉이라는 악마를 섬기고 있네. 엊그제 자네가 숲

속에서 본 요괴들의 두목이 바로 몰렉이었어. 왕후는 14만 4천 명의 아이들을 그놈에게 재물로 바치려고 혈안이 되어있네.”

“아니, 그렇게 많은 아이들을 재물로 바친다고요? 도대체 뭣 때문에요?”

송철은 당황한 기색을 감추지 못했다.

“그렇게 해야지만 자기가 영원불멸의 삶을 살 수 있다고 믿고 있네.”

노인의 얼굴은 자못 심각해 보였다.

“아니, 어떻게…… 아이들에게 그런 짓을…… 이런 죽일 년!”

두 주먹을 불끈 쥔 왕호는 머리끝까지 화가 치밀어 오르는지 버럭 소리를 쳤다.

“근데 어르신, 네피림들은 어떻게 구별할 수 있나요?”

춘삼이가 왕호를 겨우 진정시킨 뒤에 고개를 돌려 노인을 바라보았다.

“음, 좋은 질문일세. 고대 근동지역에서 살던 네피림은 원래 키가 큰 거인족들이었네. 하지만 세상에 대홍수가 일어나고 난 뒤 네피림들은 세계 각지로 퍼져나가 여느 사람들과 똑같은 모습으로 살게 되었지. 그러니까 내 말은 네피림인지 사람인지 분간하기가 쉽지 않다는 말일세.”

노인은 춘삼이의 눈을 뚫어져라 바라보며 나지막하게 말을 이었다.

“그럼 얘기가 빠르겠군요. 단도직입적으로 여쭙겠습니다. 네피림은 어떻게 죽일 수 있습니까?”

허리를 구부린 채 노인의 말을 듣던 화룡이가 한참 만에 입을 열었다.

"음, 그건 아주 어려운 질문이군. 그보다 먼저 자네들이 산 밑 마을에서 겪은 이야기를 모두 들었네. 자 그럼, 내 하나 물어보겠네. 자네들의 칼로 그 요괴들을 하나라도 죽일 수 있었는가?"

노인은 빙그레 미소를 지으며 단원들을 쳐다보았다.

"휴! 절대 아닙니다. 놈들은 저희의 칼을 맞고도 눈 하나 까딱 않고 서있었습니다."

정길이는 수치감에 얼굴을 붉히며 한숨 섞어 말했다.

"그런데……신기하게도 세손 각하의 칼에는 놈들의 목이 추풍낙엽처럼 떨어지는 장면을 똑똑하게 봤습니다. 그것뿐만 아니라 요괴들이 세손 각하의 칼을 보자 지레 겁을 집어먹고 벌벌 떨며 달아났죠. 혹 어르신은 그 칼의 정체를 알고 계신가요?"

승수는 한 번도 보지 못한 삼손의 칼이 예사롭지가 않게 보였다.

"허허허. 눈썰미가 아주 제법이군. 세손 각하의 검은 대장장이의 손끝에서 만들어진 칼이 아닐세. 아주 오래 전 먼 하늘에서 떨어진 화염검이라고 하네."

하얀 수염이 바람에 휘날리는 백발노인이 지팡이를 짚고서 그를 내려다보고 있었다.

"화염검……. 하늘에서 떨어졌다니 그게 무슨 뜻입니까? 소인은 무슨 말씀이온지 잘 모르겠습니다."

승수가 어리둥절한 듯이 두 눈을 끔뻑거렸다.

"허허허. 그냥 신검이라는 뜻으로 이해하게. 내 말뜻은 사람이 만든 칼이 아니란 말일세. 불을 내뿜으며 스스로 움직이는 칼인 화염검은 사악한 요괴들과 네피림들을 불살라 죽일 수 있는 무기라네. 허허, 자네들도 두 눈으로 똑똑히 보지 않았는가?"

노인은 확신에 찬 목소리로 말을 이어 갔다.

송철은 태룡산에 오르기 전 마을과 숲에서 마주친 요괴들의 흉측한 모습이 떠올랐다. 하마터면 요괴들의 먹잇감이 될 뻔했던 장면들이 뇌리에서 영 사라지지 않았다. 그는 특히 숲에서 자신과 아이들을 죽이려고 한 요괴가 왕후가 숭배하는 몰렉이라는 노인의 말을 듣고 어이가 없었다. 송철은 한낱 미물에 지나지 않는 요괴를 신봉하고 있는 정신 나간 왕후에게서 한시바삐 붙잡혀간 아이들을 구해내야겠다는 생각으로 가득 찼다.

세자빈과 삼손은 오랜 세월이 무색할 정도로 그날 이후 이별의 골을 메우며 전에 없이 가까워졌다. 제 아무리 긴 시간동안 멀리 떨어져 있었어도 부모 자식 간은 변함이 없기 때문에 가능한 일이었다. 만난 지 얼마 되지 않았지만 삼손과 공주는 마치 오랫동안 알고 지낸 남매간처럼 우애가 돈독해졌다. 세자빈은 그 둘이 서로 위하는 모습을 보니 그녀의 마음은 더없이 흐뭇했다.

제15장 천하의 영웅호걸

밤이 깊어지자 태룡산 계곡의 물소리가 더욱 맑고 높게 들렸다. 신령스러운 영물인 드래곤에서 인간의 모습으로 변한 탄닌은 그동안 살았던 동굴 안으로 다시 들어가자 가슴 한쪽이 짜릿짜릿 저려왔다. 얼마 전까지만 해도 탄닌은 하루라도 빨리 동굴을 훨훨 떠날 수 있기만을 바라며 지내 왔었다. 하지만 드래곤의 모습으로는 나갈 수 없었기에 그때 심적으로 꽤 불안한 상태에 놓여 있었다. 그러던 중 최씨 노인에게서 자신이 용족의 후예라는 사실을 듣고 난 후에 몇 번의 커다란 신체적 변화를 겪게 되었다. 각성이 일어나자 크고 기다란 날개와 꼬리가 사라지고 뾰족하고 날카로운 이빨이 가지런해지기 시작했다. 그 무렵 두 발로 걷기 시작한 것은 그에게 가장 놀라운 변화를 이끌어 냈으며, 그의 바람대로 어느 날 밤 인간의 모습으로 완전히 바뀌게 된 것이다. 그는 곧장 음암하기 짝이 없는 동굴 속에서 나와 공주를 찾아갔다. 자신의 유일한 친구이자 그가 운명처럼 지켜야할 대상인 공주는 인간의 모습을 한 그를 보고 놀라지 않을 수 없었다. 하지만 그녀는 한 눈에 그가 탄닌임을 알아보았다. 그의 숨결과 따스한 온기, 몸에서 풍기던 향기가 그녀의 기억 속에 오래도록 남아 있었기 때문이었다.

처음의 어색한 분위기가 가셔지자 공주와 탄닌은 예전처럼 둘도 없는 단짝이 되었다. 거대한 몸집의 드래곤으로 자란 이후로 그 둘은 동굴 안에서만 만날 수 있었기에 많은 제약이 있을 수밖에 없었다. 하지만 탄닌이 인간의 몸으로 변한 후에는 어디든지 맘대로 갈 수가 있었기에 그 둘은 너무나 기쁘고 행복했다.

탄닌은 어두컴컴한 동굴 안의 광경을 둘러보자 기억들이 되살아나기 시작했다. 오래 전 드래곤의 예지력으로 보았던 앞으로의 일어날 일들이 또다시 선명하게 보였다. 그 가운데에서도 아직 그 누구에게도 말하지 않은 일이 문득 떠올랐다. 갑자기 탄닌은 깊은숨을 내쉬었다. 그러나 안도의 숨은 아니었다. 애써 다시 이 동굴을 찾아온 이유가 지금 떠오르는 미래의 비극적인 일 때문이라는 생각을 하자 가슴이 미어터지는 것만 같았다. 소중한 사람을 잃은 자에게 있어 가장 큰 위로는 아마도 우리가 다음 세상에서 다시 만나 더 행복하게 살 수 있을 것이라는 믿음일 것이다. 탄닌은 금방이라도 폭발할 것 같은 긴장감과 감당할 수 없는 슬픔과 중압감으로 가득했다. 그는 만일 피할 수만 있다면 무슨 대가를 치르더라도 이를 참고 견디겠다고, 아니 참고 견뎌 보겠다고 신에게 간구하였다. 하지만 그러면 그럴수록 번민은 늘어갈 뿐이었다. 피할 수 없는 운명에 얽히게 되었음을 깨닫게 되자 그는 급히 동굴 밖으로 나왔다.

때마침 동굴 밖은 칼날 같은 바람에 눈이 날리고 있었다. 밤이어서 그런지 기온은 냉랭했지만 자꾸만 머릿속에서 떠오르는 생각이 그의 몸에서 뜨거운 피를 들끓게 했다. 끊임없이 내리는 눈을 바라보다 탄닌은 눈을 한 번 크게 깜박였다. 며칠 전 공주와 함박눈을 맞으며 마을 돌담길을 걸었던 추억이 떠올랐다. 그가 꿈꾸어 온 삶은 그저 공주와 오랫동안 함께 있으며 그녀를 지켜주고 아껴주는 평범한 친구로서의 삶이었다. 하지만 짓궂은 운명의 장난처럼 그의 바람은 손에 잡힐 듯 잡히지 않는 그리움의 대상으로 변했다.

바위 사이로 물이 쏟아져 흐르는 계곡에는 조금 전보다 눈도 많이 내리고 눈보라도 더욱 세차게 변했다. 그런데 바로 그때였다. 등 뒤에서 누군가의 잔잔한 숨결소리를 듣고 탄닌은 뒤로 돌아섰다.

“세손 각하!”

탄닌은 눈을 크게 뜨고 그를 주시했다.

“역시, 자네가 맞았군.”

삼손의 한쪽 손에는 빛을 내뿜어대는 검이 들려있었다.

“아니, 세손 각하, 여긴 어떻게…….”

그는 몹시 당황한 기색을 감추지 못했다.

"이 검이 나를 이곳까지 인도했네. 사실, 태룡산에 오르기 전부터 이 검이 심하게 진동을 일으키었어. 이 화염검은 사악한 요괴들과 같은 적대적인 존재가 나타나면 바로 진동을 일으키지. 처음부터 난 노인과 자네를 의심했네. 두 사람에게만 이 검이 반응을 보였거든. 물론 두 사람이 평범한 사람들과 다르다는 것을 어머니한테 들어서 알게 되었지. 그래도 궁금한 것이 있으면 물어보는 성격이라 이렇게 찾아오게 되었네. 단도직입적으로 물어보겠네. 자네와 노인의 정체는 무엇인가?"

눈보라가 숨이 막힐 만큼 무섭게 휘몰아치고 있었지만 삼손의 목소리는 높아졌고 결기도 있어 보였다.

"저희가 누구긴 누굽니까? 이곳 태룡산에서 살고 있는 산촌 사람들 아닙니까."

순간 탄닌은 당혹스러워 무슨 말을 해야 할지 몰라 에둘러 말했다.

하지만 그의 말과는 달리 삼손의 검은 더욱 강한 진동을 일으키고 있었다. 혼돈의 힘을 지니고 있는 거대 생물이자 괴수인 드래곤의 정체를 검은 이미 파악하고 있었던 것이다. 평범한 인간의 몸으로 변한 그였지만 화염검은 금방이라도 달려들 기세였다. 아니나 다를까, 화염검은 삼손의 손에서 벗어나려고 심하게 요동을 쳤다. 그의 뜻과는 상관없이 화염검은 시뻘건 불덩이로 변하며 스스로 삼손의 손에서 순식간에 튀어나갔다. 그는 검의 반응이 너무 느닷없어서 순간 당황했다.

검의 주인이라 생각했던 삼손은 당혹감을 감추지 못했다. 그는 탄닌의 정체가 궁금했을 뿐 적대적인 감정은 없었기 때문이었다.

매우 빠른 속도로 공중을 날아가는 화염검의 쉭 소리가 예리한 검기와 함께 상대에게 위압감을 느끼게 했다. 조금의 주저도 없이 곧장 목표물을 향하는 화염검은 마구 불을 뿜어내는 거대한 불덩어리 모양이었다. 순식간에 검이 코앞까지 도달하자 탄닌이 땅을 박찰 자세를 취하였다. 자신을 향해 위협적으로 날아오는 검에게서 시선을 떼지 않은 채 단숨에 발에 힘을 주고 바닥을 힘껏 밀쳐내었다. 그러자 땅에 제법 쌓여있던 눈이 풀썩 피어올랐다. 동시에 탄닌의 몸은 활시위에서 놓여진 화살처럼 가볍게 공중으로 튀어 올랐다. 검은 그대로 뒤쪽 방향으로 지나쳐 날아갔다.

그 광경을 목격한 삼손은 너무 놀란 나머지 실성한 사람처럼 입을 벌리고 멍하니 공중에 떠있는 탄닌을 바라보았다. 화염검이 어떤 방향에서 어떻게 오리라는 것을 이미 예측하고 있었던 것처럼 그의 모습이 무척 여유가 있어 보였다.

요괴들과는 차원이 달랐다. 만약 탄닌이 요괴였다면 화염검의 공격을 절대로 막아내거나 피하지도 못했을 것이다. 이 세상의 그 어떤 무예가 고강한 고수들이라고 할지라도 화염검을 당해낼 자는 아무도 없다. 오랜 시간 동안 공중에 떠있는 탄닌의 정체가 더욱 궁금해진 삼손은 그의 실력을 직접 확인해보고 싶어졌다. 자신의 손을 앞으로 내밀자 사라졌던 화염검이 곧 다시 돌아왔다. 여전히 불길이 거세게 타오르고 있는 화염검을 들고 삼손이 땅을 박차고 허공으로 날아올랐다. 그런 삼손의 행동을 공중에서 지켜보고 있던 탄닌은 별로 대수롭지 않게 여기는 듯 익살을 부렸다.

"아니, 세손 각하. 이렇게 눈이 많이 내리는데 왜 이리 사서 고생을 하시는 겁니까? 그리고 지금 그 칼로 저를 죽이기라도 하시겠다는 건가요?"

"조금 전 일은 내가 한 것이 아니었다. 이 검이 스스로 너에게 달려든 것이었어. 많이 놀랐다면 사과하마. 그런데 그보다 너의 정체를 알고 싶구나. 보아하니 경공술도 능통하고 이 검을 피할 정도의 실력이라면 넌 보통 사람은 아니겠지. 다시 한 번 물으마. 너의 정체가 무엇이냐?"

마치 새처럼 공중에 떠있는 삼손은 진지한 표정으로 상대방을 바라보았다.

"하하하. 세상에는 공짜가 없는 법이죠. 과연, 세손 각하가 공주를 지켜줄 수 있는지 실력을 한번 확인해 보고 싶은데…… 가능하겠습니까?"

탄닌이 그의 속마음을 들여다보려고 했지만 좀체 의중을 알 수 없었다. 하지만 자신과 겨루어보고 싶어 하는 그의 얼굴표정과 행동에서 다 티가 났다.

"오호, 그러잖아도 내가 바라던 바일세."

삼손은 탄닌의 뜻밖에 제안을 듣고는 눈을 회동그래 뜨고 쳐다봤다.

그 순간에 눈보라가 세차게 날려 고개를 제대로 들 수가 없을 지경이었다. 그런데 탄닌은 아무렇지 않은 듯 상대를 꿰뚫어 보는 듯한 형형한 눈으로 삼손의 눈을 응시하였다. 그런 다음 그가 입가에 엷은 미소를 머금고는 한쪽 손을 펼쳐 허공에 치켜들었다. 그때 계곡 쪽에서 맞바람이 불어오더니 갑자기 그 사이에서 회오리가 일었다. 공중에 떠있는 삼손이 잠시 한눈을 파는 사이에 탄닌의 손에는 어느샌가 기다란 검이 들려있었다.

"음, 예상했던 것보다 재주가 신통하구나."

삼손은 이상하다는 듯이 고개를 한번 갸우뚱했다.

"하하하. 세손 각하, 화염검만큼은 아니겠지만 저의 검도 불의 기운이 아주 강하답니다. 너무 놀라지는 마십시오."

탄닌의 검은 화염검의 폭보다 훨씬 커서 마치 청룡언월도를 들고 있는 모습이었다.

삼손과 탄닌은 금방이라도 칼을 휘두를 듯 힘이 바짝 들어간 손에 날카로운 눈빛이 더해져 극도의 긴장감을 유발하고 있었다. 마치 폭풍 전야처럼 고요했다.

"이러다가는 우리 둘이서 말만 하다가 밤을 지새울 것 같군 그래. 아니 그런가?"

탄닌에게 말은 그렇게 했지만 삼손 자신도 실상은 쉽게 다가서지 못하고 있었다.

사람의 속마음을 누구보다 잘 꿰뚫어보는 삼손이었지만 이상하게도 탄닌의 생각과 마음은 도저히 읽을 수가 없었다. 어떻게 자세를 무너트리게 할지 어떤 검술로 상대해야 할지 상대의 수를 도저히 알아낼 방법이 없기에 어려운 국면이었다. 삼손과 탄닌은 차분한 가운데 살벌한 기운이 흘러넘쳤다.

서로를 한동안 바라보다가 이윽고 두 사람은 약속이라도 한 듯 동시에 서로를 향해 묵직한 검을 겨누었다. 그때 갑자기 번개가 치더니, 뒤이어 산을 무너뜨리고 땅을 쪼개기라도 할 듯이 뇌성이 온 천지에 울려 퍼졌다. 공중에 떠있는 삼손과 탄닌의 거리가 가까워질수록 사방에서 불어오는 눈바람 때문에 앞이 안 보일 지경이었다.

"여태껏 한 번도 본적이 없는 대단한 명검이구나!"

탄닌의 손에 들린 검을 바라보며 삼손이 극찬을 하였다.

"으음, 화염검에 비할 바가 아니지만 나름 세상에 존재하는 최강의 검으로 손색이 없다 생각됩니다."

탄닌이 겸연쩍은 듯 앞이마를 긁적긁적했다.

어느새 간격이 겹치는 순간 둘은 누가 먼저랄 것도 없이 서로를 향해 칼을 휘둘렀다. 공중에서 삼손의 화염검과 탄닌의 검이 부딪히자, 거대한 섬광과 불꽃들을 쏟아냈고 금속성의 충격파가 계곡을 휘감으며 골짜기를 메아리쳐 울렸다. 한 치의 양보도 없이 일진일퇴하는 삼손과 탄닌의 치열한 공방전은 계속되었다.

삼손은 허공에서 몸을 돌리며 불붙은 화염검을 양손으로 잡고 급히 돌아서는 힘을 이용해 탄닌의 몸을 내리쳤다. 하지만 이런 공격을 미리 예상한 듯 탄닌은 자신의 검을 길게 수직으로 세워 여유롭게 공격을 막아낸 후 그를 힘껏 밀어냈다.

탄닌의 힘이 어찌나 센지 삼손은 뒤로 주르르 밀려났다. 여태껏 힘으로는 누구한테도 진 적이 없었던 삼손은 당황할 수밖에 없었다. 그는 가쁜 숨을 몰아쉬며 수차례 호흡을 가다듬어야 했다. 그가 보기에 탄닌은 여전히 멀쩡해 보였다. 계곡 쪽에는 눈이 더욱 거세게 쏟아져 내렸고 살을 에는 듯 추위가 엄습했다.

얼굴이 가름하고 호리호리한 몸집인 탄닌에게서 엄청난 괴력이 숨겨있었다는 사실에 삼손은 입을 다물지 못하고 서 있었다.

가로로 휘두르다 순식간에 세로로 휘두르는 탄닌의 검술은 마치 초식의 동작 하나하나가 가로선과 세로선을 직교해서 그리는 듯한 착각을 불러일으키기에 충분했다. 보기에도 무겁고 버거워 보이는 기다란 검을 든 탄닌은 신들린 듯한 소리를 내며 너무나 손쉽게 허공에 원을 그렸다. 노련한 검객인 탄닌의 칼에서 뿜어져 나오는 검기가 심상치 않았다. 삼손과 탄닌이 공중을 날면서 검과 검을 부딪칠 때 계곡 사방으로 쨍강 소리가 나며 검기가 번쩍였다.

삼손은 탄닌이 검을 휘두를 때마다 그의 약점을 치는 측공의 방식으로 되받아쳤다. 그들은 쉬지 않고 검을 휘둘렀지만 서로의 몸에 상처 하나 내지 않았다. 그저 실력을 확인하고 싶었을 뿐이다.

삼손이 얼핏 보기에 탄닌이 같은 동작을 반복하는 것처럼 보였지만 시간이 지날수록 이전과는 전혀 다른 초식임을 깨닫게 되었다. 조금 전 자신의 발목을 향해 날카롭게 들어오는 검을 막은 것도 머리를 가격하려던 탄닌의 검이 보이지 않아 우연히 밑을 내려다보다 겨우 화염검으로 걷어냈던 것이다. 눈 깜짝 할 사이에 자세를 바꿔 검을 위로 번쩍 들어 올려 내리치는 탄닌의 검술은 가히 충격적이라 할 만했다.

삼손이 할아버지에게서 배운 검술을 탄닌은 이미 환히 꿰뚫어 보고 있는 듯 했다. 얼마의 시간이 흐르자 삼손은 점점 더 탄닌이 현란하게 휘두르는 검을 정신없이 피하느라 바빴다.

기회를 엿보고 있던 삼손은 승부를 뒤집기가 어렵게 되자 할아버지에게서 전수 받은 비장의 술법을 쓰기로 마음먹었다. 어려서부터 그는 비를 오게 하고 바람을 불게 하는 것뿐만 아니라 축지법과 경공술등의 술법들을 익혔다. 하지만 탄닌은 그런 종류의 술법으로 상대하기에는 너무나 강했다. 자신의 실력을 뛰어넘는 신기한 도술과 검술실력을 지닌 탄닌과의 치열한 경합에서 이기려면 좀 더 특별한 비책을 꺼내 사용하여야만 했다. 그는 긴장한 자신을 달래기 위해 심호흡을 한 번 크게 내뱉고 나서 한 몸이 여러 개의 몸으로 나타나게 하는 분신술을 시행했다. 순식간에 자신과 똑같은 얼굴과 똑같은 옷을 입은 수백여 명의 삼손이 주변으로 퍼져나가면서 탄닌을 빙 둘러 에워싸기 시작했다. 순간 탄닌은 시선을 어디에다 두어야 할지 몰라 당황하였다.

분신술로 눈앞에 나타난 수백여 명의 삼손들은 서로를 도와 탄닌을 향해 일제히 검을 겨누었다. 쉴 새 없이 눈이 내려 건곤을 분간하기가 어려운 상황 속에서 탄닌은 눈앞에 누가 진짜 삼손이고 가짜인지 잘 구별되지 않았다. 그때 맨 앞 열에 포진하고 있던 삼손들이 누군가의 지시에 따라 화염검으로 바람을 가르며 뻗어나왔다. 저 가운데 한 명만 빼고는 나머지는 헛된 환영에 불과할 뿐이라 스스로를 위로하였다. 그들은 벼락처럼 탄닌을 향해 검을 휘둘렀다. 삼손의 모습을 한 분신들의 검은 가볍게 움직이는 듯했지만 생각보다 위력은 강했다. 무리 가운데 끼어있던 삼손 역시 화염검을 자신의 중심에 세운 뒤 공력을 끌어 올려 검에 실었다. 그러고는 공중에서 세 바퀴나 회전을 한 뒤 탄닌의 몸통을 노렸다.

탄닌은 재빠르게 몸을 숙이며 피하면서 일어나 검을 좌우 측방으로 여러 번 휘둘렀다. 그 순간 온갖 상념을 잊고 검에만 정신을 집중했다. 자신이 가진 능력과 분신술의 환영들을 꼭 물리치겠다는 의지를 한데 모아 검에 담았다. 그러자 검에서 하얀 섬광이 번쩍이면서 강렬한 불의 기운이 실린 검기가 물결처럼 파동을 일으키며 분신술로 만들어진 환영들을 향해 쏟아져 나갔다.

검기가 닿는 순간 삼손의 환영들은 허공 속으로 사라져 갔다. 분신술마저 실패하자 삼손은 당혹감을 감추지 못했다.

"아니, 세손 각하! 분신술이라니요. 하하하, 제게 너무 심하신 것 아닙니까?"

탄닌은 제법 여유를 되찾아 능청스럽게 웃음을 지었다.

"대체, 자네 정체가 뭔가? 분신술을 한방에 깨부수다니……내가 자네를 너무 얕잡아 봤어."

더 이상 검술로 경합을 할 필요를 느끼지 못한 삼손이 검을 밑으로 내린 후 그를 멍하니 바라보았다.

"어째, 목소리에 힘이 빠지신 것 같은데요. 세손 각하, 벌써 포기하신 건 아니시죠?"

탄닌은 삼손의 얼굴을 흘낏흘낏 건너다보며 눈치를 살폈다.

"포기라니? 내가 태룡산에 오기까지 지금껏 어떤 삶을 살아왔는데…… 내 삶에 포기란 있을 수 없네. 무엇보다 자네의 정체를 알기 위해서라도 여기서 끝낼 수는 없지."

삼손은 자기도 모르게 두 주먹을 불끈 쥐었다.

"하하하. 역시, 이 나라의 세손 각하다우십니다! 그럼, 좋습니다.

저기 보이는 태룡산 정상까지 가장 먼저 도착하는 자가 오늘 경합에서 이기는 걸로 하시죠. 단, 조건이 있습니다. 지금 같은 경공술이 아닌 땅에서 직접 발로 뛰는 걸로 말입니다. 물론, 쉽지만은 않은 일이죠. 그래도 한번 해보시겠습니까?"

탄닌은 따뜻한 배려가 담긴 표정으로 삼손을 마주 보았다.

태룡산 정상의 공기량은 평범한 사람들이 사는 곳과 비교했을 때 절반 수준에도 미치지 못했다. 설령, 산에 오르며 고산지대의 공기량에 몸이 적응한다 해도 한계가 있을 수밖에 없다. 더군다나 태룡산의 혹독한 추위와 살벌한 눈바람까지 염두에 둔다면 산 정상을 오르는 일은 말 그대로 자살행위나 다름없을 만큼 위험천만한 일이었다.

"뜀박질이라면 나도 자신이 있지. 좋네! 어디 한번 신나게 달려보세."

불이 꺼진 화염검을 어깨에 멘 삼손은 그의 의중을 짐작하는 것 같이 고개를 끄덕였다.

말이 끝나기도 무섭게 땅으로 내려온 삼손과 탄닌은 태룡산 정상을 향해 힘차게 내달렸다. 두 사람은 숲 사이에 난 좁은 길로 들어섰다. 눈이 내리는 어두운 하늘에는 달빛도 비추지 않았다. 숲 속 주변에는 밤에 우는 올빼미나 산짐승 소리도 들리지 않았다. 둘은 앞서거니 뒤서거니 하며 구불구불한 급경사를 지나 수북이 눈 쌓인 돌계단을 밟고 뛰었다. 숲으로 깊이 들어설수록 머리 위로는 새하얀 눈꽃들이 피어있었다. 고도가 높아진 만큼 나무들 사이로 꽁꽁 얼어붙게 하는 매서운 바람이 스쳐왔다.

삼손과 탄닌은 불타는 승부욕을 보이며 한 치의 양보도 없는 접전을 벌이는 중이었다. 가쁜 숨을 몰아쉬며 뛰고 있는 와중에도 둘은 무척 긴장해서 가끔 좌우로 눈길을 돌리며 서로를 의식했다. 산세가 험한 산줄기의 볼록한 능선을 통과해서 눈 덮인 소나무 숲 사이를 누비듯이 산꼭대기로 향했다. 사람과 짐승이 없는 산길은 낮과 다른 서늘함을 어둠 속에 그림자처럼 드리우고 있었다. 만일 요괴들의 무리가 눈앞에 나타난다고 해도 전혀 이상하지 않을 분위기였다. 그렇게 한 참을 달리고 나서야 빙설에 덮여 있는 산 정상이 모습을 드러나 보였다.

그들은 쉬지 않고 산 위로 치달렸다. 꼭대기로 올라갈수록 눈안개가 자욱하여 지척도 분간할 수 없었다. 그러나 그들은 포기하지 않고 끈질기게 달렸다. 눈바람에 둘의 긴 머리가 날리며 머리 위로 하얀 눈이 소리 없이 내려앉았다.

태룡산 정상까지는 불과 400미터밖에 안 남았지만 눈으로 덮여 있어 더 가파르게 느껴졌다. 그들은 누가 먼저랄 것도 없이 점점 속도를 내기 시작했다. 산꼭대기로 오르는 협곡은 바위와 돌, 급경사로 인해 위험천만한 지역이었다. 그들은 지친 기색 하나 없이 어둠 속에서 맹렬한 속도로 달렸다. 서로 간에 말은 없었지만 얼굴표정과 눈빛, 그리고 간간히 들려오는 호흡소리만으로도 상대방의 상태를 느낄 수 있었다. 탄닌은 태룡산에서 이렇게 누군가와 같이 달린다는 게 얼마나 뿌듯하고 기쁜 일인지 오늘에서야 깨달았다. 더욱이 상대가 공주의 오빠이자 이 나라의 세손 각하라는 사실에 고무되었다.

축지법을 사용하고 있는 삼손은 자신과 같은 속도로 뛰고 있는 탄닌이 보통 사람은 아닐 것이라는 심증을 굳혔다. 태룡산 꼭대기는 산세가 험하고 가팔라서 지금껏 사람들이 오른 적이 한 번도 없었기 때문이었다. 무엇보다 하늘을 유유자적 누비는 높은 수준의 경공술을 선보인 그였기에 의심의 여지가 없었다. 신비로이 숨겨져 있는 탄닌의 정체가 궁금할수록 골짜기 안으로 드리워진 소나무 그늘들이 점점 그의 가슴을 답답하게 옥죄었다. 산 정상이 가까워지자 그는 마지막 남은 힘을 다해 달리기 시작했다. 이에 뒤질세라 탄닌도 다리에 힘을 가뜩 주고 달렸다. 둘은 서로 엎치락뒤치락하면서 거의 동시에 산 정상에 도착했다. 그야말로 우열을 가리기 어려운 지경이었다. 삼손은 헉헉 가쁜 숨을 쉬다가 한참 만에 후유하고 숨을 길게 내쉬고는 겨우 입을 열었다.

"휴! 젠장, 이번에도…… 승부가 나지 않은 건가?"

"헉헉, 숨차 죽겠어요! 그러게요. 세손 각하가 이리도 잘 뛰실 줄은 몰랐네요. 후유! 용족의 후예인 저와 쌍벽을 이루시다니 정말 대단하십니다."

거친 숨을 몰아쉬며 탄닌은 조심스럽게 자신의 정체를 밝혔다.

"뭐? 방금 뭐라고 했나? 용족의 후예라고? 그 말은 자네가……."

삼손은 벼락을 한 방 맞은 듯 멍한 기분으로 서 있었다.

"저, 그게 사실은……솔직히 말씀드리죠. 저는 인간이 아닌 드래곤입니다."

탄닌이 잠시 머뭇거리는 듯하더니만 조용히 말문을 열었다.

"뭐, 자네가 드래곤이라는 말인가? 정녕 틀림이 없는 사실인가?"

삼손은 너무 놀란 나머지 재차 물었다.

"제 말이 미덥지 않으십니까?"

탄닌은 일부러 우스꽝스러운 표정을 지어 보였다.

"아, 아니네, 잠시 내가 당황해서 그랬어. 자네가 전설 속에나 존재할 법한 드래곤이라고 하니……내 어찌 놀라지 않을 수 있겠나? 본래 드래곤이라면 큰 날개에 머리가 둘이거나 눈이 셋이거나 하는 등 괴상한 모습을 상상했었네. 그런데 자네는 나와 같은 사람의 모습이니 솔직히 나로서는 의아해 할 수 밖에 없지 않은가."

허공을 가르는 바람소리가 무시무시하게 들려오고 있었지만 삼손은 서두르지 않고 침착하게 자신의 속마음을 털어놓았다.

그때 갑자기 눈바람이 천둥 같은 소리를 내며 더욱 세차게 불어닥쳤다. 순간 몸을 움츠리며 고개를 숙인 삼손이 자신도 모르게 산 밑을 내려다보았다. 현기증이 날 정도로 까마득히 먼 칼날 같은 능선들과 산세가 기이하고 험준한 열 두 개의 산봉우리들이 시야에 들어왔다. 그는 산꼭대기까지 한시도 쉬지 않고 올라왔다는 것이 믿기지 않을 정도였다.

삼손은 뒤늦게 '아니, 내가 어떻게 이런 위험한 곳까지 올라 왔을까?'라는 생각과 함께 속된 말로 '산 정상을 먼저 밟으려다 죽으려고 환장했구나!'라는 심정을 지울 수 없었다.

"으흠, 저, 세손 각하, 설마, 여기가 무서운 건 아니시죠?"

일부러 얕은 기침을 하여 목을 가다듬은 탄닌이 삼손의 얼굴을 흘낏흘낏 건너다보며 눈치를 살폈다.

"어험! 무섭긴……누가 무서워한단 말인가?"

삼손은 뻘쭘했는지 애써 태연한 척을 했다.

"에이, 저한테는 솔직하셔도 돼요."

탄닌은 짓궂게 굴었다.

"거 참, 아니라니까. 그나저나……자네가 용족의 후예라니 정말, 놀랐네. 그래서 자네의 속마음을 들여다 볼 수가 없었던 거였어."

삼손은 속마음을 감추고 화제를 바꾸었다.

"저 역시 세손 각하의 생각을 통 읽을 수가 없었습니다. 나중에 알았지만 세손 각하의 몸속에도 드래곤의 피가 흐르기 때문이었죠."

"그것 참 신기한 일일세. 아, 그보다는 그 최씨 노인의 정체는 뭔가? 혹시 자네와 같은 용족인가?"

"휴! 저희는 아주 미묘하고 복잡한 관계에요. 왕후에게 엄마를 잃고 난 뒤 홀로 된 저를 키워주신 분이 할아버지셨어요. 저에게는 단순한 사람이 아니라 은인이죠. 아, 그런데 운명의 장난이란 게 정말 얄궂은 것 같더라고요. 뒤늦게 할아버지가 드래곤과 아주 상극인 존재라는 사실을 알게 되었죠. 음, 한 때 그분은 드래곤을 산 채로 포획해 죽이는 무시무시한 용 사냥꾼이었거든요. 저와 같은 용족들은 그들을 가리켜 드래곤 슬레이어라고 부르죠."

탄닌은 모든 사실을 허심탄회하게 밝혔다.

"뭐, 용 사냥꾼…… 드래곤 슬레이어? 그분이 지금도 그런 일을 하고 계신 건가? 내가 볼 땐 매우 좋은 분처럼 보이시던데…….

음, 공주도 그 분을 너무 잘 따르는 것 같고 말일세."

아무런 가림막이 없는 산꼭대기는 눈바람이 너무 세서 서 있기 조차 힘들었다. 하지만 삼손은 탄닌의 이야기가 너무 궁금해서 고개를 기웃이 빼고는 그의 얼굴을 바라보았다.

"역시, 세손 각하께서는 사람 볼 줄 아시는 군요. 할아버지는 일찍이 용 사냥꾼의 일에 환멸을 느끼시고 종족을 버리고 떠나셨죠. 오랜 방황 끝에 이곳 태룡산에 정착한 할아버지는 자신의 재능을 가난하고 어려운 사람들을 돕는 일에 사용하셨어요. 음, 드래곤 슬레이어들은 고대의 마법과 의술에도 능통했죠. 할아버지는 고통스럽게 죽어가는 우리 엄마를 끝까지 보살펴주신 분이기도 하죠. 하하하. 가끔 할아버지와 티격태격 할 때가 많은데 그건 어디까지나 진짜 제 속마음을 감추려고 하는 행동이에요. 그러다보니 평상시 공주한테 야단맞는 게 습관처럼 돼 버렸지 뭡니까. 하하하."

산 정상에는 세상을 뒤덮을 정도의 눈보라가 몰아치고 있었다. 그런 악천후 속에서도 탄닌은 조금의 흔들림도 없이 여유를 부리며 말했다.

"그런 사정이 있었는지는 몰랐네. 근데, 이보게. 자네의 어머니가 왕후의 손에 죽었다니 그건 어떻게 된 일인가?"

눈썹과 머리에 내려앉은 눈을 손으로 쓸어낸 삼손이 의아하다는 표정으로 물었다.

"후유! 그러고 보니……세손 각하와 저는 왕후에게 부모를 잃은 사이네요. 으음, 엄마는 궁궐에서 소이라는 이름으로 살던 궁녀였습니다. 신전에서 아이들이 재물로 바쳐진다는 것을 알게 된 엄마가 아이들을 구하기 시작했어요. 그 아이들 가운데 하나가 바로 공주였죠. 휴! 우연이라고 하기에는 너무 절묘한 상황이었어요. 하지만 왕후도 호락호락 당하고만 있지 않았죠. 그 여자가 매복시켜 놓은 네피림들에게 기습을 당한 거지요. 엄마는 큰 부상을 당했지만 그곳에서 공주를 무사히 구해냈어요. 으음, 그런데…… 치명상을 입은 엄마는 저를 낳고 난 뒤 결국 죽고 말았습니다.”

탄닌은 심난했던 지난날이 생각나는지 콧날이 시큰거리며 눈시울이 붉어졌다.

“이런 못된 악녀 같으니라고! 가난한 백성들의 고혈을 빨아먹는 것도 모자라 감히 힘없는 어린 아이들의 생명을 유린하다니……내 결코 그 여자를 용서하지 않을 것이야. 반드시 내 손으로 죽일 것이다!”

“어, 새치기 하시면 안돼요! 왕후는 제가 처리할 겁니다. 하하하.”

“탄닌, 너의 어머니 일은 참으로 안타깝구나. 하지만 어머니의 고귀한 희생이 아니었다면 공주는 지금쯤 이 세상 사람이 아니었을 거야. 음, 그러니까 너도 그 슬픔에서 하루속히 빠져나와서 나와 함께 대업에 동참해주길 바란다. 어험, 그렇게 해 줄 수 있겠느냐?”

삼손의 목소리와 표정에는 나이답지 않게 위엄이 서려 있었다.

“하하하. 그러잖아도 그 말을 기다리고 있었습니다. 용족의 후예인 저, 탄닌! 세손 각하의 명을 받들겠습니다.”

탄닌은 세손 앞에서 예를 갖추며 맹세했다.

오래전부터 용이 살아 있는 신령스러운 산이라 불리는 태룡산 정상에서 삼손과 탄닌은 조선을 사악한 왕후의 손에서 구하기로 결의를 다졌다. 어둠이 점점 깊어가는 가운데 그들은 눈안개가 뒤덮인 능선을 따라 하산을 서둘렀다. 때마침 요란한 소리를 내는 강풍과 폭설로 인해 그들은 허리를 구부리고 하산하기 시작했다. 그들이 오를 때 낸 발자국들이 이미 눈보라에 의해 흔적도 없이 지워지고 없었다. 그들이 산에 오르는 동안 내린 폭설로 산등성이를 따라 죽 이어진 능선에는 지붕이 도리 밖으로 내민 듯한 모양의 거대한 눈처마가 늘어서 있었다. 살인적인 추위 속에서 무릎까지 빠지는 수렁 같은 눈 지대를 만난 그들은 땅의 눈이 단단하게 얼어붙어 보행조차 쉽지 않았다. 시간이 지날수록 삼손의 발가락은 얼어 무감각해졌다. 그런 이유 때문인지 그의 왼발 전체에 아무런 감각이 없었다. 오른발은 그 정도까지 심한 상태는 아니었지만 확연히 감각이 둔해졌다. 그는 산을 오르는 것보다 산을 내려가는 것이 더 힘들다는 것을 다시 한번 더 뼈저리게 느꼈다. 무언가 이상한 낌새를 눈치챈 탄닌은 삼손을 근처 소나무 숲에 있는 널찍한 바위로 데려갔다. 그는 곧장 삼손의 짚신에 두른 감발을 풀고 얼어붙은 발의 감각이 되살아날 때까지 주물러 주었다.

"으윽……. 아니, 자네 손은 어찌 이리도 따뜻한 것인가? 숯불을 담아 놓은 화로처럼 뜨겁네."

삼손은 자신의 몸이 갑자기 뜨거워지고 있음을 느꼈다.

"그러니 제가 용족의 후예죠. 본래 드래곤의 피는 아주 뜨겁습니다. 그래서 그런지 저는 태어날 때부터 추위를 한 번도 못 느끼며 살았어요. 이곳 태룡산의 겨울날씨는 조선에서 제일 춥기로 유명하지만 저에게는 겨우 땀을 식혀 줄 정도의 추위밖에 안됩니다. 자, 보세요. 제 등 뒤에서 땀이 나고 있잖아요. 하하하."

탄닌의 말대로 그의 등줄기에는 연신 땀이 흘러내리고 있었다.

삼손은 거짓말처럼 금세 얼굴에 화색이 돌고 혼자서 거동도 할 수 있을 만큼 두 다리가 회복되었다. 한참 만에 그들은 기승을 부리던 악천후를 뚫고 힘겹게 산을 내려왔다. 눈길을 걸으며 마을로 돌아가던 그들은 이런저런 얘기를 나누며 급격하게 사이가 가까워졌다.

시간 가는 줄 모르고 대화를 하며 걷다보니 어느새 계곡을 벗어나 분지마을로 가는 길로 들어섰다.

"허허허. 공주가 자네를 키운 거나 다름없다니……풉! 생각할수록 자꾸만 웃음이 나오네."

삼손은 웃음이 터져 나오는 것을 겨우 참아내며 딴 데를 보았다.

"아니, 세손 각하, 그게 그렇게 웃긴 일입니까? 눈물 없이는 들을 수 없는 슬픈 이야기라고요. 후유! 그때를 생각할 때마다 저의 가슴이 미어터지는 것 같습니다."

탄닌은 어리둥절한 표정으로 웃음을 참고 있는 삼손을 바라보았다.

"허허허. 이보게, 오래전에 도롱뇽 같이 생긴 자네를 우리 공주가 애지중지 키워주었다고 내게 직접 말하지 않았는가? 허허허. 그런데…… 공주의 호주머니 속에 들어가 잠들었던 자네를 떠올리니 자꾸 웃음이 나오는 걸 낸들 어찌 참을 수가 있겠나?"

삼손은 뻘쭘한 표정으로 서있는 탄닌을 보더니 마침내 푸하하 웃음을 터트리고 말았다.

그런데 그때였다. 산길에서 마을에 가까이 갈수록 짚불 타는 냄새가 그들의 코를 파고 들었다. 무언가 이상함을 느낀 삼손과 탄닌은 서로의 얼굴을 한번 쳐다보다가 마을을 향해 전력을 다해 달리기 시작했다.

눈바람에 흔들리는 나뭇가지 사이로 비호처럼 달린 그들 앞에 태룡산 분지마을이 보이기 시작했다. 그런데 마을 여기저기서 검은 연기가 하늘로 치솟고 있었다. 잠시 뒤 삼손과 탄닌이 마을 어귀에 들어서자 몇몇 사람들이 나와서 언 발을 동동 구르며 누군가를 기다리고 있었다. 삼손이 자세히 바라보니 행신 상단 단원들이었다.

"아니, 세손 각하. 어디 갔다 이제야 오시는 겁니까? 큰일 났습니다."

안 그래도 까무잡잡한 정길이의 얼굴이 근심으로 더욱 어두워졌다.

"아니, 이게 대체 무슨 일인가?"

불에 탄 마을을 본 삼손이 걱정스러운 표정으로 물었다.

"세자빈마마님께서……."

춘삼은 별안간 고개를 숙이고 말끝을 흐렸다.

"어……어머니께서 왜? 대체 무슨 일인 것이냐?"

삼손은 순간 가슴이 철렁 내려앉았다.

"마마님께서는 마을을 습격한 여러 명의 자객들에게 끌려가셨습니다. 그런데 실은…세자빈마마님뿐만이 아니라…… 공주마마님께서도 함께…….”

춘삼은 가슴이 메어 다음 말을 잇지 못했다.

“이보시오, 방금 뭐라고 했소? 공주가 끌려갔단 말이오?”

탄닌이 분노로 가득한 목소리로 물었다.

“그렇소. 그뿐만이 아니라…… 아이들도 함께 사라졌소.”

춘삼이는 슬픔에 잠긴 목소리를 짜내듯이 대답했다.

“아니, 자네들은 일이 이 지경이 되도록 뭘 하고 있었나?”

삼손은 거칠어진 호흡을 간신히 누르며 말했다.

“변명 같지만 이런 말씀을 드려 송구하기 그지없습니다. 솔직히 이런 일이 생길 것이라고는 미처 생각하지 못했습니다. 저희는 최씨 어르신을 따라 상단에 가져갈 인삼을 살피고 있었죠. 한참 뒤에 저희가 마을에 내려왔을 때는 이미 자객들에게 습격을 당하고 난 후였어요. 저희가 미처 손을 쓸 겨를도 없이 벌어진 일이었습니다. 부디 저희의 잘못을 용서하여 주십시오.”

송철은 일의 자초지종을 침착하게 설명했다.

“어, 그러고 보니 할아범은 왜 보이질 않지?”

탄닌이 두리번두리번 둘러보고는 혼잣말처럼 뱉었다.

“아차, 내 정신 좀 보게. 어르신께서는 다른 단원들을 데리고 자객들의 뒤를 쫓아갔소.

정길이가 그제야 생각이 난 듯 머리를 쳤다.

“세손 각하, 사정이야 여하튼 세자빈마마님과 공주마마를 지키지 못한 저희를 크게 벌하여 주십시오!”

송철은 갑자기 석고대죄 하듯 땅에 엎드렸다.

"저희를 벌하여 주십시오!"

그러자 나머지 단원들도 그를 따라 엎드리며 흑흑 흐느꼈다.

"지금 뭣들 하는 건가? 다들 그만 일어나게. 후유, 나야말로 입이 열 개라도 할 말이 없네. 내가……이곳에 있었어야 했어. 잠시 다른데 정신이 팔려 이 사단이 난 게야. 그러니 용서를 구해야 할 사람은 자네들이 아니라 바로 날세."

삼손의 목소리가 죄책감에 심하게 떨리고 있었다.

"아니, 대체 어떤 놈들이지? 이런 혹독한 날씨 속에 태룡산까지 오를 정도면 평범한 놈들은 아니라는 건데……설마?"

주변을 의식하지 않는 모습으로 탄닌은 뭔가를 생각나는 대로 혼자 지껄여댔다.

"혹, 어르신은 그자들에 대해 아무 말도 없으셨나?"

삼손은 울음을 참느라고 두 눈이 붉게 충혈되어 있는 춘삼이를 바라보았다.

"저, 그게 사실은……어르신께서 절대 말하지 말라 하셔서……."

춘삼이는 어떤 이유에서인지 말을 꺼내지 못하고 머뭇거리며 입술만 잘근거렸다.

"그게 무엇이든 어서 소상히 말하라."

얼굴에 근엄한 표정을 띠운 삼손이 낮으면서도 단호한 목소리로 말했다.

"네, 세손 각하. 실은…… 어르신께서 누군지 아는 자들이라고 하셨습니다. 한때 자신과 같은 부류의 종족이라고 하시더군요. 그들이 원하는 것은 단 하나 뿐이라고 하셨는데……그걸 절대로 넘겨주지 않을 거라며 혼잣말로 중얼거리며 분개하셨어요. 그러고는 지금 들은 이야기는 절대로 세손 각하와 탄닌에게 말하지 말라 하시면서 당부를 하셨습니다."

춘삼은 최씨 노인에게서 들은 대로 이야기했다.

그 순간 탄닌은 공주를 납치해간 자객들이 용 사냥꾼들임을 알게 되었다. 그들이 원하는 것은 다른 사람들이 아니라 바로 자신이라는 것도 분명히 알고 있었다. 그는 자기 때문에 공주가 납치를 당했다는 생각이 들자 피가 거꾸로 솟는 듯했다.

오랜 시간 동안 용 사냥꾼들은 드래곤의 흔적을 찾기 위해 세상을 샅샅이 뒤지고 다녔다. 그러다 언제부터인가 태룡산에 용이 살고 있다는 소문이 조선 팔도 방방곡곡으로 삽시간에 돌기 시작했다.

그런 소문을 그냥 놓칠 리 없는 용 사냥꾼들은 태룡산 주변을 맴돌며 용을 사냥할 기회를 호시탐탐 엿보고 있었던 것이다. 하지만 최씨 노인이 쳐놓은 보호결계가 그들의 접근을 철저히 막아 내었다. 그런데 어찌된 일인지 보호결계가 무력화되었던 것이다. 탄닌이 이제 와서 가만히 생각해 보니 조금 전 계곡에서 삼손과 검술 경합을 벌일 때 화염검이 산의 보호결계를 뚫고 나갔다 온 것이 분명했다. 화염검은 최씨 노인이 마법으로 만든 결계를 순식간에 소멸시키고 말았던 것이었다.

탄닌은 오늘밤 경합만 벌이지 않았어도 이런 일은 생기지 않았을 텐데 하는 후회가 일었다. 동시에 그는 오래 전 동굴 속에서 본 자신의 운명을 뒤바꾸기가 힘들다는 것을 뼈저리게 느꼈다. 애써 외면하고 싶었던 그 시간이 이렇게 빨리 앞당겨 지게 될 줄은 까맣게 모르고 있었다. 하지만 그보다 더 시급하게 해결해야 할 문제가 생겼기에 탄닌은 더 이상 주저나 망설임이 있을 수 없었다. 탄닌의 눈에서 분노와 복수의 빛이 번쩍이는 것을 발견하는 순간 삼손은 모든 사정을 대뜸 다 알아차릴 수 있었다.

"자네는 누구의 소행인지 알고 있는 거지?"

"놈들은……용 사냥꾼들입니다."

순간 공주를 잡아간 용 사냥꾼들을 생각하자 그는 분노가 이글거리며 끓어올랐다.

"뭐, 용 사냥꾼? 그 자들이 왜 이런 짓을 했지?"

삼손은 당황한 표정으로 탄닌을 바라보았다.

"휴! 이게 다 저 때문입니다."

탄닌의 얼굴에는 후회와 미안함이 교차하고 있었다.

"용 사냥꾼이라니 그게 무슨 말인가? 그리고 이번 일이 자네 때문이라니?"

무언가 이상한 낌새를 눈치챈 송철이 의아한 눈길로 쳐다보았다.

"아, 그건……."

탄닌은 얼른 말을 꺼내지 못하고 서 있었다.

"아닐세. 그건 내 잘못이기도 해. 오늘밤 내가 탄닌에게 검술 실력을 겨루어 보자고 해서 긴 시간을 허비했네. 자네들은 아직 잘 모르겠지만 탄닌은 공주의 가장 친한 벗이자 호위무사일세. 자리를 비워놓은 사이에 이런 일이 벌어졌으니 심적으로 얼마나 괴롭고 힘이 들겠나. 자책하는 것도 당연하지. 내가 먼저 무리하게 요구하지 않았다면 오늘과 같은 일은 생기지 않았을 걸세. 그러니 탄닌이 아닌 내 책임이 크다고 말하는 것이네."

순간 탄닌의 정체를 단원들이 알게 해서는 안 된다는 생각에 삼손은 하던 말을 서둘러 갈무리했다. 송철과 나머지 단원들은 삼손의 설명에 그런대로 수긍할 만했다.

자객들의 정체를 알게 되자 무거운 긴장감이 돌기 시작했다.

"이보게, 대체 용 사냥꾼들이 누군가?"

정길은 호기심 어린 눈빛으로 탄닌을 빤히 쳐다보았다.

"말 그대로 전설 속의 용을 사냥하는 종족들이네. 그들은 어떠한 악조건 속에서도 산을 잘 타는 자들이고 신계에 범접하는 신비한 능력과 힘을 지니고 있어. 쉽게 말하면 태룡산 아래 마을에 포진하고 있는 요괴들도 껄끄러워 피하는 족속들이지."

탄닌이 조용하고 침착한 목소리로 말했다.

"아니, 그런 종족들이 살고 있었다니 솔직히 믿기지가 않는군."

춘삼은 고개를 갸웃거리며 혀를 내둘렀다.

"그렇게 생각하면 안 되지. 지금껏 우리가 싸운 요괴들은 처음에 믿겨졌었나? 모두가 불가능이라 여겼던 소문들이 사실이었어."

송철은 상당히 냉철했다.

"이런 제기랄, 왜 이리도 되는 일이 하나도 없어. 요괴도 모자라 이젠 용 사냥꾼들이라니……."

뭐에 뿔따구가 났는지 정길은 이맛살을 찌푸리면서 혼잣말로 말했다.

삼손은 사람들을 납치해간 용 사냥꾼들의 행태가 도저히 이해가 가지 않았다. 한편으로 그는 막막한 절망감과 자책, 후회, 울분 따위가 범벅이 되어 무겁게 가슴을 짓눌렀다.

천적인 용 사냥꾼들을 찾으러 가야만 하는 탄닌은 착잡한 번뇌 끝에 결정을 내렸다. 자신의 운명이 여기서 끝이라면 그 또한 순순히 받아들이겠다고 하늘에 맹세했다. 그 대신 공주는 반드시 구하고 난 후 죽겠다고 스스로에게 다짐하였다.

"이 개놈의 새끼들!!! 전부 가만 두지 않겠어!"

탄닌은 두 주먹을 불끈 쥐고 목청껏 소리를 질렀다. 그의 목소리가 어찌나 큰지 산 전체에 울렸다.

그는 초조해지기 시작했다. 용 사냥꾼들을 어디에서 찾아야 할지 행방조차 묘연하니 답답해 죽을 지경이었다. 최씨 노인이라도 있었다면 그들의 본거지가 어디에 있는지 찾기가 수월했을 텐데 하는 아쉬움을 감추지 못했다.

그때 갑자기 무언가를 상기한 탄닌이 놀란 듯 몸을 돌리며 삼손을 불렀다.

"세손 각하, 어디 있는지 찾을 방도를 알아냈어요! 화염검이 답을 갖고 있습니다."

"아니, 뜬금없이 그게 무슨 말인가?"

순간 삼손은 무슨 일인가 하여 고개를 갸웃대며 탄닌을 바라보았다.

그곳에 모여 있던 단원들도 탄닌의 이야기에 몹시 궁금해하기는 매한가지였다.

"용 사냥꾼들은 마법을 숨 쉬는 것처럼 쉽게 부리는 자들이어서 그들의 뒤를 쫓는 것은 여간 어려운 일이 아닙니다. 할아범만이 그들의 흔적을 찾아갈 수 있는데……이 성질 급한 노인네가 먼저 떠날 줄 누가 알았겠습니까? 그런데 곰곰이 생각해보니 세손 각하가 갖고 계신 화염검이 저희를 그곳으로 데려다 줄 수 있을 것 같습니다."

탄닌이 공주를 찾을 수 있겠다는 희망이 생기자 몹시 흥분된 표정이었다.

용 사냥꾼들의 대부분은 드래곤이나 용의 피를 마신 자들로서 탄닌의 예지력으로는 그들의 생각과 마음을 읽을 수가 없었다. 그들은 고대로부터 드래곤들과 함께 생존해 온 족속들로 드래곤의 피를 마시게 되면 생명의 연장과 직결된다. 그러기에 그들은 사활을 걸고서라도 드래곤 사냥을 포기할 수 없는 것이다.

한편, 용 사냥꾼들이 살아 온 삶의 방식이나 행적을 자세히 살펴가던 탄닌은 이상한 점을 발견했다. 그들은 오랜 시간 동안 인간들을 괴롭히거나 살상한 적이 단 한 번도 없었다. 오히려 평화롭게 공존하며 살고 있었다. 그런데 왜 오늘과 같은 일을 벌였는지 탄닌은 도무지 이해할 수가 없었다. 단지 드래곤의 피가 필요했다면 그들은 얼마든지 자신들의 힘과 능력으로 원하는 바를 얻을 수 있었기 때문이었다. 그래서 그런지 탄닌은 그들의 의도가 무엇인지 궁금했다.

"화염검이 놈들이 있는 곳으로 데려다 준다니 그게 사실인가?"

삼손은 어리둥절한 듯이 두 눈을 끔뻑거렸다.

"아주 오래 전부터 화염검은 네피림들이 지켜오던 신물이었죠.

하지만 화염검 때문에 그들 종족이 분열이 일어나고 전쟁이 일어나자 화염검은 새로운 주인을 선택하게 되었습니다. 바로 세손 각하를 키워 준 할아버지이시죠. 그때로부터 화염검은 신비한 능력을 나타내 보였어요. 가령 불을 내뿜는 다든지 시공간을 초월하여 이동한다든지 하는 초자연적인 현상을 일으켰습니다. 물론, 그건 어디까지나 검이 주인으로 인정한 자에게만 허락된 특권이었죠. 그래서 제 말은 이를테면 용 사냥꾼들이 지금 어디에 있든지 세손 각하의 화염검이 우리를 그리로 인도할 거라는 뜻입니다."

탄닌은 비장한 각오를 한 듯 결연한 표정으로 말을 시작했다.

삼손은 그의 이야기를 듣는 순간 짐짓 놀라는 표정을 지으면서도 반색하는 기색이 역력했다. 하지만 삼손과 달리 춘삼이와 정길 그리고 송철은 얼른 이해가 가지 않아서 고개를 갸우뚱거리며 화염검에 대하여 반신반의하는 표정들이었다. 탄닌은 세 사람의 표정을 보자 조금 전 자신이 한 말을 이해시키기 위해서는 상당한 시간이 걸릴 것이기 때문에 설득하는 것을 포기하기로 작정했다. 그 대신 그들이 직접 눈으로 보고 몸으로 체험할 수 있는 기회를 주기로 마음먹었다.

"자네 말대로 용 사냥꾼들을 쫓아가려면 어떻게 해야 하는지 어서 알려주게."

삼손은 서둘러 어깨에 멘 검을 뽑아 들었다. 그는 한시라도 빨리 소중한 사람들을 구하고 싶은 마음에 조바심은 더욱 심해지고 안절부절 견딜 수가 없었다.

"잠시만요. 그동안 이 땅의 여러 종족 가운데 네피림과 용 사냥꾼 그리고 엘프족들만이 시공간을 자유자재로 넘나들 수 있었죠. 그렇지만 현재 화염검의 주인인 세손 각하도 검의 도움을 받아 시공간의 문을 움직일 수 있습니다. 그러기 위해서는 우선 조급함과 온갖 상념들을 떨쳐 버리세요! 그런 다음 마음의 평정을 유지하시고 정신을 집중하셔야만 합니다."

탄닌이 침착한 목소리로 설명하기 시작했다.

"고작 그것뿐인가?"

양손으로 잡은 검을 앞으로 내민 삼손은 겉으로는 태연한 척 했지만 얼마나 긴장이 되던지 진땀을 흘리고 있었다.

"쉿, 조용히! 지금은 아무 말도 하지 마시고 오직 검에만 집중하세요. 자, 천천히 호흡을 하면서 폐에 맑은 공기를 들이마시세요. 그다음은 마음속으로 그리운 어머니를 떠올려보세요. 이제 간절함을 담아 검에게 부탁을 해보세요."

탄닌은 차분한 말투로 아주 진지하게 방법을 일러주었다.

옆에서 그 모든 광경을 보고 있던 정길은 그들이 하고 있는 모습이 마치 우스꽝스럽게 느껴졌다. 그와는 달리 송철과 춘삼은 이후 어떤 일이 벌어질지 몰라 긴장한 탓에 목이 타들고 입술이 바짝 타들어 가기 시작했다.

스승의 가르침을 따르는 제자처럼 탄닌과 삼손 둘 사이의 분위기는 무겁고 진지했다. 화염검에 대해서는 태곳적부터 존재해 온 탄닌이 누구보다 잘 알고 있었다. 탄닌이 얼핏 보아도 삼손은 공가 노인에게서 화염검이 시공간을 넘나든다는 이야기를 듣기는커녕 활용 방법도 전수받지 못한 것이 분명했다. 탄닌은 화염검의 숨겨진 능력을 그가 사용할 수 있도록 하기 위해 혼신의 힘을 기울였다.

"이보게, 자네 말대로 검이 반응하고 있네. 그러면 이제 모든 과정이 끝이 난 건가?"

심하게 좌우로 요동치고 있는 검의 칼자루를 꽉 움켜쥐고 있는 삼손이 놀란 표정으로 탄닌의 얼굴을 쳐다보았다.

"아직 아닙니다. 조금만 더 인내하세요. 그리고 자네들은 얼른 내 곁으로 와 내 몸에 손을 대게. 거미줄처럼 서로 연결되어 있어야 아이들이 있는 곳으로 갈 수 있어."

검의 반응이 나타난 것을 확인한 탄닌은 그제야 안도의 숨을 내쉬며 급히 나머지 세 사람을 불렀다.

"더 이상은 검을 붙들고 있을 수 없네. 다음은 뭘 어찌해야 하는가?"

삼손은 요동치는 검과 함께 몸이 심하게 흔들리고 있는 상황이었다. 거기에다 잔뜩 손에 힘을 준 탓으로 술에 취한 듯 그의 얼굴이 붉게 상기되었다.

"잘 들으십시오. 검이 이렇게 요동을 치고 있는 건 모든 준비가 다 되었다는 반응입니다. 이제 검에게 간절히 요청하십시오. 내 어머니가 계신 곳으로 데려다 달라고 말입니다. 그렇게 한 다음 곧장 검을 힘껏 땅바닥에 꽂으시면 됩니다. 자, 이제 제가 알려드린 대로 한번 해보세요."

그렇게 말한 후 탄닌은 삼손의 등에 자신의 손을 갖다 댔다. 그가 하는 것을 보고 송철과 춘삼, 정길도 탄닌의 어깨에 손을 얹었다.

"어머니가 계신 곳으로 데려다 줘!"

삼손이 검에게 말을 걸자 갑자기 멀쩡했던 하늘에서 우르릉우르릉 뇌성이 울렸고 번개 같은 광채가 검에서 번득거리었다.

"세손 각하, 지금이에요! 검을 힘껏 꽂으세요!"

탄닌이 큰 소리로 외쳤다.

"화염검, 부탁할게!"

삼손은 재빨리 검을 수직으로 땅에 내리꽂았다.

그러자 그들이 여태껏 한 번도 본 적이 없는 강렬한 섬광이 검에서 뿜어져 나왔다. 빛이 강해지는 만큼 땅에 박힌 검도 마치 지진을 일으키듯이 더욱 세게 진동하고 있었다. 칠흑 같은 어둠과 눈발을 가르고 있는 섬광이 검 주변에 서 있는 그들을 집어삼켰다. 눈 깜짝할 사이에 사람의 흔적은 온데간데없이 사라져 버렸다. 차가운 땅바닥 위에는 굵은 눈발만이 희끗희끗 날리고 있었다.

(2권에서 계속)